Een onverwachte erfenis

Robert Thomson

Een onverwachte erfenis

b:k light

Dit is een uitgave van Booklight – dienstverlenende uitgeverij
Zie voor een overzicht van al onze titels (ook als e-book)
www.booklight.nl

De namen en de karakters in deze roman zijn gefingeerd. Elke gelijkenis met bestaande personen en gebeurtenissen berust op louter toeval.

Derde druk februari 2013
ISBN 978 9491 472039
NUR 340

Omslagontwerp: We love it when a plan comes together.com
Omslagafbeelding: Frans Limburg

www.booklight.nl

b:k light

Met dank aan:
mijn vrouw Annemarie voor haar commentaar
mijn dochter Fleur voor haar inbreng
en natuurlijk Suzanna van der Laan voor haar ondersteuning

Ik draag dit boek op aan mijn overleden zuster en zwager
Hermien en Gerard,
twee mensen die met het leven geworsteld hebben.

1

Peter van Beuzekom, onze bestuursvoorzitter, accepteerde geen afzeggingen, tenzij je daar een goede reden voor had. Alle regiomanagers moesten iedere dinsdagmiddag de wekelijkse, oersaaie meetings bijwonen. Deed je dat niet, dan werd dat een minpunt op je beoordeling. Of je je targets nou wel of niet gehaald had, was van ondergeschikt belang.

Ik was de enige vrouw van het zeskoppige gezelschap. Een vrouw in een hogere functie was een fenomeen wat je als man maar beter niet serieus kon nemen. Omhooggeneukt, daarom was ik op mijn tweeëndertigste al regiomanager, niet omdat ik goed was in mijn werk, volgens mijn collega's dan. Mijn rechtenstudie aan de VU deed niet ter zake. Die roddels moest je als vrouw negeren of accepteren, anders kon je beter een ander baantje zoeken; zo werkte dat bij de bank. En dat zou waarschijnlijk nog eeuwen zo blijven. Ik had inmiddels eelt op mijn ziel gekregen.

Peter schepte op over de enorme groei in de States. Daar had onze bank in korte tijd de hypotheekmarkt veroverd, zei hij. Volgens mij trok hij zich daar regelmatig op af, op die successen. Zo'n mannetje leek het mij wel.

Mijn BlackBerry, die ik voor me op tafel had liggen, begon te knipperen. Ik keek gauw even op het display: nummer onbekend. Op weg naar het bedrijfsrestaurant voor de aansluitende, verplichte borrel luisterde ik mijn voicemail af. *'Goedemiddag, u spreekt met Teun van Laar van het Riagg in Zutphen, kunt u mij met spoed terugbellen, mijn nummer is...'* Ik vroeg me af wat de man van mij wilde en ging even apart staan. Mijn duim toetste de "drie" in om terug te bellen.

'Met van Laar!'

'Ja, goedemiddag met Puck Scheltinga van Beuningen. Ik moest u terugbellen.'

'Klopt. Fijn dat u zo snel reageert. Tja, ik zal maar meteen met de deur in huis vallen. Wij hebben uw mobiele nummer doorgekregen van een van uw medewerkers op kantoor.'

'Ja en...?'

'Nou ziet u, de zaak is namelijk deze: mevrouw Brandal is gistermiddag aan een hersenbloeding overleden. In haar adresboekje zijn we uw naam tegengekomen.'

'Mevrouw Brandal?' herhaalde ik de naam. Er ging bij mij geen bel rinkelen.

'Ja, haar meisjesnaam is Scheltinga van Beuningen.'

'O, tante Gerdien!' riep ik. 'De zuster van mijn vader! God, die heb ik al sinds mijn zesde jaar niet meer gezien.' Waarom mijn tante mijn telefoonnummer in haar adresboekje had staan was me een raadsel. 'Wat wilt u precies van mij?' vroeg ik, terwijl ik het gezicht van mijn tante probeerde voor me te halen.

'We hebben een probleem met meneer. Hij lijdt aan Alzheimer en kan niet meer voor zichzelf zorgen. Voorlopig hebben we de particuliere thuiszorg ingeschakeld, maar de AWBZ dekt dat maar voor veertien dagen. We zijn op zoek naar iemand die hem kan opvangen. Iemand moet de begrafenis en zijn financiën regelen. Dat kunnen wij niet voor hem doen.'

'Dan moet u niet bij mij zijn, meneer van Laar. Ik heb een drukke baan.' Het kwam er kattiger uit dan mijn bedoeling was.

'Ik begrijp dat ik u nogal overval. Eerlijk gezegd, hoopten we dat u ons het adres van de oudste zoon kon geven of dat van een ander familielid.'

'Nee,' zei ik, nu iets vriendelijker. 'Ik ben bang dat ik u niet kan helpen.'

'Tja, als de zaken er zo voor staan, dan moeten wij een andere oplossing zien te vinden. In ieder geval bedankt voor uw tijd.'

'Ja hoor, dag meneer van Laar.'

Frank Verboom, mijn collega van Regio Midden-Nederland, sloeg vaderlijk een arm om mijn schouder toen ik me weer bij het gezelschap voegde. 'Wat wil je drinken, Puck?' vroeg hij.

'Doe mij maar een spa rood,' zei ik.

'Problemen? Je kijkt nogal geagiteerd.'

'Ach,' zei ik schouderophalend, 'gesodemieter. Een tante die ik al zeker zesentwintig jaar niet heb gezien is overleden, en nu zit haar demente man alleen thuis. Of ik de zaak even wil regelen.'

'Wie had je dan net aan de lijn?' vroeg Frank verder. Zijn gevraag begon me te irriteren.

'Iemand van het Riagg. Maar daar tuin ik mooi niet in,' zei ik om me ervan af te maken. Nu kwamen ook de anderen nieuwsgierig om mij heen staan.

'Nee!' riep Peter. 'Puck! En ergens intuinen...!'

Een homerisch gelach steeg op. Als de baas een grap maakte, dan lachte je, want dan was je een echte kerel.

Onderweg naar huis dacht ik na over het vreemde telefoongesprek. Ik kon me vaag nog wel iets herinneren van mijn tante en oom. Tante Gerdien was de oudste zuster van mijn vader. Er stond me iets van bij dat ze gebrouilleerd waren. Volgens mij hadden ze ruzie over een erfeniskwestie.

Nadat ik mijn zwarte BMW X5 op mijn eigen plaats in de parkeergarage had geparkeerd, beende ik de lift in. Binnen greep ik de afstandbediening en richtte op de geluidsinstallatie. "Please don't go" van Double You, vulde de kamer. Dansend op de muziek begaf ik me richting keukenblok.

Na zo'n dag, waarin ik me alsmaar in de plooi had moeten houden, kreeg ik de onweerstaanbare behoefte om raar te doen, waar ik in mijn eentje dan de slappe lach van kreeg. Ik haalde de macaronischotel uit de ijskast en deed hem in de oven.

Twee jaar woonde ik nu in de nieuwe Amsterdamse wijk IJburg. Vooral zomers vond ik het er fijn. Vanaf mijn grote balkon keek ik uit op een strandje aan het IJmeer. Op de eerste etage had je nog net voldoende contact met de bewoonde wereld. Als je hoger zat, was je van God en iedereen afgesloten. Bovendien zat je dan voortdurend in de wind, en dat wilde ik al helemaal niet.

In de slaapkamer gooide ik het mantelpakje met donkerblauwe krijtstreep uit en hing het op een hanger. In de inloopkast pakte ik swingend op "The rythm of the night" van Generation 90 een slobbertrui en een huisbroek van de plank. Vanavond werd dus een hangavond voor de tv.

Ik stond ingeschreven bij een datingbureau, maar dat had nog niet geleid tot een vaste relatie. Dat lag meer aan mij, dan aan de mannen die op mijn advertentie reageerden. Er waren best een paar leuke bij, maar na verloop van tijd vond ik ze dan toch weer te saai. Er zaten er ook bij die alleen voor een wip kwamen. Dat liep steevast op een teleurstelling uit, omdat er niet één bij zat die mij tot een hoogtepunt heeft weten te brengen. Kennelijk schijnt dat bij mij erg moeilijk te gaan. Hoe beter ze hun best deden mij aan m'n gerief te helpen, hoe bewuster ik me van de tamelijk belachelijke situatie werd. En dan ging het helemaal niet meer, omdat het geploeter meestal op mijn lachspieren begon te werken. Licht aangeslagen droop de adonis in kwestie dan maar weer af, en belde ook niet meer voor een vervolgafspraak.

Ik had, al piekerend over hoe het nu verder moest met mijn leven, de macaroni naar binnen gewerkt en masseerde tussen duim en wijsvinger mijn tepel. Een infantiele gewoonte waar ik maar niet vanaf kon komen. Dat het waarschijnlijk voortkwam uit een gebrek aan geborgenheid, besefte ik ook wel.

Net toen Brian Adams wilde beginnen aan "Do I have to say these words" verstoorde de ringtone van mijn BlackBerry de betovering. Met de afstandsbediening legde ik de speakers het zwijgen op.

'Hallo!' riep ik met schorre stem.

Een oude mannenstem met een Duits accent vroeg of ik Frau Skeltinga was.

'Ja, daar spreekt u mee,' antwoordde ik.

'Ach mevrouw neemt u mij niet kwalijk dat ik u stoor, mijn naam is Detlef Stolz. Ik ben een vriend van Gerhard en Gerdien. Ik logeerde een week bij uw tante en oom. En omdat uw tante overleed ben ik langer gebleven om uw oom gezelschap te houden en hem bij te staan. Ik zou u willen vragen of u hiernaartoe wilt komen. Gerhard is zó verdrietig. Hij lijdt aan vasculaire dementie. Hij kan moeilijk spreken. Daarom bel ik namens hem. Zijn oudste zoon is al jaren spoorloos en zijn jongste zoon is overleden. Arme Gerhard heeft niemand meer. Komt u alstublieft mevrouw? Ik moet na de begrafenis weer naar Duitsland. Ik kan echt niet langer bleiben.'

Door zijn meeslepende, rustige stem ontdooide ik ietwat. Hij was echt begaan met zijn oude vriend.

'Geeft u mij even de gelegenheid om erover na te denken,' zei ik. 'Dan bel ik u morgen terug.'

'Ach mevrouw, als u dat wilt doen. Gerhard heeft heus dringend hulp nodig. Denkt u er rustig over na. Ik zal u het nummer van Gerhard geven.'

Ik rende naar mijn bureau, griste een pen uit de la en schreef het nummer op de binnenkant van mijn hand.

'Dan krijgt u een juffrouw van de thuiszorg aan de lijn, vraagt u dan maar naar Herr Professor Doctor Detlef Stolz.'

'Oké, zal ik doen,' zei ik. 'Dahaag, Herr Professor.'

Net toen ik languit op de bank lag te peinzen over wat ik nou moest doen, werd er weer gebeld, maar nu op de vaste telefoon.

Dit keer was het tante Agaath, die ik na de dood van mijn ouders niet meer gesproken had, terwijl mijn vader nog wel haar lievelingsbroer was geweest.

'Dag kind, je spreekt met je tante Agaath uit Amstelveen. Ik dacht ik bel jou maar eens. Jij hebt zeker ook een telefoontje gehad van ene professor Detlef? Nou, ik ook hoor kind.'

De spottende ondertoon in haar stem ontging mij niet.

'O... U ook al?'

Ze moest lachen om mijn verbaasde constatering. 'Luister, kind. Je weet dat je tante Gerdien al jaren gebrouilleerd is met de familie, maar daar moeten we nou zo langzamerhand eens overheen stappen. Er moet iemand zijn die de zaken namens je oom regelt. Hij moet echt onder curatele gesteld worden. Ik ben daar natuurlijk veel te oud voor. Bovendien heb ik van die zaken geen verstand. Jij wel. Jij bent nog jong. Jij weet precies hoe je zoiets aan moet pakken. Je oom en tante bezitten een enorme kunstverzameling en een vette bankrekening, dus geld is er genoeg. Er moet zo snel mogelijk een goed tehuis voor hem gezocht worden.'

Voordat ik de hele riedel kon afdraaien over dat ik mijn eigen leven had en het bovendien te druk had, onderbrak ze me: 'Puck luister! Als we overmorgen nou eens sámen naar IJsseldijk gaan.'

'O, wonen ze daar?' zei ik. 'Dat wist ik niet eens. Kunt u nagaan. Waar ligt dat eigenlijk?'

'Ergens bij Zutphen in de buurt. Nou, wat zeg je ervan? Kom je me donderdagmorgen om acht uur ophalen? Dan bel ik Herr Professor dat hij ons tegen tien uur kan verwachten.'

Het verbaasde me dat tante Agaath kennelijk precies wist hoe lang het rijden was. 'Nou vooruit dan maar,' zei ik. Ik wilde mijn oude tante niet teleurstellen. Het was tenslotte wel haar zuster die overleden was.

Mijn vader was het nakomertje. Hij zou nu negenenvijftig zijn geweest. Twee jaar geleden zijn mijn ouders om het leven gekomen op de tolweg in Frankrijk, geschept door een vrachtwagen. Ze waren op weg naar mijn broer Jan Willem, die in de buurt van Limoges een alternatieve boerderij heeft. Iets met veel geiten, kippen en eenden. Zijn vrouw is zo'n overjarige hippie die nooit volwassen is geworden. Ze maakt haar eigen geitenkaas die ze op de plaatselijke markt verkoopt. Hun dochtertjes zullen nu zo ongeveer zeven en tien jaar oud zijn.

Ik heb een keer bij ze gelogeerd, maar dat doe ik dus nooit meer. Voor de gasten hadden ze een oude stacaravan. Plassen deed je in de natuur, poepen boven een rond gat in een houten hok dat vreselijk stonk. Als je je wilde wassen kon dat alleen met ijskoud water bij de pomp op het erf, dan stond je daar in je blote billen te blauwbekken. De volgende keren had ik een hotelletje in het nabijgelegen dorp genomen. Tot grote hilariteit van mijn broer, die zijn kleine zusje maar een aanstelster vond. Terwijl ik helemaal niet zo kinderachtig van aard ben, maar de middeleeuwse leefwijze van mijn broer ging me toch net iets te ver.

2

Kwart voor acht belde ik bij tante Agaath aan. Ze deed meteen open. Het leek wel of ze voor de deur had staan wachten. Ze bekeek me van top tot teen.

Ik had mijn haar strak achterover in een losse vlecht gedaan. Een zwarte kasjmier trui met V-hals van Ralph Lauren en het roze overhemd, dat onder mijn trui uitstak en over mijn grijze skinny jeans bloesde, vond ik wel passend voor de gelegenheid.

Vooral de zwarte, suède rimpellaarsjes met de hoge hakken en mijn zwartleren jack deden haar grote ogen opzetten. 'Kind, wat ben je lang geworden,' zei ze, 'en wat zie je er beeldschoon uit. Kom binnen, dan hijs ik me even in mijn kloffie.' Zelf droeg ze een donkerblauwe blazer op een blauwe opoejurk met witte noppen. Ze bekeek mijn zwarte leren spijkertasje en pakte toen haar eigen enorme bruine geval.

'Goh, leuk ding heb je, moet je die van mij zien,' grinnikte ze.

We liepen naar de auto. Nu viel het me pas op hoe klein ze eigenlijk was. Mijn vader had als puber ooit bij haar in huis gewoond. De dood van mijn vader had haar diep getroffen. Hij was haar oogappel. Van jongs af aan had ze hem op sleeptouw genomen. Ze had hem meer als haar kind beschouwd dan als haar broertje. Hetgeen gezien het leeftijdsverschil niet verwonderlijk was.

Ik voelde me een beetje schuldig dat ik tante na de begrafenis niet meer had opgezocht.

'Is dat jouw auto?' vroeg ze. 'Of heb je die geleend?'

'Nee hoor tante,' zei ik, 'die is helemaal van mij. Ik heb hem nu een jaar.'

Toen ik de bestemming op de navigator instelde, vroeg ze achterdochtig: 'En weet dat ding nou precies hoe we moeten rijden?'

Ik lachte vriendelijk en zei: 'Ja, ik kan niet meer zonder.'

Bij Oude Rijn vroeg ik haar waar de ruzie van mijn vader met tante Gerdien eigenlijk over ging.

'Ach kind, dat is al zo lang geleden. Je vader handelde de nalatenschap van je grootvader af. Je tante en oom voelden zich tekortgedaan, terwijl je vader het juist heel netjes heeft afgehandeld. Je oma en ik hebben hem altijd gesteund, nou en toen hadden wij het ook gedaan natuurlijk. Ze wilden niets meer van ons weten, wat we ook probeerden. Je vader heeft vlak voor het ongeluk zijn oudste zuster nog een hele lieve brief gestuurd.'

'Ja, dat weet ik nog,' zei ik. 'Hij kreeg toen een heel pissig briefje terug. Volgens mij was het mens zwaar gestoord. Ik weet nog wel dat ze zoiets schreef van: "Mensen die denken dat wij onze jongste zoon hebben vermoord wil ik nooit meer zien." Papa was er behoorlijk kapot van.'

'O, God! Hou op kind! Dat was me wat. Toen Louis zelfmoord gepleegd had, vonden ze het niet eens nodig om je oma in te lichten. Het arme mens was gebroken. Pas toen hij al dood en begraven was kwamen ze eindelijk een keer langs om het haar te vertellen.'

'Ja,' zei ik. 'Ik was toen nog zo klein. Ik wist wel dat er iets heel ergs was gebeurd, maar mijn ouders spraken daar nooit over.' Even keek ik opzij en zag tante een diepe zucht slaken.

'De jongetjes Brandal logeerden vaak bij mij,' zei ze weemoedig. 'Dan kocht ik nieuwe kleren voor ze. De arme schapen liepen altijd in ouwe vodden waar ze al lang uit gegroeid waren. Kleine Louietje werd 's winters met zijn wieg in de ijskoude hal gezet. Zijn rode wangetjes waren helemaal gebarsten van de kou. En als ik er wat van zei, dan werden ze woedend. Waar ik me mee bemoeide. Dat was om hem te harden, zeiden ze. Zo bouwde hij weerstand op.'

'Jeetje, wat erg!'

'Kind, jij weet nog niks. Je oom had last van enorme driftbuien. Hij sloeg niet alleen je tante, maar ook de jongetjes.'

'Kon tante Gerdien dan niet bij hem weggaan met de kinderen?'

'Ach wel nee, kind. Je tante was idolaat van die man. Wij hebben dat nooit begrepen. Ze pikte echt alles van hem en volgde hem overal blindelings in.'

'Wat een vreselijke man!' riep ik. 'Dat heb ik nooit geweten.'

Tante kwam na mijn uitroep nu pas goed op dreef. 'Waarschijnlijk is hij zo gestoord geraakt in het jappenkamp. Volgens zijn broer moest hij daar kuilen graven voor de doden, en naar het schijnt is hij daar ook regelmatig misbruikt. Niet door de Jappen hoor, want die hielden van kinderen, maar door de andere gevangenen.'

De navigator vond dat ik links aan moest houden.

Tante was niet meer te stuiten. Ik vond het niet erg. Eigenlijk begon ik haar verhaal steeds interessanter te vinden.

'Het gekke is dat hij ook heel aimabel kon zijn. Dan werd je als een vorst onthaald, maar als Gerdien met de koffie binnenkwam, dan riep hij opeens keihard: "Gerrr-dien! Ga naar de keuken waar je hoort!" En in plaats van dat zij hem nou eens op z'n nummer zette, zei ze onderdanig: "Ja Gerhard... ja Gerhard". Nou, en dan ging ze weer. Zat ze daar in de ijskoude keuken, terwijl wij lekker in zijn riante privévertrek bij de open haard zaten.'

'Maar dat mens is getikt!' riep ik uit. 'Ik zou onmiddellijk mijn koffers gepakt hebben.'

'Ja kind, maar dat deed je in die tijd niet zo gemakkelijk. Je moet niet vergeten dat in de jaren zestig de vrouw wettelijk nog de volgplicht had.'

'Wat deed oom Gerhard eigenlijk voor werk?' vroeg ik.

'Hij werkte als bioloog bij de overheid. Op een of ander instituut, waar hij het gedrag van kippen bestudeerde. Ze woonden toen in een oude boerderij in Eefde. Daar experimenteerde hij met Dingo's. Hij onderzocht of ze net zo tam konden worden als een gewone huishond. Wij vonden het levensgevaarlijk. Toen een van de jongetjes gebeten werd, lag dat natuurlijk niet aan die beesten. Nee, het lag aan het knulletje. Hij had niet bij ze moeten komen toen ze hun eten kregen. Voor straf moest het knaapje de hele nacht in de schuur slapen, vlak bij die enge beesten. Dan konden ze aan hem wennen.'

'En dat vond tante Gerdien zomaar goed?' vroeg ik verbaasd.

'Tja, wat kon ze doen. Zijn wil was wet.'

'En toen ze ouder waren? De jongetjes bedoel ik.'

'De oudste, Nicolaas, heeft op veertienjarige leeftijd de benen genomen, nadat hij geld uit een bibliotheek had gestolen om drugs te kopen. Zijn vader heeft hem toen laten oppakken door de politie. En omdat ze bevriend waren met de kinderrechter werd het arme kind opgesloten in een jeugdgevangenis in Groningen. Ze waren zwaar katholiek moet je niet vergeten, en hij had gezondigd.'

'Alsof hij dáár beter van wordt.'

'Ja, zo dachten wij er ook over. Je oma en ik zochten hem daar weleens op. Zijn ouders zag hij nooit. Hij was hun zoon niet meer. In hun ogen was het een crimineel. Volgens de laatste berichten zat hij ergens in Thailand, maar omdat hij niet te traceren viel, hebben ze hem uiteindelijk dood laten verklaren.'

'En de jongste, Louis?' vroeg ik.

'Ach, dat was toch zo'n lieve jongen. Met knalrood peentjes haar. Volgens mij was hij homo, maar daar kon hij natuurlijk bij zijn ouders niet mee aankomen. Je moet niet vergeten dat het een andere tijd was. Hij werd zo kort gehouden, dat hij op zeventienjarige leeftijd ook de benen nam. Hij had zijn vaders handtekening vervalst en duizenden guldens van de rekening gehaald. Hij heeft een week lang in Amsterdam de grote meneer uitgehangen, concerten bezocht, dure kleren gekocht, en nadat hij voor zijn vrienden een bacchanaal had aangericht in het Apollo Hotel, heeft hij zich in de kelder van het hotel verhangen. We zijn er nooit achter gekomen wat precies zijn motief is geweest, maar wij hebben er wel zo onze eigen gedachten over.'

'Jemig tante, wat een verhaal!'

'Ja kind, ik kan het niet mooier maken dan het is. Gerhard mag dan misschien een idioot zijn, maar aan Gerdien zat ook behoorlijk een steekje los. Toen we nog in Indië woonden begon ze altijd te krijsen als je oma haar wilde knuffelen. Ze was toen al vreemd. Ze dacht ook dat ze een vondeling was, en mijn moeder daarom niet echt van haar hield.'

'Mijn vader is toch in Nederland geboren?' vroeg ik.

'Ja, vijf jaar na de oorlog, in negentienvijftig. Hij was mijn lieve, kleine broertje.' Tante staarde even vertederd in het niets.

'Je moet eens wat vaker bij me langskomen,' zei ze na een tijdje. 'Weet je trouwens dat je erg op hem lijkt?' Ze keek nog eens goed naar me. Ik nam de afslag Zutphen.

'Dat beloof ik tante,' zei ik schuldbewust. 'Maar ja, u weet hoe dat gaat? Druk druk druk.' Waarschijnlijk wist ze helemaal niet hoe dat ging, want ze werkte al lang niet meer. Oude mensen waren altijd een beetje op zichzelf gericht, vond ik. Ik had eigenlijk niks met oude mensen.

'*Over honderd meter bestemming bereikt*,' liet de mannenstem in de navigator weten.

Aan de linkerkant van de weg, verscholen achter hoge bomen, zag ik een grote boerderij. De ingang van het erf bleek aan de zijkant te liggen. Ik reed de smalle straat in. De oprijlaan was door kale takken overwoekerd. In de zomer moest het wel haast een ondoordringbaar oerwoud zijn wanneer de takken door hun zware bladertooi nog verder naar beneden hingen.

Links van ons bevond zich een grote, langgerekte, stenen schuur, met in het midden een open gedeelte. Daaronder stond een Ford Ka geparkeerd. Voor ons lag de boerderij. Het was een oud, naoorlogs bouwwerk met veel achterstallig onderhoud.

De oorspronkelijke boerderij bestond uit een niet al te groot woongedeelte met in het verlengde, daaraan vast, de grote stal die tot diep in de tuin strekte.

Vanaf de plek waar wij stonden zag je een grote aanbouw van recentere datum, haaks op het oude woongedeelte. Je kon zien dat er al jaren niets meer aan de tuin gedaan was. Het gras aan de zijkant stond wel vijftig centimeter hoog. Ik parkeerde de auto op het zijpad naast de grote schuur.

We liepen over de oude klinkers richting het geasfalteerde pad dat parallel liep aan de aanbouw, waarvan de langwerpige ramen tot aan de grond reikten. Zo kwamen we bij de overkapte, ruime zijingang. Blijkbaar werd de oorspronkelijke voordeur nooit gebruikt, gelet op de grote bronzen klok voor het raam van de zijingang.

Ik voelde me een insluiper die zich op verboden terrein bevond. Behoedzaam openden we de deur en gingen schoorvoetend naar binnen. We stonden meteen in de keuken en keken om ons heen. We hadden de juiste ingang te pakken, want een jonge, struise vrouw met een blozend gezicht kwam ons tegemoet. Ze had een klein, modern brilletje op. Ze zag er best aantrekkelijk uit. Ik schatte haar midden dertig.

'Goeiemorgen,' begroette ze ons. 'Ik ben Elly van de thuiszorg. Komt u maar hoor.'

We volgden haar door het open poortje in de muur naar een L-vormig vertrek dat één trede lager lag dan de keuken. De vloer bestond uit eikenhouten vloerdelen. In het lange gedeelte stond een oude, versleten, eiken eettafel met oud-Hollandse stoelen eromheen. In het vierkante deel stonden om een salontafel met een glasplaat een paar kleine designstoelen uit de jaren zestig. Aan de vale rode kleur van de stoffering te zien, waren ze nooit opnieuw bekleed. Tegen de muur van het inspringende gedeelte bevond zich de schouw van de schoorsteen met de open haard. Rechts daarvan stond een lege leren stoel. Dat moest het plekje van tante Gerdien zijn geweest, vermoedde ik.

In de hoek bij het grote raam zat in een grijze, iets comfortabeler stoel, ineengedoken, een oude man in een blauw kiel en een spijkerbroek. Hij zat met zijn handen klauwend in het haar smartelijk te huilen.

Tante Agaath liep op hem af, en zei alsof ze een kleine jongen begroette: 'Dag Gerhard, ik ben het... Agaath. Gecondoleerd met het verlies van Gerdien.'

De oude, bebaarde grijsaard hief verschrikt zijn hoofd op. Zijn gezicht was betraand en zijn verwarde ogen keken angstig in het rond.

'O... Ja-a-a...' Hij kwam langzaam uit zijn stoel omhoog en begon meteen weer te huilen. Tante Agaath omhelsde hem. 'We laten je niet in de steek, hoor Gerhard,' riep ze in zijn oor alsof hij doof was.

Toen de oude man mij opmerkte, herstelde hij zich enigszins. Ik gaf hem een hand, die hij met beide handen beetpakte.

'Ik ben Puck. De dochter van Charles, weet u wel,' zei ik, omdat hij natuurlijk niet wist wie ik was.

Hij bleef mijn hand maar vasthouden en keek mij liefdevol, zwijgend aan. Het ontroerde me. In niets herkende ik de bruut uit de verhalen van tante Agaath. Hij aaide over mijn hand die hij niet meer losliet. 'Waarom, waarom... De toe toe-toestand van de toestand,' zei hij moeizaam met een trillende lip en keek me wanhopig aan.

Ik wist niet goed wat hij wilde zeggen. Ik nam aan dat hij mij probeerde uit te leggen dat zijn vrouw was overleden. Na een tijdje liet hij mijn hand los en zakte weer terug op zijn stoel. Wij zaten in stilte naar de man te kijken hoe hij treurde om zijn Gerdien, niet goed wetend wat we nog moesten zeggen. Zelfs tante niet.

De thuishulp had ondertussen koffie ingeschonken en grote koeken op tafel gezet.

'Meneer noemt haast alles "de toestand" als hij niet op het woord kan komen,' zei ze meewarig glimlachend. 'Dat is soms best wel moeilijk.'

Tante en ik knikten begripvol.

Ik vroeg aan Elly waar professor Stolz was.

'De professor is tussendoor even naar een andere afspraak,' zei ze. 'Hij komt morgen weer terug. U weet dat mevrouw zaterdag begraven wordt?'

'Nee, dat wist ik niet,' zei ik. 'Maar we zullen er zijn.'

'Dat is heel fijn, want er komt al bijna niemand. Meneer heeft nu zijn familie zo hard nodig. Ze wordt om twaalf uur op de Oosterbegraafplaats in Zutphen begraven. Misschien is het verstandig dat u straks even bij Monuta langsgaat om een en ander te bespreken. Ik denk dat ze dat wel op prijs zullen stellen.' Elly keek me hoopvol aan. Het was wel duidelijk dat ze niet goed raad wist met de situatie.

Ik grabbelde mijn agenda uit mijn tas. 'Wie heeft de begrafenis eigenlijk geregeld?' vroeg ik.

'Een oud-collega van meneer. Samen met de professor.'

Ik knikte. Even later belde ik Monuta of we vanmiddag nog bij ze langs konden komen.

Elly wenkte me naar de keuken. Nou ja, keuken... Het was een witbetegelde ruimte over de hele breedte van de aanbouw. In het midden stond een gemetseld muurtje waartegen het L-vormige aanrecht was geplaatst. Voor het muurtje liep een gang die naar de tuindeur leidde. De keukenkasten bestonden uit zelf in elkaar getimmerde, vaalgroene deurtjes die tegen de houten balken, waar het aanrechtblad op steunde, waren geschroefd. Boven de gootsteen lekte de kraan die waarschijnlijk niet goed meer afsloot. Niet bepaald een droomkeuken, maar het was wel de spil van het huis. Je kwam er binnen en van daaruit kon je door een smalle gang ook naar het oude gedeelte. Het toilet bevond zich in een nis van diezelfde gang. In de nis was nog een deur, ik vermoedde dat het de toegangsdeur naar de grote stal was.

Elly wees op het koffiezetapparaat. 'Deze heb ik aangeschaft. Ze konden niet eens behoorlijk koffie zetten,' zei ze misprijzend. 'Ik zou u willen vragen of u wat geld voor ons heeft, want de boodschappen hebben we ook al voorgeschoten, ziet u.'

Ik grinnikte. Het was wel duidelijk dat de nood hoog was.

'Ik heb alle bonnetjes bewaard, die kunt u zo meekrijgen,' zei ze gauw.

Ik haalde mijn portemonnee uit mijn tas, griste alles eruit wat ik bij me had. Dat was vijfenzestig euro. 'Sorry,' zei ik, 'meer contant heb ik niet. Maar zaterdag zijn we toch hier voor de begrafenis, dan neem ik vijfhonderd euro voor je mee. Is dat voorlopig voldoende?'

'O, meer dan zat,' zei Elly opgelucht. Ze liep de woonkamer in naar de boekenkast en haalde er een schrift uit dat boven op de boeken lag. 'Hier schrijven we alles in op. Alle bonnetjes zitten erin en we noteren hier ook de bedragen die we ontvangen.' Om me te overtuigen, bladerde ze door het schrift. Daarna toverde ze uit de boekenkast een ander schrift. 'Hier houden we per dag een verslag bij over meneer. Dan kunt u zien wat er zoal gebeurd is als u hier weer eens langskomt. Ik neem tenminste aan dat u voortaan de contactpersoon bent?' Elly zag haar kans schoon en ging meteen door. 'Nou u er toch bent, misschien dat u een afspraak kunt maken met ons hoofd, want er moet nog wel het een en ander geregeld worden.'

'Wat is dat eigenlijk voor een organisatie?' vroeg ik.

'Wij zijn een particuliere organisatie die zorg verleent aan ouderen die thuis verblijven.'

'En wie betaalt dat?' vroeg ik argwanend.

'Eh, daar ben ik niet zo in thuis,' ontweek Elly mijn vraag. 'Daar gaat mevrouw Woltink over, dat is ons hoofd.' Ze schreef het adres en telefoonnummer op in het schrift en scheurde de bladzij eruit, die ze met een verlegen lachje aan mij overhandigde.

Ik keek op het papiertje. Het hoofd bleek een dame in Lichtenvoorde te zijn. 'Oké, ik zal haar bellen,' beloofde ik.

We hadden om twee uur bij Monuta in Zutphen afgesproken. De man die ons ontving nam meteen aan dat ik de contactpersoon was. Ik liet het maar zo. Het gevoel bekroop me dat ik ergens bij betrokken werd waar ik helemaal niet in betrokken wilde raken, maar ik wist zo gauw ook niet wie het dan moest regelen. Tante Agaath wilde ik daar niet mee opzadelen.

De man van de begrafenisondernemer vroeg of we de overledene nog wilden zien voor we naar huis reden. Voor mij had het niet gehoeven, maar tante Agaath wilde haar zuster nog wel even zien.

Tante Gerdien lag, met haar handen krampachtig op haar buik gevouwen, in een grenenhouten kist. Ze had een blauw ziekenhuishemd aan. Op haar gezicht stond een rancuneuze grijns, alsof ze zeggen wilde: 'Ik ben lekker dood, net goed.' Je kon zien dat het een knappe vrouw geweest was, ondanks de verbeten trek om haar mond.

Toen we naar huis reden, zei tante Agaath dat ze trots op me was, maar ze kon toch niet nalaten te zeggen dat haar zus wel erg sacherijnig keek.

'Zou ze een testament hebben?' vroeg ik.

'God kind! Je vader was ook altijd zo kordaat,' zei tante.

Volgens tante zou er beslist een testament zijn. 'Daar waren ze altijd druk mee,' zei ze, 'omdat ze niet wilden dat de jongetjes iets zouden erven.'

'O. Nou ja, daar is nu in ieder geval geen sprake meer van,' zei ik, voordat tante weer allerlei nare dingen over haar zuster zou gaan zeggen. 'Ik zal een afspraak maken bij de notaris.'

'Ja, als jij dat wilt doen, kind, want daar ben ik echt te oud voor.'

3

Toen ik eindelijk thuis was, nam ik een warm bad. Ik moest de zaak nog maar eens goed overdenken. Ergens intrigeerde het me het ook wel weer. De dankbare handen van de hulpeloze, oude man, die de mijne streelden, hadden mij geraakt. Ik kon mij gewoon niet voorstellen dat alles waar was wat tante Agaath me over oom Gerhard verteld had. Ze had het me beter niet kunnen zeggen.

Na lang piekeren, besloot ik dat ik op mijn eigen oordeel moest afgaan. Mij had hij tenslotte nooit een strobreed in de weg gelegd. Er zaten altijd twee kanten aan een verhaal.

Ik pakte mijn BlackBerry en belde Charlotte. Vanaf de 1e klas lagere school waren we al hartsvriendinnen. Op het moment zat ze in New York voor haar werk. Ze organiseert daar veilingen voor Sotheby's. Ik keek op mijn horloge. Het was daar nu middag. Toen ik haar aan de lijn had, stortte ik het hele verhaal over haar uit, zonder haar te vragen of het eigenlijk wel uitkwam. Ze kon wel midden in een of andere bespreking zitten. Dat gebeurde zo vaak. Maar ze onderbrak me niet om te zeggen dat ze me wel terug zou bellen.

'Echt goed van je, meid,' zei ze, nadat ze aandachtig, zo af en toe hummend, mijn verhaal had aangehoord. 'Je bent tenslotte wel zowat de enige familie die hij heeft. Daar mag je niet voor weglopen.'

'Dat doe ik toch ook niet. Maar ik heb ook mijn eigen leven. Ik weet niet of ik dit er allemaal wel bij kan hebben.'

'Kom op, Puck! Niet zo zeiken. Dit komt nu eenmaal op je pad. Het leven bestaat niet alleen uit leuke dingen.'

'Dat weet ik ook heus wel, Lotte.' Ik kon het niet goed hebben als ze me weer eens de les ging lezen.

'O, gaan we ruzie maken?'

'Nee, dat wil ik helemaal niet,' zei ik, 'maar je begrijpt me toch wel?'

'Ja, lieverd. Ik begrijp je. Zeg, ik ga ophangen, want ik heb zo een veiling.'

'Oké,' zei ik beteuterd. Toch was ik blij mijn vriendin even gesproken te hebben.

Zaterdagmorgen stond ik al om acht uur voor de deur van tante Agaath. Ik wilde niet het risico lopen te laat te komen. Meestal teutten oude mensen nogal, vond ik. Maar tante Agaath behoorde blijkbaar tot de vlotte variant van de vergrijzing. Nog voordat ik bij de voordeur was, stond ze al buiten. Het kon natuurlijk ook zijn dat ze me liever niet binnenliet.

Om kwart voor tien parkeerde ik de auto op het erf van ooms boerderij. Het was een trieste dag en het regende zacht. Voor de zekerheid had ik mijn aktetas meegenomen, je kon nooit weten...

Toen we uit de auto stapten, haalde tante een rood petje uit haar jaszak en plantte het op haar hoofd om haar haren niet nat te laten worden. Ik kon een glimlach niet onderdrukken. Het was maar goed dat we zo de stad niet in hoefden. Ik zou me rot schamen samen gezien te worden met iemand die zo'n raar petje op had. We staken trouwens wel bij elkaar af. Zij in haar eeuwige blauwe blazer en een grijze wijde rok. Ik in een modieuze zwarte heupbroek met een kort jasje, daaroverheen een lange zwarte lakjas. De enige overeenkomst was dat we beiden een witte blouse aan hadden. Ik trok haar mee onder mijn paraplu. Zo ploegden we door de modder naar de ingang van de keuken.

Elly stond eieren te bakken, terwijl het koffiezetapparaat pruttelde op het aanrecht.

'Hoi,' zei ik, ondertussen schudde ik mijn paraplu uit onder het afdak.

'Meneer zit binnen,' zei Elly.

Aan tafel zat oom Gerhard achter een bordje met een gesmeerde boterham te wachten tot zijn gebakken ei klaar was. Hij keek niet op of om. Tegenover hem zat een kleine, oude man, die vanuit zijn stoel zijn hand uitstak en ons met schrandere prikoogjes aankeek.

'Detlef Stolz. Besser maar eerst even afeten, hm. Ist besser für

Gerhard, anders raakt hij in de war. Nicht alles tegelijk.'

Tante Agaath keek demonstratief op haar horloge. 'Ja, maar hoe lang gaat dat dan nog duren?' zei ze verontwaardigd. 'Hij is nog niet eens aangekleed.'

Ik loodste haar voorzichtig naar het zitgedeelte.

'Nou, maar híj maakt hier de dienst niet uit,' protesteerde het kranige mensje.

'Rustig maar tante,' zei ik. 'Ik help zo wel even. We hebben nog alle tijd.'

Ik liep naar oom Gerhard en legde mijn arm om zijn schouder. Hij schrok op alsof ik hem terughaalde uit een andere wereld. Hij keek een tijdje verbaasd, maar toen herkende hij mij.

'Hé, oom Gerhard, weet u het nog...? Puck.'

Hij pakte weer mijn hand met zijn beide handen. Dat vond ik zo schattig.

'J-a-a.' Hij begon te huilen. 'De toe-toestand, allemaal toestandjes, naar míjn toestand. Jij ook, jij ook.'

Gek genoeg begreep ik hem meteen. Wat hij mij probeerde duidelijk te maken was dat ik ook mee naar de begrafenis moest.

Elly legde het gebakken ei op zijn boterham. Professor Stolz schonk thee voor hem in en zei dat hij er wat valeriaan door had gedaan. Ik knikte naar hem. Tergend langzaam werkte oom Gerhard zijn boterham naar binnen. Ik zat er gebiologeerd naar te kijken en nam alles van deze interessante man, met zijn doorleefde gezicht, in mij op. Hij was imposant en kwetsbaar tegelijk. Nadat hij eindelijk zijn boterham op had, en de professor erop had toegezien dat hij zijn thee tot op de laatste druppel had opgedronken, nam Elly hem mee naar de slaapkamer om hem aan te kleden.

Eerder had ik haar met een zwart trouwpak over haar arm en een hoge hoed in haar hand door de kamer zien lopen. 'Hij heeft ook niets behoorlijks om aan te trekken,' siste ze toen ze langs me heen liep.

Na een kwartier kwam ze met een verhit hoofd uit het aangrenzende slaapvertrek. Ze keek me vertwijfeld aan. 'Hij werkt voor geen meter mee,' zei ze geërgerd.

De begrafenisondernemer was inmiddels gearriveerd. Ik had de in het zwart geklede dame net gezegd dat meneer nog niet klaar was en gevraagd of ze nog even konden wachten. Professor Stolz deed ondertussen verwoede pogingen om tante Agaath rustig te houden.

'Straks komt hij nog te laat op de begrafenis van zijn eigen vrouw,' fulmineerde ze. Ik kon er eigenlijk wel om lachen. Meteen dacht ik aan wat mijn vader altijd over haar gezegd had. Ik maakte het nu zelf mee. Tante maakte van haar hart geen moordkuil.

'Laat mij maar even, tante,' zei ik. Ik wenkte Elly mee naar de slaapkamer. Daar zat oom Gerhard met een stuurs gezicht in een rafelig onderhemdje op bed. Hij was net een verongelijkt jongetje dat zich niet door de juf wilde laten aankleden. Ik griste het blauwe, flanellen kiel van de stoel en keek hem aan. 'Zullen we deze dan maar doen?' vroeg ik.

Hij haalde zijn schouders op en trok er een gezicht bij waaruit bleek dat het hem volkomen koud liet. Toen ik het over zijn hoofd gooide en zijn armen in de mouwen wurmde, liet hij dat gelukkig wel toe. Elly stond met een witte onderbroek klaar. De gaten zaten erin en het elastiek lubberde.

'Heeft hij geen behóórlijke onderbroek?' vroeg ik.

Ze schudde meewarig haar hoofd.

Ik hurkte voor hem neer. 'Kom op. Deze moet ook aan.'

'Niet deze, heu-lemaal niet nodig.' Het klonk nogal vastberaden. Oom zou het ons niet makkelijk maken.

'U kunt toch niet met de blote bips in uw broek,' zei ik. Maar oom Gerhard bleef, zwaar in zijn eer aangetast, hardnekkig weigeren, wat ik ook probeerde.

'Heu-lemaal niet nodig,' riep hij weer.

'Ik ben zo blij dat hij het bij u ook niet wil,' zei Elly. 'Ons lukt het ook nooit om het ding aan te krijgen. Volgens mij draagt hij nooit onderbroeken.'

Ik gebaarde dat het niet gaf en pakte de spijkerbroek van de stoel. Oom stond warempel meteen op. Ik zakte door mijn knieën en keek naar zijn voeten om hem niet in verlegenheid te brengen. Bij het omhoogtrekken, zorgde Elly ervoor dat zijn piemel niet tussen de rits kwam. Met vereende krachten trokken we hem de beste sokken aan die we in de kast konden vinden. Daarna volgde een ware veldslag om zijn afgetrapte schoenen aan zijn voeten te krijgen. Iedere keer kromde hij zijn tenen, zodat ze niet bleven zitten, laat staan dat je ze kon strikken.

'Nu moet u niet zo tegenwerken, hoor oom,' zei ik gedecideerd. Dat hielp. Er verscheen een respectvol glimlachje op zijn gezicht.

Toen de schoenen vastzaten, namen we hem ieder bij een arm, met zachte dwang voerden we hem mee naar de hal, waar de jassen hingen. We hesen hem in een legergroene houtje-touwtjejas met een grote capuchon. Met oom tussen ons in, liepen we naar buiten. Daar stond iedereen al op ons te wachten. Er konden maar twee personen met oom Gerhard mee in de zwarte Mercedes. Ik zei dat Elly maar mee moest, samen met de professor. Tante reed met mij mee. Toen we achter de zwarte Mercedes aansloten zag ik dat twee auto's ons volgden. Ik vermoedde dat het de buren waren.

In de aula bij de kist klampte oom Gerhard zich aan me vast. Hij stond met grote ogen naar zijn Gerdien te turen, die daar vreselijk dood lag te wezen. 'Waarom...waarom...waarom?' mompelde hij vertwijfeld. Oom hield mijn arm stevig vast, alsof ik de laatste strohalm was waaraan hij zich kon vastklampen. Een nijpend gevoel van ontroering snoerde zich om mijn keel.

Achter in het zaaltje zaten de buren, op gepaste afstand van de familie. Wij zaten op de voorste rij.

Tante Agaath had met een van de medewerkers de muziek geregeld. Het "Adagio" van Albinoni en het "Avé Maria" van Schubert.

Na de muziek werd door twee medewerkers de kist gesloten.

Het was een sobere bedoening. Daar zaten we dan met een handjevol mensen. Even voelde ik plaatsvervangende schaamde dat er niemand de behoefte had om wat te zeggen. Oom zat stoïcijns met een ernstige blik doodstil op zijn stoel. Ik keek hem van opzij even aan en gaf een kneepje in zijn hand. Er liep een traan over zijn wang.

De deuren van de aula gingen eindelijk open. We liepen in de regen achter de kist aan. Bij het graf stond een pastoor. Dat vond ik maar raar. Ik vroeg me af waarom hij niet in de aula was om daar wat te zeggen, maar dat doen pastoren kennelijk niet. Uit hetgeen hij zei, begreep ik dat Gerdien zich zeer verdienstelijk had gemaakt voor de katholieke kerk en dat haar inbreng op de discussieavonden van de katholieke vrouwen zeker gemist zou worden. Blijkbaar vond de pastoor het nodig om ons dat allemaal in de regen te vertellen, waarschijnlijk als een soort boetedoening.

Er lagen gelukkig toch nog behoorlijk veel boeketten op de kist. Een daarvan was van tante Agaath en mij.

Oom volgde het allemaal zwijgend, ogenschijnlijk onaangedaan, maar aan de kneepjes van zijn hand voelde ik hoe hij leed. Zijn steun en toeverlaat, zijn Gerdien, had hem zomaar achtergelaten.

Toen we terugliepen vertelde de professor hoe tante Gerdien gestorven was. Hij was erbij geweest, zei hij. Ze was op de bushalte in elkaar gezakt toen ze hem naar de bus had gebracht. De professor was meteen weer uitgestapt. Een andere passagier had 112 gebeld. Ze hadden haar nog wel gereanimeerd, maar 's avonds was Gerdien in droeve eenzaamheid in het ziekenhuis overleden.

Professor Stolz vertelde dat hij was teruggelopen naar de boerderij, waar hij een radeloze Gerhard aantrof, die met zijn handen in het haar, verloren over het erf rondliep, wanhopig roepend om zijn Gerdien. Waarschijnlijk had hij instinctief aangevoeld dat de gillende ziekenwagen voor zijn vrouw bestemd was geweest.

De karige begrafenis, het troosteloze weer, het handjevol getrouwen en de in stilte lijdende, hulpeloze, oude man maakte dat ik moest vechten tegen mijn tranen. Ik nam mij stellig voor een goed tehuis voor oom Gerhard te zoeken. Een tehuis waar hij met respect tot aan zijn dood verzorgd zou worden, waar hij zichzelf kon zijn.

Terug in IJsseldijk kwamen de buren binnendruppelen. Dat scheen hier gebruik te zijn. Ze namen zwijgend plaats op de Spartaanse stoelen. Elly voorzag iedereen van broodjes en koffie.

Harm en Joke Schildkamp woonden een eindje verderop. Harm was aannemer. Hij vertelde dat hij het achterste gedeelte van de schuur huurde om zijn bouwmaterialen in op te slaan. Hij vertelde ook dat hij diverse klussen aan het huis had verricht. 'Ach mevrouw, ze waar'n te oud. Ze kond'n 't neet meer an. 't Water liep zo na bin-n'n. Ik heb overal het dak moet'n repareer'n,' zei Harm in onvervalst Achterhoeks dialect. Ik had enige moeite om hem te verstaan.

'En de tuun dàn!' riep Bannink, die pal tegenover oom woonde en uitkeek op de oprit.

Mevrouw Bannink trok een zedig mondje, alsof haar man iets onbetamelijks gezegd had.

''t Waar vruger een mooie tuun,' zei Bannink laatdunkend.

'Tja, a'j ook overal kuuln groaf,' zei Joke. Ze keek mij aan met een verholen blik, alsof het iets was wat het daglicht niet kon verdragen.

'Ja, mevrouw en't onkruut, dà moch neet weggespoot'n, nee dà wou meneer nie, dà waar natuur, doar most'n wie van afbliev'n,' riep Bannink weer. Ze vulden elkaar naadloos aan. Ik moest erom grinniken. Ik keek naar oom. Oom zat voor zich uit te staren. Het ontging hem allemaal.

Joke Schildkamp ging naast hem zitten en begon hem klopjes op zijn knie te geven. Oom leek het niet eens te merken. 'U liek wèl wat op Gerdien,' zei ze resoluut, nadat ze me een tijdje geobserveerd had.

Ik voelde me er nogal opgelaten onder. Ik kon er tenslotte ook niets aan doen dat ik op tante Gerdien leek.

Elly zag dat oom Gerhard moe werd. Ze maakte ons op bescheiden doch besliste toon duidelijk dat het tijd was om op te stappen.

Toen de buren waren vertrokken maakten wij ook aanstalten om naar huis te gaan. Ik gaf Elly mijn mobiele nummer voor het geval er wat was. Ik zei dat ik iedere vrijdag langs zou komen om te zien hoe het ging en om de post door te nemen. De post die ze in een plastic zak had klaargezet had ik al in mijn tas gedaan.

Toen ik afscheid nam van oom begon hij te huilen en greep weer mijn handen. Ik zei hem dat ik vrijdag langs zou komen, maar dat troostte hem niet.

In de auto depte ik mijn ogen. Tante Agaath gaf geruststellende klopjes op mijn schouder.

'Ik vind het zo zielig,' snikte ik.

'Ja, kind, dat valt niet mee,' zei ze. 'Nu lijkt hij heel kwetsbaar, maar vergeet niet dat hij oersterk is. Ik hoop maar dat hij geen gekke dingen doet. Straks slaat hij nog een van de dames van de thuiszorg tegen de vlakte.'

'Ach nee, tante. Dat doet hij niet.'

'Nou, daar ben ik anders nog niet zo zeker van. Dat heb jij nog niet meegemaakt. Vooral tegen jonge vrouwen kan hij poeslief doen. Je tuint er zo in.'

Ik had geen zin om er verder op door te gaan. Ik zou het allemaal zelf wel ervaren. In ieder geval wilde ik er geen ruzie over maken met mijn tante.

4

Het hoofd van de thuiszorg woonde in een grote villa met een rieten dak. Ik parkeerde mijn auto op het grind naast een dure Lexus. De villa lag op een soort talud. Ik liep de lange, licht glooiende trap op. Loes Woltink stond me in de deuropening al op te wachten. Het was een gesoigneerde dame van rond de veertig; ze was iets langer dan ik.

Blijkbaar verdiende ze goed met haar thuiszorg. Het kon natuurlijk ook wezen dat haar man een goeie baan had, en dat zij de thuiszorg er als vrijwilligster bij deed.

Ze gaf me een ferme hand. 'Loes Woltink, mevrouw Scheltinga. U heeft al een hele reis achter de rug zullen we maar zeggen. U zult wel toe zijn aan een lekker kopje koffie.'

Ik zei dat ik daar inderdaad wel aan toe was.

Ze nam mijn nepbontje aan, dat ze meteen op de kapstok hing.

Ik keek rond in het met marmeren tegels belegde halletje. Haar kantoor straalde een degelijke luxe uit, het was net niet overdreven.

'Nou, 't is toch wat met meneer Brandal,' zei ze. We zijn blij dat er iemand is die zich om hem bekommert.'

Ik zweeg en probeerde deze vriendelijke dame in te schatten, maar besloot toch op mijn hoede te blijven en niet het achterste van mijn tong te laten zien.

'Ja, weet u wat het is in dit soort gevallen: als wij er niet waren, dan eindigen ze meestal in een gesloten inrichting. Nou ja, tussen u en mij gezegd, dan spuiten ze hem gewoon plat. Dat wilt u tenslotte toch ook niet, toch?' Ze keek even hoe ik reageerde.

Ik humde, benieuwd wat er nog meer zou komen.

Ze greep een formulier uit een lade van haar bureau. 'Kijk,' zei ze met een boterzachte glimlach, 'als u hier even een handtekening zet onder de zorgovereenkomst? Dan kunnen wij verder, begrijpt u wel.'

Nergens kon ik het tarief vinden wat zij voor haar "zorg" rekende. Er stonden wel wat codes met daarachter een bedrag per uur, maar waar het nou precies op neerkwam kon ik niet uit het formulier opmaken. 'En hoeveel kost het nou per week?' vroeg ik.

Ze greep weer in haar laatje. 'Dit overzicht heb ik door de boekhouder voor u in orde laten maken, dan weet u waar u aan toe bent.'

Uit de intonatie van haar stem maakte ik op dat ze het zelf geweldig vond.

Toen ik het bedrag zag, moest ik even slikken. In twee weken was mijn oom al bijna tienduizend euro kwijt.

De afgelopen dagen had ik een begin gemaakt met de inventarisering van ooms bezittingen. Op de postgiro stond slechts twintigduizend euro en op de boerderij rustte een hypotheek van negentigduizend euro, verder was ik nog niet gekomen.

Loes Woltink zag de zorgelijke trek op mijn gezicht. 'Doet u maar rustig aan met de betaling hoor,' zei ze poeslief. 'Ik begrijp ook wel dat u nog niet alles heeft kunnen uitzoeken. Daar is hélemáál geen haast bij.'

Ik vertelde haar dat ik nog van alles moest regelen en niet eens wist wie er als executeur in het testament stond.

Loes keek bedenkelijk.

'Maar mocht dat mijn oom zijn,' zei ik, 'dan ben ik van plan om hem onder curatele te laten plaatsen, zodat ik namens hem kan optreden. Dus ik hoop inderdaad dat u nog heel lang geduld heeft.'

Loes' gezicht klaarde op. 'Dan komt het allemaal best in orde,' zei ze. 'Hij heeft immers een boerderij. Daar kan hij in het ergste geval toch een hypotheek op nemen? U werkt toch zelf bij een bank, als ik het goed heb?'

Kennelijk deinsde ze er niet voor terug om oom van zijn laatste cent af te helpen. De boerderij schatte ik op maximaal vijf ton. Als het aan haar lag zou oom binnen twee jaar berooid op straat staan. Geen bank zou zich aan een dergelijk avontuur wagen.

Ik wist genoeg. Ik zette resoluut mijn kopje op het schoteltje, en zei: 'Mevrouw Woltink, ik weet in ieder geval wat me te doen staat. De zorgovereenkomst neem ik mee naar huis. Zodra ik meer weet hoort u van me. Zullen we dat zo afspreken?'

Aan haar gezicht zag ik dat ze mijn resolute houding, en het feit dat ik de bal terugkaatste, niet goed kon verkroppen.

Ze schraapte haar keel. 'Eh... Als u maar weet dat wij het echt niet goedkoper kunnen doen hoor. En u krijgt hem ook niet van vandaag op morgen in een tehuis geplaatst, dus tja...'

'Ik begrijp het,' zei ik. 'U moet voorlopig dan ook gewoon doorgaan met zorg verlenen. Misschien neem ik zelf de weekends wel voor mijn rekening.'

'Maar mevrouw!' riep ze uit. 'Weet u wel waar u aan begint?! Meneer heeft speciale zorg nodig! Meneer is psychisch niet in orde! Zelfs ónze dames hebben er soms moeite mee hem in bedwang te houden. Meneer is niet makkelijk! Bladert u het schrift maar eens door als u er weer eens bent, dan zult u het zelf zien.'

'Dat zal ik doen. Stel nou dat mijn oom géén bezit had gehad? Was u dan ook gewoon doorgegaan?' beet ik venijnig terug.

Loes Woltink trok haar wenkbrauwen op. 'Tja, mevrouw, zo staan de zaken er nou eenmaal voor. Ik kan het niet mooier maken dan het is. Maar voorlopig zijn wij er gelukkig nog. Laat u wel even tijdig weten wanneer u het van ons overneemt?'

'Dit weekend,' zei ik. 'Vanaf vrijdagavond.'

'Zoals u wilt, mevrouw... Frederique Aalink heeft dan dienst tot zes uur. Zorgt u er wel voor dat u een half uur eerder aanwezig bent? Meneer moet tenslotte netjes aan u worden overgedragen.'

In de hal gaf ze me mijn jas aan. De warme commerciële houding was opeens verkoeld in een strikt formele.

Op de automatische piloot reed ik naar huis. Mijn kop zat bomvol. In het weekend moest ik proberen oom Gerhards bankpas te bemachtigen, en achter zijn pincode zien te komen. De achterstand van de Nuon had ik zelf maar betaald om te voorkomen dat ze alles zouden afsluiten. Dat kon natuurlijk zo niet doorgaan. Door al dat voorschieten was ik al tweeduizendvijfenzestig euro kwijt, dat ging hard. Godzijdank had ik een goeie baan, en een behoorlijke spaarrekening.

5

Notaris Bert Schaafsma trok bedenkelijk zijn wenkbrauwen op, nadat ik hem het hele verhaal van mijn oom verteld had. Bert was een oud-studiegenoot van me, daardoor was de sfeer informeel en ontspannen.

'Tjonge, jonge, Puck,' zei hij. 'Val jij even met je neus in de boter.'

Hij had via het testamentenregister het testament van mijn tante achterhaald. Daaruit bleek dat mijn oom de enig erfgenaam en tevens de executeur-testamentair was. Zijn enig overgebleven zoon stond nergens vermeld. Mocht hij ooit nog boven water komen, dan zou hij slechts recht hebben op zijn legitieme portie, maar dat zou hij dan pas na de dood van zijn vader kunnen opeisen.

'Maar die is doodverklaard,' zei Bert zakelijk. 'Dus dat probleem is van de baan. Het lijkt mij het beste dat je zo snel mogelijk via een advocaat de curatele aanvraagt.'

Hij gaf me het adres van ene Irene van Gennep, die pas voor zichzelf begonnen was. 'Ze is gespecialiseerd in dit soort zaken en werkt snel,' zei hij.

Dit ging nog een hele klus worden.

Diezelfde middag belde ik Irene van Gennep. Ze had pas de volgende week maandag een gaatje. Eigenlijk kwam me dat wel goed uit, want dan kon ik in het weekend misschien meer aan de weet komen over de omvang van de boedel, wanneer ik bij oom Gerhard logeerde.

Vrijdagmiddag reed ik vanuit mijn werk meteen door naar IJsseldijk. Ik was er al om vijf uur. Dus we hadden een uur voor de overdracht.

Frederique Aalink was een klein, lief, zorgzaam vrouwtje, dat het goed met mijn oom kon vinden. Hij gedoogde haar tenminste.

Toen ik binnenkwam veerde hij op uit zijn stoel en liep mij tegemoet. Ik zag aan hem dat hij blij was mij te zien.

Frederique had thee gezet. Oom Gerhard leunde tegen de verwarming aan en stond vergenoegd naar ons te kijken. Hij wees naar de gevulde koeken die op de kleine salontafel stonden en zei dat ik een "toestandje" moest nemen.

'Ik had hem al gezegd dat u vandaag zou komen. Hij zit al de hele middag op u te wachten,' zei Frederique. 'Hè, meneer Brandal.'

Oom glimlachte tevreden.

Ik zei hem dat ik het ook fijn vond hem te zien. Dat was geen leugentje om bestwil. Ik vond het echt fijn; daar was ik zelf misschien nog wel het meest verwonderd over. Het warme gevoel rond mijn hart was nieuw voor mij. Ik had nog nooit warme gevoelens voor wie dan ook gekoesterd, maar deze man had mij diep geraakt. Oom liet zich door mij gewillig begeleiden naar zijn vertrouwde plekje bij het raam.

Frederique liet me de badkamer zien, waar ook nog een tweede toilet was. De badkamer bleek zich achter de deur aan het eind van het smalle gedeelte van de woonkamer te bevinden. De vorige keer had ik me al afgevraagd wat zich achter die deur bevond. Ze liet me zien waar zijn toiletspullen stonden. Toen pakte ze een pot uierzalf. Ze keek er zeer besmuikt bij en begon samenzweerderig te fluisteren.

'Meneer was de laatste tijd niet meer zo schoon op zichzelf. De hele zaak was aangekoekt, daar beneden bedoel ik.' Ze draaide met haar hand rondjes voor haar kruis. 'We hebben echt moeite gehad om alles eraf te weken. Nu heeft hij ruwe plekken op zijn bips en rond zijn anus. Daar moet u regelmatig wat zalf op smeren.'

Ik knikte om aan te geven dat ik het begreep.

'Enneh, de voorhuid van de penis zat ook helemaal verkleefd.' Ik kon een nerveuze giechel niet onderdrukken, omdat ze "de penis" met enige nadruk uitsprak. 'Die moet u opstropen,' ging ze verder, 'en dan de eikel met lauw water even met de hand wassen. En vooral goed afdrogen, daarna kunt u het hele zaakje ook met uierzalf insmeren.'

Ik voelde dat ik een kleur kreeg. Van de weeromstuit begon ik ook te fluisteren. We leken wel twee roddelende theetantes.

'Maar je denkt toch niet dat ik aan zijn piemel ga zitten frutten,' fluisterde ik. 'Ik weet niet of ik dat wel kan hoor.'

Frederique keek me taxerend aan. 'Ja, dat is ook misschien wel wat belastend voor u, maar anders is al ons werk voor niks geweest. Als het gaat infecteren dan zijn we verder van huis. We proberen juist te voorkomen dat hij in het ziekenhuis geholpen moet worden. Dat moeten we hem niet aandoen.'

Ik kon met moeite een slappe lach bedwingen. 'Nou, ik zal mijn best doen,' zei ik. In korte tijd besefte ik dat het verzorgen van een demente bejaarde niet meeviel, en dat het wel degelijk een vak was.

'Meneer kan behoorlijk lastig zijn,' fluisterde Frederique verder. 'Dan wil hij zich niet laten helpen. Soms weten we ook niet wat hij bedoelt. Dan heeft hij het maar over de "toestand van de toestand"... Dat maakt het er niet eenvoudiger op. Je kunt wel merken dat híj de baas in huis was. Nou, ik hoop echt dat u hem aankunt. U zult nog heel wat met hem te stellen krijgen.'

Oom Gerhard kwam met een ontstemd gezicht in de deuropening staan. Hij vond blijkbaar dat we te lang wegbleven. Hij greep Frederique bij een arm en trok haar de badkamer uit. 'Jij! Wegwezen!' zei hij met harde stem.

Ik schrok van de valse blik in zijn ogen. Om hem weer rustig te krijgen, zei ik: 'Ja hoor, oom. We komen weer gezellig bij u zitten. Maar dan moet u wel Frederique loslaten.'

Hij liep ogenschijnlijk rustig naar de voordeur. Daar stelde hij zich pontificaal op en trok een superieur gezicht. 'Wie de baas?!' vroeg hij nog steeds met harde stem. Hij wees naar mij: 'Deze?!' toen naar Frederique: 'Of hij daar?!'

Frederique en ik keken elkaar aan. Nu pas begreep ik wat Frederique mij net had proberen duidelijk te maken.

'De baas? Dat bent u toch,' zei ik. 'Wij zijn hier alleen maar om u een beetje te helpen.'

Er verscheen een vergenoegd lachje op zijn gezicht.

Ik vond het dolkomisch dat oom kennelijk het onderscheid niet meer wist tussen "hij" en "zij" en "hem" en "haar".

Ondertussen had Frederique haar tas en haar jas gepakt. Oom Gerhard draaide zich om en keek haar korzelig aan. 'Opzouten jij! Weg weg weg!' Hij werd hoe langer hoe bozer leek het wel.

Ik haalde mijn schouders op naar Frederique en voelde me eigenlijk een beetje schuldig. Kennelijk was ze opeens in ongenade gevallen. Misschien had hij ons horen praten in de badkamer en voelde hij zich vernederd of buitengesloten.

Frederique stapte naar buiten. Ze zei nog even gauw dat ik altijd bij de Banninks aan de overkant en bij de familie Schildkamp terecht kon, mocht ik het niet aankunnen. Hun telefoonnummers stonden in het schrift. Ik knikte en sloot behoedzaam de voordeur achter haar. Oom stond weer tegen de verwarming in het halletje geleund.

'Heeft u het zo koud?' vroeg ik. Hij reageerde niet. Ik liet hem maar. Hij deed daar tenslotte niemand kwaad. Blijkbaar vond hij het leuk om naar mij te kijken.

Ik haalde het pak nasi uit mijn boodschappentas en zocht naar een koekenpan.

Opeens greep oom me bij mijn schouder. 'Kom,' zei hij gebiedend. Hij liep de smalle gang door naar het oude woongedeelte. We kwamen in een vierkante ruimte. Daar hing de kapstok en er stond een grote diepvries. Aan het geluid te oordelen liep het ding al aardig op zijn eind. Ik vermoedde dat het ook al lang geleden was dat hij voor het laatst was schoongemaakt. In dezelfde ruimte bevonden zich ook de trap naar boven en de oorspronkelijke entree. De deur was met een hangslot vergrendeld.

Oom ging niet naar boven, maar opende de deur naar de oude woonkamer. De vloerbedekking was tot op de draad versleten. Het plafond was beplakt met kurktegels. In het midden van de kamer stond een grote, donkere, houten tafel met biedermeier stoelen eromheen; tegen de muur stond een afschuwelijke buffetkast. Hij wees op de schilderijen die aan de muur hingen. 'Hier toestandjes, daar toestandjes, allemaal troep troep troep.'

Ik begon te begrijpen wat zijn bedoeling was. Hij wilde me het huis laten zien. De schilderijen waren van Eduard Karsen, een bekende negentiende-eeuwse kunstschilder. We liepen verder door de openstaande schuifdeuren. Daar stond een oud, grijs Gispenbureau. Het lag vol met stapels ongeopende enveloppen.

'Troep troep troep,' riep hij weer. 'Allemaal van de vrouw!'

In het volgende vertrek stonden twee metalen kantoorkasten en weer net zo'n Gispenbureau als in het vorige vertrek. Ook dat lag vol met ongeopende enveloppen, kranten, tijdschriften, bergen paperclips, allerlei soorten nietmachines, pennenbakjes, gummetjes. Je kon het zo gek niet bedenken. 'Mijn toestand,' zei hij kortaf. Hij rommelde wat door de stapels, haalde zijn schouders op en trok een ongeïnteresseerde grimas.

We gingen verder naar de vroegere stal, die nu als bibliotheek fungeerde. Oom drukte op het lichtknopje. De meeste spotlampen waren stuk, maar enkele floepten aan. De ruimte stond vol met boeken die in houten stellingen waren geplaatst. Oom Gerhard liep in ijltempo tussen de stellingen door. De achterste stellingen waren nog leeg. Ik verbaasde me erover hoe goed hij nog kon lopen. Tegen de muren stonden stapels verhuisdozen en enkele grote kisten. Ik vermoedde dat daar ook nog boeken in zaten.

'Antieke toestanden, heul-eul veel geld,' zei oom om zich heen zwaaiend. 'Wat is het waard? Eén miljoen? Duizend? Tienduizend? Ik weet niets, ik weet niets! Ik ben gek. Ik kan niet. Jij! Hoe oud ben je?'

Ik begreep hem wel. Hij wilde dat ik hem hielp orde te scheppen in de chaos. 'Ik ben tweeëndertig,' zei ik.

Hij grinnikte en liep verder 'Jajajajaja,' mompelde hij in zichzelf.

Ik kreeg het hele gebouw te zien. Boven stonden overal schilderijen tegen de muren van de slaapkamers. In de grote ruimte boven de bibliotheek stonden zeker ook nog honderd schilderijen, van groot tot klein. Om moedeloos van te worden. Het catalogiseren zou maanden in beslag nemen. Ik vroeg me af waar ik de tijd vandaan moest halen om in deze chaos enige orde te scheppen.

Toen we eindelijk aan tafel zaten, begon oom er weer over hoeveel zijn bezit zou opbrengen. Het liet hem kennelijk niet los. 'Alle toestanden. Hoeveel? Duizend? Honderdduizend? Hoeveel toestanden kan ik kopen?'

Ik begon zo zachtjesaan te vermoeden dat hij minder dement was dan iedereen wel dacht. Als hij nog volledig over zijn spraakvermogen zou beschikken, dan zou hij mij waarschijnlijk in perfect Nederlands hebben kunnen uitleggen dat hij in zijn huis wilde blijven wonen en dat hij zijn kunst wilde verkopen om zijn verzorging te kunnen betalen. Ik kreeg medelijden met hem.

'Oom Gerhard,' zei ik zacht. 'Ik beloof u dat ik u zal helpen.'

Hij sloeg de handen om zijn hoofd en boog voorover. 'Ik ben bang, ik ben bang,' huilde hij wanhopig. 'Alle toe-toestanden. Ik ben bang!'

Met tranen in mijn ogen hurkte ik naast hem neer en legde mijn hand op zijn dij. 'U hoeft niet bang te zijn, oom. Ik blijf voor u zorgen,' zei ik toen ik mezelf weer enigszins herwonnen had.

Hij greep met één hand de mijne vast en streelde hem met de andere. 'Ja-a,' zei hij klagelijk. 'Alles... Deze toestand. Voor jou,' en gelijk erachteraan: 'Ik wil dood...'

Ik wist niet goed hoe ik hem uit zijn depressie moest halen. Na een tijdje dommelde hij gelukkig een beetje in. Hij had amper wat gegeten. Ik ondersteunde hem naar zijn plekje bij het raam.

In de keuken kon ik hem horen snurken. Na de afwas maakte ik van de gelegenheid gebruik om naar het kantoortje te sluipen. Ik sorteerde de post en legde het op een stapeltje naast de andere stapels. Morgen zou ik alles wel in een tas stoppen en als ik weer thuis was op mijn gemak uitzoeken. Volgens mij kon het meeste zo de prullenbak in.

De goden waren mij goed gezind, want tijdens het vluchtig doorlopen van de enveloppen, vond ik een nieuw bankpasje. In de portemonnee, die ik in een van de laatjes vond, trof ik een papiertje aan met de pincode. Nu kon ik tenminste geld pinnen. Waar oom zijn oude pasje had was me een raadsel; ik kon het nergens vinden. Op mijn tenen sloop ik weer terug naar de woonkamer.

Oom Gerhard lag nog steeds te ronken in zijn stoel. Ik peinsde me suf waar ik moest slapen. Eigenlijk was ik vergeten aan Frederique te vragen hoe zij dat oploste. Want ik besefte wel dat ik hem ook 's nachts in de gaten moest houden, maar om naast hem in het tweepersoonsbed te gaan liggen vond ik gênant. En de hele nacht wakker blijven redde ik gewoon niet. Sterker nog: van alle indrukken en emotie was ik doodop.

Boven had ik twee logeerbedden gezien. Het leek mij het beste om een van de matrassen naar beneden te slepen en dan maar op de grond voor zijn slaapkamer te gaan liggen. Een slaapzak had ik van huis meegenomen.

Toen ik mijn bed aan het installeren was, hoorde ik achter me: 'Gerrr-dien!' Ik sprong verschrikt op. Oom stond verward achter me. Hij klauwde met een hand in zijn kruis. Blijkbaar was hij wakker geworden omdat hij moest plassen, maar omdat het matras de ingang van de badkamer een beetje blokkeerde, kon hij er niet door. Oom Gerhard werd razend. 'Nee nee... Godverdomme!' schreeuwde hij, terwijl hij wild tegen het matras stond te trappen.

Ik versteende, niet goed wetend hoe ik hierop moest reageren. 'Oom Gerhard. Oom Gerhard. Ik ben Gerdien niet.' Ik probeerde het zo rustig mogelijk te zeggen. Het hielp geen steek. Hij werd steeds kwaaier. Buiten zichzelf van woede, pakte hij het matras met de slaapzak, hield het hoog boven zijn hoofd en smeet het de slaapkamer in. 'Daar jij!' Hij wees naar het tweepersoons bed. 'Mijn toestand!'

Ik raakte volkomen in de war en wist niet meer of hij mij nou zag als mijzelf of als Gerdien. 'Wilt u dat ik bij u kom liggen?' vroeg ik nerveus.

'Ja... Jij, niet daar!' Hij wees naar de plek waar ik eerst het matras had neergelegd. Toen liep hij naar het bed, sloeg met de vlakke hand op de plek waar tante altijd had gelegen, riep: 'Jij, deze,' sloeg daarna op zijn eigen plek en zei gedecideerd: 'Ik, deze.' Hij hield zijn hand omhoog, wees op zijn trouwring, en ging met een verongelijkt gezicht op de rand van het bed zitten mokken.

Ik ging naast hem zitten en sloeg voorzichtig een arm om hem heen. Hij stonk verschrikkelijk naar urine. Ik durfde er niets over te zeggen, bang voor een nieuwe woedeaanval. Als een klein jongetje dat getroost wilde worden liet hij zijn hoofd op mijn borst rusten en begon te huilen. 'Ik ben gek... Ik ben gek,' herhaalde hij alsmaar.

Ik streek door zijn grijze haar. Zijn gezicht was helemaal bezweet. 'U bent niet gek, oom,' zei ik zacht. 'U bent alleen een beetje in de war. U dacht dat ik Gerdien was. Ik ben Puck, uw nichtje. Weet u het weer?'

Zijn oude, vermoeide ogen, waar de tranen nog in stonden, keken me verward aan. Het leek wel of hij mij opeens als een vreemde zag en zich afvroeg waar ik nou zo snel vandaan was gekomen. Plotseling stond hij op, voelde aan zijn broek en begon eraan te plukken. Hij liep paniekerig door de kamer heen en weer.

Ik liep naar hem toe en pakte hem voorzichtig bij zijn knokige schouders. 'Kom maar,' zei ik, 'dan gaan we samen de natte broek uittrekken.' Hij liet zich gewillig meevoeren naar de badkamer, maar toen ik zijn riem had losgemaakt en zijn broek naar beneden wilde trekken, hield hij hem met beide handen vast. Met een boos gezicht riep hij: 'Nee, weg. Ga weg!'

Ik voelde dat hij op het punt stond opnieuw over zijn toeren te raken, dat wilde ik voorkomen. 'Weet u wat, oom,' zei ik gauw. 'Ik zal even uw pyjama gaan halen, dan kunt u ondertussen uw broek uitdoen.' Ik begreep ook wel dat hij het niet prettig vond dat ik hem bloot zag. En eerlijk gezegd zat ik daar ook niet op te wachten. Ik deed de badkamerdeur op een kier nadat ik de pyjama op het stoeltje dat vlak bij de deur stond neergelegd had.

Ondertussen gluurde ik naar binnen of alles wel goed ging. Hij stond met zijn broek op z'n enkels, probeerde hem uit te trappen, wat niet ging omdat hij zijn schoenen nog aan had. Hij hield zich vast aan de wand van de doucheruimte. Ik zuchtte. Na het een tijdje te hebben aangezien, besloot ik om toch maar over mijn eigen gêne heen te stappen en keek om de hoek van de deur. 'Gaat het, oom?' vroeg ik 'Of moet ik even helpen?'

Hij mompelde iets wat ik niet kon verstaan. Ik liet hem nog een tijdje aanmodderen, maar het lukte hem niet zijn broek uit te krijgen.

Ik waagde het er maar op en stapte resoluut de badkamer in, op het gevaar af dat hij weer kwaad werd. Ik hurkte voor hem neer en begon zijn schoenen los te knopen. Dát liet hij toe. Toen de schoenen en zijn sokken eindelijk uit waren, vroeg ik hem eerst met het ene been en daarna met het andere uit zijn natte broek te stappen. Nadat dat gebeurd was, ging ik razendsnel achter hem staan, trok eerst het kiel over zijn hoofd, en daarna zijn T-shirt. Ik pakte hem stevig onder zijn oksels beet om hem de doucheruimte in te krijgen. Het was alsof we aan de rand van een klif stonden en ik hem het ravijn in wilde duwen.

Oom begon aan de kraan te draaien, maar draaide de verkeerde kant uit. Ik deed een stap naar voren, nam het van hem over en voelde of het water niet te warm was.

Opeens merkte hij dat hij als enige helemaal naakt was. 'Nee!' zei hij resoluut. 'Jij ook bloot.' Ik besefte wel dat ik er niet aan ontkwam mij ook uit te kleden. Zo kon ik hem toch ook niet behoorlijk wassen. Ik zou drijfnat worden, dus kleedde ik me snel uit en stapte poedelnaakt weer de doucheruimte in. Ik ging achter hem staan, hield hem met één arm tegen me aan en haalde de douchehandel over. Met wat zeep op mijn handen begon ik hem in te zepen. Hij liet het gelaten toe. Zijn billen zaten inderdaad onder de ruwe, rode plekken. Dat gold ook voor zijn liezen en zijn piemel. De thuiszorg had niets te veel gezegd.

Het had iets aandoenlijks, zijn verlepte, oude, ivoorwitte, magere lijf tegen het mijne. Hij kwam helemaal tot rust onder de warme straal. Nu ik ook naakt was, scheen hij zich niet meer te generen om zich door mij te laten helpen.

Toen ik mezelf inzeepte, keek hij geamuseerd toe en wees op het getatoeëerde vlindertje vlak boven mijn billen. 'Toestandje,' zei hij vergenoegd.

'Ja, dat vindt u wel leuk, hè,' zei ik.

Toen ik mezelf had afgespoeld, knoopte ik gauw een handdoek om, droogde eerst hem af, en smeerde vliegensvlug alles met uierzalf in zoals Frederique me had opgedragen.

Nadat ik hem zijn pyjama had aangedaan, legde ik hem in bed en gaf hem een nachtkus. Ik bleef nog een tijdje op de rand van het bed zitten. Zachtjes streelde ik door zijn haar, daar werd hij rustig van. Toen hij sliep, deed ik overal de lichten uit, sloot de buitendeur af, gooide een slaaphemd over mijn hoofd en sloop op mijn tenen naar mijn matras.

Ik besloot het maar voor het bed neer te leggen. Om naast hem te gaan liggen ging me net even een brug te ver. Stel je voor dat hij straks weer zou denken dat ik Gerdien was en iets met mij zou willen. Ik vroeg mij af of oude mensen eigenlijk nog wel seksuele gevoelens hadden. In ieder geval had ik niet de indruk gekregen dat oom hem nog overeind kon krijgen.

Van een vriendin die haar demente vader verzorgd had, had ik weleens gehoord dat het decorumverlies tot vreemde situaties kon leiden, maar dat je dan duidelijk je grenzen moest stellen. Nee was nee. In fysiek opzicht wist ik niet of ik oom wel aankon. In zijn razernij zou hij heel wat kunnen aanrichten, zover moest ik het maar niet laten komen.

Voor mijn gevoel sliep ik nog maar net toen ik wakker werd van iets waardoor ik van mijn matras rolde. Oom had me met zijn voet er ruw vanaf geduwd. Hij stond verward te stamelen: 'Wie bent u? Ga weg!' Hij wees naar de woonkamer. 'Ik ken u niet. Daar!'

Met een zucht kroop ik slaperig uit mijn slaapzak. Hij greep meteen mijn matras beet en smeet het met slaapzak en al de woonkamer in. Ik was te moe om erop in te gaan. Toen ik langs hem heen liep, zei hij venijnig: 'Weg jij... Loeder!' Hij gaf me een por in mijn zij die behoorlijk pijn deed. Met een harde knal sloeg hij de slaapkamerdeur achter mij dicht. Ik begon steeds meer begrip te krijgen voor de dames van de thuiszorg.

Na een hoop gepieker, viel ik toch weer in slaap, maar om half zes werd ik gewekt door een luid gevloek en gebonk. Ik hoorde hem roepen: 'Gerrr-dien! Doe godverdomme open!' Ik vloog uit mijn slaapzak. Oom stond, zichzelf verliezend in razernij, tegen de buitendeur te trappen. Hij had een bruine badjas aan die hij met een touw om zijn middel had dichtgebonden. Op zijn hoofd prijkte een enorme strohoed.

Ik rende naar hem toe. 'Oom Gerhard,' riep ik. 'Rustig maar. U kunt zo toch niet naar buiten.'

Hij duwde me zo hard weg dat ik tegen het muurtje van het aanrecht viel. 'Toestandje, kom kom,' zei hij afgemeten, en hield gebiedend zijn hand op.

'Nee oom, u krijgt de sleutel niet. Het is nog hartstikke donker. Ik breng u naar bed. U moet echt nog wat proberen te slapen.' Mijn resolute toon hielp. Hij keek mij met grote ogen aan. Opeens wist hij weer wie ik was.

Ik trok hem aan een arm mee naar de slaapkamer en deed hem zijn pyjama weer aan. Toen hij weer goed en wel in bed lag, wees hij naar de ruimte voor zijn bed. 'Daar... Met toestandje,' zei hij met een vergenoegde trek op zijn gezicht. Ik was zo gek nog niet of ik sleepte braaf mijn matras weer terug naar de slaapkamer, waar ik me opnieuw voor zijn bed installeerde. 'Maar nu gaan slapen hoor oom,' zei ik. 'Het is nog hartstikke vroeg.'

'Hartstikke hartstikke hartstikke,' gniffelde hij binnensmonds. Ik moest erom lachen, maar liet dat niet merken.

6

Om negen uur schrok ik wakker. Het was doodstil in huis. Toen ik in het bed van oom keek, bleek hij er niet meer in te liggen. Ik was meteen klaarwakker. Mijn hart hamerde in mijn keel. In de keuken stond de buitendeur open. Een waterige, koude wind blies naar binnen. Hij had kennelijk toch de voordeursleutel gevonden die ik in de meterkast bij de andere sleutels had gehangen.

Ik stapte meteen in de groene kaplaarzen die in de gang stonden. Ze waren me veel te groot. En ik schoot in de houtje-touwtjejas van oom. Paniekerig rende ik over het erf. De wind blies mijn haar alle kanten uit. 'Oom Gerhard! Oom Gerhard!' riep ik tegen de wind in. Tot overmaat van ramp begon het ook nog zacht te regenen, zo'n miezerig regentje wat je nauwelijks voelde, maar waar je zeiknat van werd als je er lang in liep. Ik voelde me zo ellendig. Er kwam alleen nog maar een huilerig 'oom Gerhard' over mijn lippen.

Ik had overal gekeken. In de tuin, in het hok achter in de tuin, in de grote schuur, achter het huis. Ik liep zelfs de provinciale weg op, tuurde in beide richtingen, maar nergens was een spoor van oom te bekennen.

Door de nood gedreven, belde ik wanhopig bij de Banninks aan. Ze woonden pal tegenover de oprit van de boerderij. Misschien dat zij iets gezien hadden... De heer Bannink keek nogal vreemd toen ik bij hem op de stoep stond. Ineens realiseerde ik me dat ik er heel raar uitzag met die veel te grote laarzen en in ooms jas. Ik begon als een klein, verdwaald meisje te huilen. Snikkend vertelde ik dat oom was weggelopen.

Bannink lachte luid en zei gemoedelijk: 'O, mevrouwtje, kom mar efkes met. Ik wèt wèl woar-ie uuthangt. Hie zit altiet op sien plekske sien holdjes te knipp'n.' Hij beende met grote stappen het erf op.

Met één hand hield ik mijn kraag dicht en slofte achter hem aan.

Bannink liep meteen door naar de achterkant van de grote schuur. En ja hoor! Daar zat oom in de bruine badjas, met de strohoed diep over zijn hoofd getrokken, uitgedost als middeleeuwse monnik, uiterst geconcentreerd, in kleermakerszit, met een tangetje takjes klein te knippen. Het touw om zijn middel zat half los. Je had ruim uitzicht op zijn klok- en hamerspel. Als een zonderling die in zijn eigen wereld leefde zat hij daar, onverstoord.

Ik lachte door mijn tranen heen, dolblij dat hem niets was overkomen.

Het werd mij al snel duidelijk dat Bannink vaker met dit bijltje gehakt had. 'Hé, Gerhard!' riep hij joviaal. 'Zo weer oe zeiknat, kerel, dà geet zo neet.'

Ik fatsoeneerde gauw ooms badjas zodat hij niet langer voor aap zat.

Bannink stapte resoluut naar voren. 'Loa mien moar efkes.' Hij trok mijn oom stevig aan zijn arm omhoog. Oom Gerhard keek ons aan met een gezicht van: "Waar maken jullie je nou zo druk om?" Hij liet zich echter gedwee door de potige Bannink meevoeren. Ik klotste er als een verfomfaaide dienstmeid achteraan. We leken wel twee zotten die werden opgebracht.

Binnen schuifelde oom braaf naar zijn plekje bij het raam. Volkomen in zichzelf gekeerd, onbereikbaar voor ons, zat hij in zijn stoel, ernstig voor zich uit starend, monomaan heen en weer te wiegen. Vanuit de keuken stonden we er even met z'n tweetjes in stilte naar te kijken. Ik bedankte Bannink hartelijk voor zijn kordate optreden.

'O, da's niks, mevrouw,' zei hij. 'Wie hebb'n al zoveel metgemoakt. Gerdien kwam altiet bie ons an, dànn had Gerhard heur d'r weer uutgetrapt, dànn mosten wie d'r an te pas komm'n. Ja-a, 't is geen makkelijk heerschap. As't nodig is, dànn mo'j moar weer anbell'n. Ik zeg: gegroet moar weer. Moj!'

Oom was doorweekt, ik ook trouwens. Ik stookte de kachel op tot tweeëntwintig graden. Pas onder de douche kwamen we weer wat bij.

Oom scheen vandaag goed in zijn vel te zitten. Ik had hem nadat ik hem gedoucht had op een stoel voor de badkamer neergezet, zodat ik hem in de gaten kon houden. Ik wilde niet dat hij me weer zou ontglippen. En ik wilde toch ook wat privacy bij het douchen. Ook oom bleef tenslotte een man. Met een olijk gezicht bestudeerde hij uitgebreid hoe ik met een handdoek om voor de grote spiegel mijn tanden stond te poetsen en mijn haar föhnde.

Wat ik ook voorstelde, oom vond het allemaal best. Kennelijk had ik zijn vertrouwen eindelijk gewonnen. Ik nam hem mee naar Steenderen waar we boodschappen gingen doen. Hij wilde per se mijn tassen dragen. Je kon je gewoon niet voorstellen dat de kwaadaardige "Nero" en de lieve, haast broze, oude man, die je kon betoveren door zijn charme, dezelfde man was.

's Middags was oom verdrietig. Hij zat weer met zijn handen in zijn haar te klauwen. 'Ze is dood, ze is dood, ze is dood,' bleef hij maar herhalen. Ik zette een cd van Beethoven op, daar sufte hij wat bij weg.

7

Zondagmorgen stond opeens Joke Schildkamp in de keuken. 'Ik kom efkes kiek'n hoe 't met oe geet,' zei ze moederlijk.

'Hé, Joke!' Kom verder,' riep ik enthousiast alsof ik een oude vriendin begroette. Ik had zo langzamerhand eigenlijk wel behoefte aan een gezellig koffiepraatje.

'Hei't een bitjen noar't zin met oe nichtje?' vroeg ze aan oom, die haar wat wazig aankeek alsof ze Spaans sprak. 'Ie mot oe wel netjes gedroagen, a'ns kump sie neet weer umme,' zei ze. Ze keek hem vermanend aan.

Op zijn gezicht verscheen een beminnelijke glimlach, alsof hij wilde zeggen: 'Dat weet ik toch dom gansje.'

Joke keek naar mij en wees met haar duim over haar schouder naar oom. 'O godogod, wie hebb'n al heel wat met'm te stell'n gehad.' Ze deed me, net als Bannink, uitgebreid verslag over hoe hij Gerdien soms buitensloot, en dat zij dan bij hun haar nood klaagde. Dan moest haar man Harm eraan te pas komen om hem weer rustig te krijgen. Ik kon mij niet aan de indruk onttrekken dat er een onderlinge concurrentiestrijd gaande was tussen de Banninks en de Schildkamps.

Joke gaf me het telefoonnummer van de wijkagent. 'Die waar ook op de hoogte van Gerhards gedrag,' zei ze. Hij had oom al vaak genoeg naar huis moeten brengen wanneer hij weer eens in verwarde toestand langs de weg liep, en niet meer wist hoe hij thuis moest komen.

'Ie wèt lang neet alles,' zei ze. 'Moar dà kump wèl een andere keer.'

'Bij mij is hij vrij rustig,' zei ik. 'Soms is hij wel wat lastig, maar vannacht hebben we gezellig een kopje thee gedronken en zijn daarna weer gaan slapen.'

Joke stond op. Voordat ze wegliep, zei ze tegen oom: 'Gerhard, dendeze mag-ie neet sloan, denk-ter um heur. Puck is lief, moar dà wèt oe wèl.' Haar schelle lach vulde de kamer.

Oom Gerhard en ik deden haar samen uitgeleide.

De rest van de dag verliep in alle rust. Na zijn middagdutje maakten we een kleine wandeling over het erf. Oom liet me alle "toestanden van de toestanden" zien. Hij maakte mij duidelijk dat je de "toestand" zijn gang moest laten gaan, geen "toestand" mocht omgehakt worden. Hij wees me een boom aan waar eekhoorntjes zaten. Het was heel vredig. Als je oom niet van streek maakte en hem rustig in zijn eigen biotoop liet rondkeutelen, dan had je geen kind aan hem. Hij was een zonderling. Maar wie had daar nou last van? Midas Dekkers is tenslotte ook bioloog en ook een zonderling, maar die wordt alom gerespecteerd. Dus waarom oom niet, vroeg ik me af.

We hadden al vroeg gegeten omdat Elly zou komen om mijn "dienst" over te nemen. En eerlijk gezegd was ik wel blij dat ze het overnam, want ik was doodmoe.

Toen Elly de keuken binnenkwam zat oom voor de tv naar het nieuws te kijken, terwijl ik de afwas deed. Ze vroeg hoe het gegaan was, of ik het beetje onder controle had.

Ik zei haar dat vrijdagavond een ramp was geweest, maar dat het na zaterdagmorgen verder goed gegaan was.

Vooral om het gesleep met het matras moest ze lachen. 'Ja,' zei ze. 'Wij blijven de hele nacht wakker, dus daar hebben wij gelukkig geen last van.'

Ik liep naar oom toe en streek door zijn haar. 'Elly gaat vannacht voor u zorgen, dan ga ik weer naar mijn eigen huis,' zei ik zo luchtig mogelijk.

Hij keek me met angstogen aan en greep verschrikt mijn hand vast. Hij begon bijna te hyperventileren.

'Luister eens, oom,' zei ik gedecideerd. 'Vrijdagmiddag kom ik weer terug. Hoort u dat? Dat is over vijf dagen. Nu blijft Elly bij u, dan bent u niet alleen.'

Hij begon meteen te huilen en wreef weer vertwijfeld over mijn handen. Ik kreeg het gevoel dat ik hem in de steek liet. Feitelijk deed ik dat natuurlijk ook. Vijf dagen waren voor oom een eeuwigheid. Een eeuwigheid die hij niet kon overzien. Voorzichtig wurmde ik me los en rende geëmotioneerd naar de kapstok waar mijn nepbontje hing. Tijdens zijn middagdutje had ik mijn koffer al in de auto gelegd.

Hij stond met een betraand gezicht als een verongelijkt jongetje bij de voordeur te dralen. Toen ik hem omhelsde, begon hij weer te huilen. Ik zag dat hij van alles tegen me wilde zeggen, maar de woorden bleven steken in zijn keel. Ik pakte hem bij de schouders en keek hem recht aan.

'Vrijdag kom ik weer. Ik laat u echt niet in de steek.' Je kon het niet vaak genoeg zeggen. Ik hoopte maar dat het bleef hangen.

'Kom,' zei Elly tegen hem, 'dan gaan we Puck samen uitzwaaien.' Ze haakte haar arm in de zijne.

Langzaam het pad afrijdend, zag ik in mijn spiegel een oude, diepbedroefde man. Hij leek ineens zo breekbaar aan de arm van de jonge, struise vrouw. Ik draaide de doorgaande weg naar Zutphen op. Het sprookje was voorbij. Even was ik in een ander leven gestapt. Voor mijn gevoel kon er geen einde aan komen.

Het rustgevende Achterhoekse landschap waar de tijd leek stil te staan, niemand haast had en men het leven leefde zoals het zich aandiende, trok aan mij voorbij. Een schril contrast met het jachtige westen, waar men zich vooral bezighield met aardse zaken en het consumentisme hoogtij vierde. Mijn wereld bestond eigenlijk louter uit uiterlijkheden. Je uiterlijk bepaalde ook hoe succesvol je was. Je leefde op de grens van het haalbare.

Er was iets in mij ontwaakt, iets wat al die jaren latent in mij aanwezig was, maar tot dit weekend had liggen sluimeren. Het gaf me een warm gevoel. Ik pinkte een paar tranen uit mijn ooghoeken.

Na Apeldoorn werd het steeds drukker. De heuvels met de eeuwenoude, hoge bomen veranderden in kale, kille vlakten met gebouwen waarop schreeuwerige lichtreclames prijkten. De bolwerken van onze overspannen consumptiemaatschappij.

De metamorfose had zich voltrokken, ik was weer terug in de slangenkuil. Tegen de tijd dat ik Amsterdam binnenreed, stond mijn habitat me zo tegen, dat ik er zelfs tegen opzag maandag weer aan het werk te moeten. Het liefst zou ik willen omkeren, terugrijden naar IJsseldijk, naar de bouwvallige boerderij waar nog zoveel geheimen verborgen lagen. Terug naar mijn zonderlinge oom die daar te midden van zijn kunstschatten als een monnik in zijn klooster leefde. Terug ook naar de warme dorpsgemeenschap. Daar gold nog de nabuurplicht waardoor je je beschermd voelde. Ik werd er als een magneet naartoe getrokken. Tijdens mijn korte verblijf in IJsseldijk kende ik al méér buren dan in mijn eigen flat. Dit weekend had blijvend iets in mij veranderd.

Toen ik mijn flat binnenkwam, staarde de luxe en het comfort me als een vreemd monster aan. De deken van simpele eenvoud en warmte werd ruw van me afgetrokken.

Nadat ik gedoucht had belde ik Charlotte en deed haar uitgebreid verslag van mijn weekend.

'Jeetje, meid, heftig allemaal,' zei ze. 'Let je een beetje op jezelf? Ik ken jou. Als je ergens voor gaat dan ga je er ook voor de volle honderd procent voor.'

'Ja, wat wil je dan dat ik doe, Lotte?' gaf ik kattig terug. 'Hem wegstoppen in een verpleegtehuis en zijn spullen aan een opkoper meegeven? Je had het moeten zien. Hij heeft een heel antiquariaat in de schuur staan, allemaal eerste drukken. En dan de schilderijen nog. Er ligt daar een vermogen aan kunst. Kun jij daar niet eens naar kijken?'

'Ja, natuurlijk kan ik ernaar kijken, maar voorlopig zit ik nog wel even in de States. Als jij nou vast begint met het inventariseren en overal foto's van te maken, dan kom je tenminste ergens. Als ik weer terug ben help ik je wel.'

Charlotte had makkelijk praten. Ik vroeg me af waar ik de tijd vandaan moest halen. Ik zou alleen al weken bezig zijn om alle boeken uit te pakken en in de stellingen te plaatsen. En dan moest ik de gigantische berg schilderijen, die her en der door het huis verspreid lagen, naar één plek versjouwen om ze behoorlijk te kunnen inventariseren en te fotograferen. Daar kwam nog bij dat oom voortdurend aandacht nodig had. Dan moest ik nog tijd zien te vinden om zijn financiën op orde te brengen, een goed tehuis voor hem te zoeken, de boerderij te verkopen… En ik mocht nog helemaal niets. De procedure om oom onder curatele te laten plaatsen was nog niet eens opgestart. Het vloog me even naar de keel. Ik vroeg me af waar ik aan begonnen was. Ik leek wel gek!

8

Irene van Gennep, een jonge vrouw van mijn leeftijd, met schrandere ogen die mij toelachten, begon me meteen te tutoyeren. Zonder onnodige prietpraat vooraf stak ze van wal. Dat vond ik eigenlijk wel zo prettig.

'Voordat je je verhaal aan mij vertelt zal ik je eerst mijn tarief mededelen,' zei ze. 'Ik vraag honderdvijfenzeventig euro per uur, plus eventuele reiskosten. Een half uur reken ik als een uur. Alles minder dan een half uur tel ik bij elkaar op, dat rond ik dan naar boven af. Iedere eerste van de maand stuur ik een factuur. Als je daarmee kunt leven?' Ik knikte. 'Goed, dan kunnen we meteen aan de slag.'

Haar zakelijke opstelling beviel me wel. Ik haalde de papieren en het testament uit mijn tas. Nadat ik haar alles had verteld wat ze moest weten, overhandigde ik haar een schatting van ooms vermogen.

Ze zei dat ze zo snel mogelijk voor me aan de slag ging. Het leek haar het beste om eerst provisionele bewindvoering bij de rechtbank in Zutphen aan te vragen. Dat kon al snel geregeld zijn, zei ze. De ondercuratelestelling zou meer tijd vergen, omdat de rechter eerst het advies van een psychiater moest inwinnen. Maar daar hoefde ik me geen zorgen over te maken, want dat zou de rechtbank zelf wel regelen.

Ze vroeg me of ik zo voorlopig vooruit kon. Ik zei haar te beschikken over ooms bankpasje en dat ik zo snel mogelijk internetbankieren aan wilde vragen.

'Zorg er wel voor dat je alle uitgaven registreert, zodat je alles kunt verantwoorden. Je bent namelijk hoofdelijk aansprakelijk zolang je nog niet officieel tot bewindvoerder bent benoemd.'

Ik zei dat ik daarvan op de hoogte was.

Toen ze me uitliet keek ze even op mijn kaartje. 'Ik zie dat je ook jurist bent.'

Ik vertelde dat ik aan de VU had gestudeerd en gespecialiseerd was in handelsrecht.

'Wat leuk,' zei ze. 'Ik heb ook aan de VU gestudeerd. Dat we elkaar nooit tegengekomen zijn?' Ze gaf me een hand, en zei dat ze voor me aan de slag ging en dat ik zo spoedig mogelijk iets van haar zou horen. Ze bleef in de deuropening staan kijken toen ik naar mijn auto liep. Toen de clignoteurlichtjes geknipperd hadden sloot ze de voordeur. Het was wel duidelijk dat ze toch even nieuwsgierig was of die dikke BMW bij mij hoorde.

Met tegenzin reed ik naar kantoor. Vanmiddag moest ik een kantoordirecteuren vergadering voorzitten. Ik had er helemaal geen zin in. Gelukkig zaten er vier vrouwen bij die ik zelf had benoemd. De mannen van het gezelschap stonden bij dit soort gelegenheden als een mandrilaap met hun pik te zwaaien om mij te imponeren, in figuurlijke zin dan.

Een vrouw als hun leidinggevende werkte zodanig op hun testosteronspiegel dat ze zelf niet doorhadden dat ze meelijwekkend waren. De echte kerels binnen de bank waren dan ook meestal vrouwen.

De afgelopen dagen zat ik 's avonds achter mijn computer met ooms papieren. Ik constateerde dat hij drie bankrekeningen had, en een bescheiden effectendepot waar maar één fonds in zat dat volgens de koers slechts tienduizend euro waard was. Het huis schatte ik op vijf ton, de kunst op twee ton. Maar dat laatste was nattevingerwerk, want ik had van kunst absoluut geen verstand, dus dat kon ook nog weleens tegenvallen. Op de rekeningen bij de Fortis en de ABN-AMRO stond nauwelijks iets. En het inkomen van oom viel ook al niet mee. Inclusief AOW had hij een modaal inkomen.

Voorlopig kon de thuiszorg dus niet betaald worden. Ik schatte in dat de thuiszorg best weleens kon oplopen tot anderhalve ton voordat ik een geschikt onderkomen voor oom zou hebben gevonden. Dat geld had hij sowieso niet op de bank staan. Ik wilde hem ook niet in het eerste de beste verpleegtehuis wegstoppen. Na verkoop van al zijn bezittingen bleef er een kleine zes ton over om oom van te kunnen verzorgen, als het meezat. De thuiszorg was dus geen blijvende oplossing, dat was me nu wel duidelijk. Ik moest iets anders verzinnen, en gauw ook.

Ik had via de website van de Postbank internetbankieren aangevraagd en mij voorgedaan als mijn oom. Of dat zou lukken was nog maar zeer de vraag. Zoals het nu ging werd ik er gestoord van. Alle betalingen liepen via mijn rekening. Het betaalde bedrag pinde ik dan weer van ooms rekening, buiten bij de geldautomaat. Vervolgens liep ik naar binnen om het gepinde bedrag op mijn rekening te storten. Dat moest wel zo, omdat ze er niet achter mochten komen dat ik strikt genomen eigenlijk fraudeerde met ooms pasje. En ze mochten er op mijn werk al helemaal niet achter komen, want dat zou mij zeker mijn baan kosten.

In een e-mail liet ik Loes Woltink weten dat ze voorlopig niet betaald werd. Tevens verzocht ik haar mij wekelijks een overzicht van de openstaande schuld te sturen, zodat ik niet voor verrassingen kwam te staan.

9

Donderdagmorgen werd ik gebeld door ene Jan Siebesma van het CIZ (Centrum Indicatiestelling Zorg). Hij zei dat hij was ingeschakeld door het Riagg.

'Mevrouw Scheltinga, ik heb-eh, destijds in opdracht van uw tante ooit een-eh, indicatie verleend voor de spoedopname in Instituut Sparrenbos met betrekking tot uw-eh, oom. Ik heb begrepen dat de situatie thans is-eh, veranderd en uw oom zeven etmalen zorg per week nodig heeft, en dat-eh, u de contactpersoon bent na het overlijden van uw tante. Klopt dat?'

'Ja, dat klopt,' zei ik. Ik vroeg me af waar dit vreemde gesprek toe zou leiden.

'Kijk, mevrouw,' zei hij. 'Weet u wat het is? Omdat uw oom al eens eerder opgenomen is geweest en-eh, zijn geestesgesteldheid eigenlijk alleen maar slechter is-eh, geworden. Rest mij niets anders dan weer zo'n-eh, indicatie af te geven, maar dat wilde ik eerst even-eh, met u overleggen. Want dat zou betekenen dat-eh, de particuliere zorg die hij nu thuis krijgt niet vergoed wordt door de AWBZ.'

'O, zegt u mij dan maar wat ik moet doen om het wel van de AWBZ vergoed te krijgen,' zei ik kortaangebonden. Zijn gestuntel begon me danig te irriteren. Kon die man dat 'ge-eh' niet gewoon achterwege laten?

'Tja,' zei hij veelbetekenend. 'Daarom-eh, bel ik u juist.'

'Nou, ik kan u daarbij niet helpen,' zei ik. 'Het lijkt me dat u de expert in dit soort zaken bent. Niet ik!'

'In dat geval wordt het toch een-eh, indicatie voor een gesloten inrichting. Ik moet mij tenslotte aan de regels houden.'

'O wacht even,' zei ik, terwijl ik me inhield, 'maar daar kan geen sprake van zijn. In zo'n inrichting kunnen ze helemaal niet met mijn oom omgaan. Daar gaat hij beslist aan onderdoor. Kunt u niet iets anders verzinnen? Mijn oom valt nou eenmaal niet onder de grote massa. Of telt bij u het individu niet meer? Stop oude mensen die moeilijk te hanteren zijn maar weg in een gekkenhuis, dan is de maatschappij van ze verlost. Is dat het? Nou, daar werk ik niet aan mee.'

Hij kreunde en zuchtte moeizaam. Ik hoorde hem hardop rekenen. Toen hij uitgerekend was schraapte hij nerveus zijn keel. 'Ummeh, ik begrijp dat het moeilijk voor u is. Wat ik nog kan doen: is een persoonsgebonden budget proberen aan te vragen, dat zou dan neerkomen op-eh...' Hij begon weer in zichzelf te mompelen. 'Dat zou neerkomen op ongeveer twaalfhonderd euro per week, dat wordt dan-eh, verrekend met de zorgnota die u van Loes Woltink ontvangt, snapt u.'

'Die oplossing lijkt mij in ieder geval beter dan hem te laten opnemen,' riep ik opgelucht. 'Vindt u zelf ook niet?'

'Eh, jawel jawel, maar-eh, u moet er wel rekening mee houden dat-eh, mijn eerste aanbeveling toch richting een opname in een gesloten inrichting zal zijn. Anders moet ik straks de hele procedure weer-eh, opnieuw in gang zetten in het geval de thuiszorg toch niet-eh, de juiste weg blijkt. Uw oom is tenslotte niet toerekeningsvatbaar en-eh, hij heeft al eens eerder een verpleger tegen de grond geslagen. Maar ja, toen leefde zijn vrouw nog. Zij heeft hem er toen uitgehaald. Echt mevrouw u laadt een-eh, enorme verantwoordelijkheid op u. Maar-eh, ik zal kijken wat ik voor u kan doen. Als u niets meer hoort, ontvangt u binnen een week de schriftelijke indicatie. Ondertussen ga ik achter het persoonsgebonden budget aan maar-eh, ik garandeer niets.'

'Oké, doe uw best zou ik zeggen. Ik zie de papieren dan wel verschijnen. Ik neem aan dat ik verder geen actie hoef te ondernemen?'

'Nee, u-eh, hoeft voorlopig niets te doen. U merkt het-eh, vanzelf zal ik maar zeggen. Daag, mevrouw Scheltema.'

'Scheltinga!' riep ik nog, maar hij had al opgehangen. Ik liet me achterover in mijn stoel vallen en staarde naar het plafond. Twaalfhonderd euro per week zou enorm schelen. Het zou mij in ieder geval extra tijd geven om naar een definitieve oplossing te zoeken.

's Avonds thuis speurde ik het internet af naar een geschikt verzorgingshuis voor oom. Iets waar hij als mens behandeld werd, en niet meteen werd platgespoten, zoals Loes Woltink zei. Ook moest het niet zo'n centrum zijn waar demente bejaarden als wezenloze stumpers aan hun lot overgelaten werden, om vervolgens in natte luiers verdwaasd door de gangen te dwalen. Of doorweekt in hun bed lagen te soppen tot er eindelijk iemand de moeite nam om ze te verschonen.

Na enig speurwerk had ik iets gevonden. "Wonen net als thuis" luidde de kop. Ik opende de website en bestudeerde de foto's. Het was een prachtig, oud herenhuis in Warnsveld, De Weegschaal. Volgens de beschrijving betrof het een kleinschalig project met maar tien bewoners. Ik besloot meteen te bellen, dit tehuis leek me geknipt voor oom.

Frank Postuma, de directeur, nam uitgebreid de tijd voor me. Hij vertelde mij dat hij vond dat bejaarden recht hadden op privacy, en dat iedereen bij hem een individuele verzorging kreeg. Vrijdagmorgen kon ik al langskomen. Dat was wel het laatste wat ik verwacht had.

10

Warnsveld bleek een pittoresk, Achterhoeks dorpje te zijn. Huize De Weegschaal lag in de dorpskern. Ik parkeerde mijn auto in het rustige straatje. De oude gevels lachten me vriendelijk toe, zich koesterend in het maartse zonnetje. De nog naakte takken van de grote bomen droegen reeds hun prille knoppen. Het leven in dit dorpje, ontdaan van alle hectiek, leek eeuwig voort te kabbelen, wars van alles wat de rust zou kunnen verstoren. Ik snoof de sfeer in me op, sloot even mijn ogen, en luisterde naar het getjilp van de vroege vogels die net als ik het voorjaar aan voelden komen.

Bij de imposante voordeur trok ik voorzichtig aan de koperen trekbel. Het geklingel kon je buiten horen. Een vrouw in een rode trui en een spijkerbroek deed open.

'U bent mevrouw Scheltinga?' zei ze hartelijk. Ze had een zachte, beschaafde stem.

Ik glimlachte en stak mijn hand uit. 'Zegt u maar Puck hoor,' zei ik.

'Jasmijn Postuma.' Ze keek me vanonder haar luikende wimpers aan. 'Mijn man is er nog niet,' zei ze. 'Hij komt zo. Hij moest even weg.'

'O, ik heb alle tijd,' zei ik, zeer tegen mijn gewoonte in. Normaal gesproken zou ik uit mijn vel gesprongen zijn, maar hier in die onthaaste sfeer...

Het interieur was in het echt nog mooier en weldadiger dan op de foto's. Het moest een vermogen hebben gekost. De gang was betegeld met zwarte en witte plavuizen. Er stond ook een grote klok, die de tijd in alle rust wegtikte. Het houtsnijwerk van de donkere, massieve deuren paste precies bij dat van de lambrisering. Aan het plafond hing een grote luchter.

Jasmijn ging mij voor naar een grote kamer. Ook dit vertrek was in authentieke staat teruggebracht. In het midden stond een grote tafel met ouderwetse eetkamerstoelen eromheen. De serre was afgesloten door schuifdeuren voorzien van glas-in-lood-ruiten. Tegen de muur stond een oud kabinet. De schouw was betegeld met oud-Hollandse tegeltjes. Er stond een authentieke kachel voor met koperen handgrepen, zo eentje waar je nog een ketel water op kon koken.

Jasmijn zei dat ze weer verder moest, maar dat er zo iemand koffie zou komen brengen.

Na vijf minuten schuifelde een klein, schuchter vrouwtje naar binnen. Ze zette een blad voor me neer waarop een koffiepot en twee kop-en-schoteltjes stonden, alles uitgevoerd in boerenbont. Op het schaaltje ernaast lagen vier grote koeken.

Mijn strak opgestoken haar, waarin mijn zonnebril stak, de leren broek die als een tweede huid om mij heen zat, de brede riem en het korte jasje met opstaande kraag, beantwoordde kennelijk geheel aan het clichébeeld dat ze van ons westerlingen had. Dat bleek wel uit de manier waarop ze naar me keek. Toen ik vriendelijk naar haar knikte vluchtte ze zonder iets te zeggen de kamer uit.

Na een kwartier kwam er een klein, dik mannetje binnen. Hij deed me denken aan Kabouter Plop. Ik was wel een kop groter.

'Neemt u maar een koek hoor,' zei hij. 'Ik neem er in ieder geval wel een. Ik barst van de honger.' Hij ging zitten, beet gretig in zijn koek, strekte zijn armen en zette zich af aan de tafel, terwijl hij mij al kauwend, over zijn brilletje heenkijkend, nauwkeurig opnam. Hij stak zijn ringbaardje parmantig naar voren, en zei plechtig: 'Zozozo. Jajaja.'

Deze man zou geknipt zijn voor het bankvak, dacht ik nog, want met deze luttele, doch zorgvuldig gekozen woorden, had hij de situatie ingeschat en puntig samengevat; daar kon ik zelfs nog wat van leren. Ik moest in mezelf grinniken.

'En... wat vindt u van ons huis, zo op het eerste gezicht?' vroeg hij. Zijn lichte stem had iets weg van een blatende geit. Hij kon zo uit een sprookje zijn weggelopen. Je kon zien dat hij lol in zijn werk had.

'Geweldig!' zei ik. 'Echt heel stijlvol.'

Ik probeerde een "bruggetje" te maken. 'Hier zitten zeker alleen maar mensen met veel geld?'

'Neu...,' zei hij en tuitte daarbij zijn lippen. 'Dat valt reuze mee. Wij ontvangen ons geld van de AWBZ. De bewoners betalen de maximale eigen bijdrage, meer niet.' Hij keek mij triomfantelijk aan.

'En die is?' vroeg ik.

'Zo'n dikke tweeduizend per maand.' Hij tuitte weer zijn lippen, zoog hoorbaar de lucht naar binnen, en trommelde op de tafel.

'Per maand...!' riep ik uit. 'En daar komt niets meer bij?' Ik kon het haast niet geloven.

'Nee, mevrouw. Hooguit wat kosten voor de kapper. Uiteraard zit er ook geen kleedgeld bij. Daar moet u zelf voor zorgen.'

'Maar dat is fantastisch!' riep ik weer. 'Ik betaal nu al meer per wéék!'

Hij kneep geruststellend even zijn ogen samen. 'Vertelt u eens wat over uw oom. Wat is het voor een man?'

'Ik zal eerlijk tegen u zijn. Oom Gerhard is geen makkelijke man. Hij kan soms wat agressief zijn. Enneh, hij leidt aan een zeldzame vorm van dementie, waardoor zijn spraak is aangetast. Voor een buitenstaander is hij soms erg moeilijk te begrijpen.'

'Jaja, vasculaire dementie dus,' zei hij gedecideerd.

'Inderdaad, ja. Goh, wat goed van u.'

Ik zag hem groeien. Nu durfde ik verder te gaan. 'Hij noemt bijna alles "de toestand" als hij de woorden niet weet. Ik begrijp meestal goed wat hij bedoelt. Zijn vrouw is een kleine maand geleden overleden, en nu ontferm ik me zo'n beetje over mijn oom. De weekends logeer ik bij hem om de kosten van de zorg te drukken.'

Ik vertelde hem ook dat oom, afgezien van zijn dementie, een zonderling was en soms wat afwijkend gedrag vertoonde. En dat hij gek op houtjesknippen was. Daarna laste ik even een pauze in, maar ik bespeurde geen enkele terughoudendheid in het open gezicht. Integendeel, er verscheen een vertederde krul om zijn mond, die nu helemaal op een centenbakje leek. Hij zou ook uitstekend als tuinkabouter kunnen fungeren. In gedachten zag ik hem al tijdens het bloemencorso achter een kruiwagen op een praalwagen staan. Het ironische was dat oom tuinkabouters haatte. Dat vermoedde ik althans.

'Misschien is het handig als ik een keer met mijn oom langskom,' zei ik. 'Dan kunt u kennis met hem maken, kan hij meteen zijn nieuwe omgeving zien...' Opeens realiseerde ik me dat ik misschien iets te hard van stapel liep. 'Is er eigenlijk een wachtlijst?' vroeg ik.

Hij glimlachte breeduit. 'U spreekt zo lief over uw oom,' zei hij. 'Oom zus...oom zo... Ik merk dat u veel om hem geeft.'

Ik bloosde.

'Per 1 mei komt er een kamer beschikbaar,' zei Postuma resoluut. 'Enneh... wij zijn hier wel gewend met psychische klachten om te gaan.'

Ik beet op mijn onderlip en luisterde gespannen.

'Niets hoeft, alles mag,' ging Postuma verder. 'Stel dat meneer niet samen met de andere bewoners in de eetkamer wil eten, dan brengen wij het op zijn kamer. En wij doen hier ook niet aan de geijkte spelletjes, geen bingoavonden en dat soort flauwe kul. Dus daar hoeft hij niet bang voor te zijn. Hier zitten voornamelijk bejaarden met een intellectuele achtergrond. De meeste zijn erg op zichzelf. Ik begrijp uit uw woorden dat uw oom niet erg sociabel is, nou dat is hier geen enkel probleem hoor.'

Ik grinnikte. Deze man begreep meteen dat oom niet tot de grote massa behoorde en niet zat te wachten om verplicht aan allerlei activiteiten mee te moeten doen, of luidkeels mee te moeten lallen met de liedjes van tante Corrie, of ome Joop. Want dat is toch leu-heuk!

Frank Postuma sloeg tevreden de handen ineen. 'Ik durf het wel aan,' zei hij. 'In alles merk ik dat het welzijn van uw oom u echt aan het hart gaat. Ik wil hem in ieder geval een kans geven. Wie weet hoe hij hier opknapt. En als hij hier in de tuin houtjes wil knippen, nou dan leggen we toch een stapel voor hem neer. Hier mag hij rondlopen zoals hij wil, zolang het maar niet spiernaakt is. Het gaat erom dat hij zich hier happy voelt. En u komt hem regelmatig opzoeken?'

'Jazeker, dat ben ik wel van plan. Misschien neem ik mijn oude tante wel een keertje mee. Dat is de zuster van zijn vrouw. Maar ja, oom en zij stonden nou niet echt op goede voet met elkaar, dus de eerste tijd kom ik alleen.'

'Heel goed mevrouw,' zei hij. 'Heel goed.'

Voordat ik opstapte gaf Postuma mij een rondleiding door het huis. Tijdens de bezichtiging zag ik enkele bewoners gemoedelijk rondschuifelen. Ze zagen er goed en verzorgd uit.

Een oude meneer liep achter ons aan. Telkens wanneer we even stilstonden, wreef hij vergenoegd over zijn kin. 'Lekker kontje, hi hi hi,' gniffelde de grijsaard.

Ik keek lachend achterom.

'Gewoon laten gaan,' zei Postuma met een achteloos gebaar.

'Lekker kontje,' zei de oude heer weer.

Ik probeerde niet te lachen.

'Meneer van Laerhoven houdt wel van de vrouwtjes, hè meneer van Laerhoven!' zei Postuma opgewekt.

De oude man stond zich te verkneukelen alsof hij wilde zeggen: 'Zo, dat heb ik even lekker onder mijn snor vandaan laten knetteren.'

Postuma keek mij met olijke ogen en opgetrokken wenkbrauwen aan, waarschijnlijk om in te schatten of ik geschokt was door het vrijpostige optreden van de oude heer. 'U ziet het. Zolang het onschuldig blijft... Meneer van Laerhoven was vroeger diplomaat.'

Ik knikte begripvol. Het kon ons allemaal overkomen.

Om half een stond ik weer op straat. Hier zou oom zijn laatste dagen in alle rust kunnen slijten. Ik nam me voor hem iedere week op te zoeken. In gedachten zag ik mezelf al met hem door de tuin wandelen. Als het buiten te koud werd, dan konden we op zijn kamer samen naar muziek luisteren. Er viel een zware last van mijn schouders.

11

Mijn maag rammelde. Ik besloot eerst te gaan lunchen in De Gouden Karper in Hummelo. Aan het tafeltje haalde ik mijn laptop tevoorschijn. Ik maakte gauw een berekening in Excel. Wanneer ik tot 1 mei de thuiszorg nog moest betalen dan zou de totale schuld tussen de achtentwintig- en dertigduizend euro uitkomen schatte ik, als ik ten minste de weekends voor mijn rekening bleef nemen. Ik rekenende nog maar niet met het persoonsgebonden budget. Dat beschouwde ik als een extra buffer.

Als ik het huis, zijn boeken en de kunst zou verkopen, dan kon oom huize De Weegschaal makkelijk betalen. Ik begon weer wat licht in de duistere toekomst van oom te zien, klapte tevreden mijn laptop dicht, en verorberde in ijltempo de uitsmijter.

Dit keer had ene Evelien dienst. Een dame van goeden huize, dat merkte ik aan alles. Ze had iets verhevens.

Oom herkende me gelukkig nog. Hij sprong op uit zijn stoel en greep zwijgend mijn handen. Zijn dankbare blik zei wat hij niet meer kon uitspreken. Dat hoefde ook niet.

Toen we aan de thee zaten, zei Evelien met een spottende glimlach: 'Nou, meneer wil zich door mij niet laten wassen hoor, nietwaar meneer Brandal.' Oom haalde loom zijn schouders op en trok zijn mond in een minachtende streep.

'Ik ken u niet,' zei hij. 'Veul te jong voor toe-toestand. Ik ben heu-eul oud. Allemaal jonge toestandjes die mij van de toestand in de...' Hij dacht even diep na. '...Enfin, weet ik het wat.' Hij wees naar Evelien. Oom had het duidelijk niet zo op haar begrepen. Hij ging achter mijn stoel staan, legde zijn handen op mijn schouders, begon zachtjes mijn nekspieren te masseren en zei toen resoluut: 'Hij wél bloot... met heule toestandje.' Hij priemde met zijn wijsvinger in de richting van de badkamer.

Ik kreeg een kleur. Evelien zweeg tactvol. We zaten een beetje naar elkaar te grinniken, niet goed wetend wat we daar nou op zeggen moesten. Gelukkig begon oom ook vergenoegd te gniffelen.

'Hij is heu-eul lief, deze,' zei hij met een boterzacht stemmetje. Toen ging hij weer op zijn stoel zitten. Uit de ingekeerde, ernstige blik in zijn ogen, die ons niet leken te zien, maakte ik op dat hij weer vertrokken was naar zijn eigen schemerwereld.

Na een poosje keerde hij weer terug naar de realiteit. Een diepe zucht gaf aan dat hij weer iets wilde zeggen. Ik zag aan hem dat hij een innerlijke strijd voerde om de juiste woorden te vinden, maar uiteindelijk kwam het er dan toch uit, zij het haperend. 'Alle dagen nieuwe toestand, dan weer andere toestand, en wéér andere toestand. Ik wil dat niet. Nu genoeg toestanden.'

Ik begreep wat hij wilde zeggen en nam het van hem over. 'U wilt niet dat er steeds weer iemand anders komt om voor u te zorgen?'

Hij keek mij aan. 'J-a-a-a,' zuchtte hij. 'Dat is de toestand, zoals die daar.' Hij wees weer naar Evelien. 'Hem wil ik niet.'

'Nou dat is wel duidelijk,' zei ik. 'Misschien is het beter dat hij niet steeds een ander gezicht ziet.'

Evelien zat rustig op haar stoel, ze leek het wel te begrijpen. 'Ik zal het met Loes Woltink bespreken,' zei ze rustig. 'Ik ga daar niet over.'

Ik vroeg haar of er nog bijzonderheden waren die ik moest weten.

'Meneer heeft wat last van obstipatie.' Ze vertelde dat oom wel een half uur op het toilet gezeten had, maar zich door haar niet had willen laten helpen. Ze trok opeens haar wenkbrauwen op en haar kin in. Ik vermoedde dat ze me iets wilde vertellen, iets waar je niet vrijelijk over sprak. 'Er liggen rubber handschoenen op het plankje in de badkamer,' zei ze uiteindelijk. Uit haar verholen blik en het zuinige trekje om haar mond, zag ik dat ze probeerde in te schatten hoe de boodschap overgekomen was. Of hij überhaupt overgekomen was. Maar ik vertrok geen spier.

Toen ik haar uitliet wenste ze me met nadruk veel succes.

Demente bejaarden en kinderen vertonen opvallende gelijkenis waar het hun onmogelijke gedrag betreft. Net toen ik in de keuken aan het eten bezig was, schuifelde oom met een benauwd gezicht achter me langs naar het toilet in de gang. Ik deed een paar stappen naar achter. Hij stond al aan zijn broek te plukken. Dat beloofde niet veel goeds.

Uit de klanken die hij voortbracht, maakte ik op dat de nood hoog was. Ik vloog achter hem aan, deed zijn broek los, trok hem naar beneden en duwde oom het toilet in. 'Ga maar even proberen, oom,' zei ik. 'Blijf maar een tijdje zitten tot het lukt. Dan kom ik zo weer even bij u kijken.'

Zijn blik maalde wanhopig in het rond, alsof hij op zoek was naar iets wat hem opluchting zou kunnen brengen.

Ik trok mij discreet terug op de gang, vurig hopend dat ik niet hoefde in te grijpen, maar na een kwartier begon oom te morren. Hij zat uitgeput met een lijkwit gezicht naar adem te happen. De zweetdruppels stonden op zijn voorhoofd.

'Ik zie dat het niet zo goed met u gaat,' zei ik, maar hij was te uitgeput om te antwoorden. 'Ik ga u helpen. Een ogenblikje!' riep ik hem toe, terwijl ik naar de badkamer spurtte. Daar gooide ik m'n jasje uit, stroopte m'n mouwen op, schoof de rubber handschoenen over mijn handen, sjeesde als een olympisch sprintster weer terug.

Ik duwde oom, die de wanhoop nabij was, voorover en probeerde een vinger in zijn anus te krijgen, maar dat ging niet. Bij iedere poging begon hij te kermen. Ik wilde hem geen pijn doen. Ik werd er bloednerveus van. Als het zo niet lukte om oom te verlossen van zijn last, dan moest ik iets anders bedenken. Misschien kon ik beter een stuk tuinslang naar binnen duwen en hem een klysma met zeep geven. Oom hing nog steeds voorover. Aan het moeizame gehijg te horen moest er nu gauw iets gebeuren, of hij zou het niet overleven.

Toen kreeg ik een idee. Ik sprintte terug naar de badkamer en griste de pot met uierzalf van het plankje. Terug bij oom smeerde ik mijn vinger rijkelijk in met uierzalf, en stak hem met ware doodsverachting opnieuw in zijn aars. 'Zo gaat het beter, oom,' zei ik nerveus.

Ik was tenslotte ook maar een leek op dat gebied. In aarzen poeren was nou niet bepaald mijn favoriete bezigheid en al helemaal niet in de aars van een ander.

Oom kreunde. Ik voelde iets hards en probeerde er beweging in te krijgen. Eindelijk kwam de zaak los. Ik kon ternauwernood een kotsneiging onderdrukken. Het stonk verschrikkelijk, maar ooms riolering zat niet langer verstopt. Eén handschoen zat volledig onder de poep. Met de nodige omzichtigheid stroopte ik ze een voor een van mijn handen en wierp ze in het pedaalemmertje. Dat zou ik dan later wel weer schoonmaken. Vervolgens rolde ik zowat de hele toiletrol af. Met de grote proppen veegde ik zijn gat schoon. Kennelijk zijn de hersenen in staat je geur uit te schakelen. Dat schijnt een typisch vrouwelijke eigenschap te zijn, had ik weleens gehoord.

Nadat ik oom afgespoeld had in de douchecabine en hem alvast zijn pyjama aangetrokken had, installeerde ik hem op zijn stoel, waar hij aangeslagen met een verongelijkt gezicht voor zich uit ging zitten staren. Hij wilde niet meer met mij praten. Ik voelde met hem mee, aaide over zijn hoofd en zette zijn geliefde Beethoven op.

Eindelijk kon ik me weer aan het eten wijden, alhoewel mijn eetlust wel ietwat was getaand.

Oom was een dankbare eter. Ondanks de darmrevolte en zijn volhardend zwijgen deed het me goed om weer bij hem te zijn. Instinctief voelde oom aan dat we samen streden voor zijn welzijn. Oom en ik waren kameraadjes geworden. Ik stelde geen eisen aan hem, zei niet steeds wat hij wel- of niet moest doen, hij was tenslotte in zijn eigen huis. Welbeschouwd was ik de indringer.

Dat hij even tijd nodig had om de schokkende gebeurtenis van net te verwerken begreep ik best. Ik had mijn eten al op en zat vertederd te kijken hoe hij tergend langzaam iedere hap naar binnen werkte. Hij had eerst de gebakken aardappeltjes opgegeten. Toen hij zijn vlees wilde snijden, speurde hij de tafel af, stond op en pakte een lepel uit de buffetkast die achter hem stond. Ik liet hem maar even aanrommelen, omdat ik niet meteen op wilde springen. Hij leek er helemaal in op te gaan. Ik stond zachtjes op, ging achter hem staan, sloeg mijn armen om zijn nek en drukte een kus op de bebaarde wang. Hij keek verschrikt op, alsof hij nu pas ontdekte dat er nog iemand in de kamer was.

Voorzichtig loodste ik hem weer naar zijn stoel, bleef achter hem staan, pakte de lepel uit zijn hand en gaf hem zijn mes aan. Hij keek er aandachtig naar. Ik legde mijn handen op de zijne om hem te helpen zijn vlees te snijden. 'Kom maar,' fluisterde ik in zijn oor. Een warme gloed van ontroering stroomde door mijn lichaam. Toen hij genoeg gegeten had gaf ik hem een knuffeltje. In de korte tijd dat ik hem kende was ik van hem gaan houden.

Hij begon te huilen, dat deed hij trouwens vaak, dat huilen. Hij aaide over mijn vingers en over mijn rode nagels, alsof hij een kostbaar kleinood koesterde.

Ik zag wel dat hij volledig uitgeput was en besloot hem meteen naar bed te brengen. Het tandenpoetsen liet ik maar even achterwege. Om het plaatje uit zijn mond te krijgen was altijd een heel gedoe, ik wilde hem niet langer kwellen. Voor vandaag had hij al genoeg meegemaakt.

Als een klein kind liet hij zich instoppen. Toen ik hem een nachtzoen gaf, zei hij opeens: 'Ik ben boos, maar niet op jou.' Het kwam er zo vlot uit dat het net leek of hij opeens weer goed kon praten. Ik keek hem liefdevol aan.

'Op wie bent u dan boos?' vroeg ik.

'Op Gerdien.'

'Op Gerdien?'

Hij keek verongelijkt.

'Maar waarom dan?' vroeg ik verder.

'Ze is bij mij weggelopen,' zei hij.

Ik was verbaasd dat hij plotseling zo goed sprak. Dat bleek echter van korte duur. 'Ze is de toe toe-toestand,' stotterde hij.

'Nee, hoor oom,' zei ik. 'Gerdien hield echt heel veel van u. U weet toch nog wel wat haar is overkomen? We hebben haar laatst begraven... Weet u nog wel?'

'Toch ben ik boos,' bleef hij volhouden.

Ik streelde door zijn grijze haar en zei zacht: 'Nou, gaat u maar lekker slapen boos oompje van me.'

Zijn gezicht vergleed in een olijke glimlach. Als hij zo keek was hij mij het liefst. Hij stak zijn vinger op en grinnikte alsof hij al voorpret had over wat hij wilde gaan zeggen.

'Het is niet CLI-toris, maar cli-TORIS, Jajajajajaja jajajajaja.' Hij bleef maar doorgaan met hinniken. Ik moest er eigenlijk heel erg om lachen, maar beet op mijn lip.

'CLI CLI-toris, nee nee cli-TORIS!' riep hij nogmaals en keek mij met ondeugende pretogen aan toen ik hem opnieuw probeerde in te stoppen. Oom scheen het erg leuk te vinden om mij op de juiste klemtoon te wijzen, alsof je dagelijks met iedereen over je clitoris sprak, en het daarom van belang was dat je het goed uitsprak. Blijkbaar riep ik bij hem de associatie aan een clitoris op.

'Nou, u bent me er eentje,' zei ik. 'Maar nu ga ik u echt weer instoppen.'

'Cli-TORIS!' Hij kon er maar geen genoeg van krijgen. 'Zeg ut, zeg ut dan.'

'Ja, hoor oom, cli-TORIS,' zei ik uiteindelijk maar om ervan af te wezen.

Nu ik het dan toch gezegd had, was dat kennelijk zo leuk dat hij onbedaarlijk begon te lachen. Hij leek wel een hinnikend paard. Na iedere hinnik, riep hij: 'Jajajajaja,' en begon dan weer opnieuw. Ik liet hem maar en sloop de kamer uit.

In de woonkamer moest ik er in m'n eentje eigenlijk ook wel om lachen. Gek genoeg had ik eigenlijk nooit over de klemtoon van het woord nagedacht. Ik was überhaupt nooit zo met mijn clitoris bezig, en al helemaal niet in aanwezigheid van oom.

Voordat ik ging slapen keek ik even bij oom om een hoekje. Hij lag lekker te ronken. De olijke glimlach stond nog op zijn gezicht. Ik installeerde me maar weer op mijn matras voor de slaapkamerdeur. Hij zou mij niet ontglippen, zoals de vorige keer.

Om twee uur voelde ik gerommel aan mijn matras. Ik was meteen klaarwakker. Oom stond verdwaasd in de deuropening. Ik knipte gauw het licht aan. Hij kneep verschrikt zijn ogen samen. Zijn handen tastten in het rond. 'Gerdien... Gerdien, ik... ik weet niet. Waar?' zei hij verward.

Ik greep hem vast bij een elleboog omdat hij dreigde om te vallen. 'Kom maar,' zei ik, 'dan gaan we even in de woonkamer zitten.'

'Waar ben ik?' vroeg hij angstig. 'Ik wil naar de kampong, naar de toe toe... toe-toestand.'

'U bent thuis, oom. Kijk maar om u heen, ziet u wel. Hier staan al uw spullen.' Ik ging met hem voor een van de grote schilderijen staan. 'Kijk maar, dit is allemaal van u. Weet u het weer?'

We dronken samen een kop thee. Bij hem had ik er wat valeriaan in gedaan. Herr Professor had gelukkig wat achtergelaten. Toen ik zag dat hij begon weg te zakken, bracht ik hem weer naar bed.

Die nacht kwam oom nog twee keer zijn bed uit. Eén keer voor een toe toe-toestandje. En om niet weer de hele badkamer aan te moeten dweilen, besloot ik het richten in de pot zelf maar ter hand te nemen. Dat vond ik best wel moeilijk. Ik had weleens bij mijn broer gezien hoe hij hem dan vasthield, maar zelf had ik nog nooit een piemel gericht, en oom had niet veel om vast te houden.

De tweede keer vroeg hij wanneer zijn zoon Nicolaas thuiskwam. Hij zei dat hij twee toestanden had, maar waar die ene toestand was wist hij niet. Diep bedroefd over zijn kinderen begeleidde ik hem naar zijn bed en droogde zijn tranen.

12

De verzorging van oom vergde zoveel tijd, dat ik aan niets anders toekwam. Eigenlijk had ik een begin willen maken met het fotograferen van alle schilderijen en het uitpakken van boeken. Bovendien was het oude gedeelte van het huis dringend aan een schoonmaakbeurt toe. Overal hingen wolken spinrag.

Het vervelende was dat ik oom geen moment alleen kon laten. Als ik hem ook maar één ogenblik uit het oog verloor, dan deed hij de raarste dingen. Of hij gooide de boeken uit de boekenkast op de grond op zoek naar geld, of begon met schilderijen te slepen. Ook zat hij regelmatig voor de televisie met zijn duim op het merkje van de tv te drukken in plaats van op de aan- en uitknop. En omdat de tv dan natuurlijk niet aanging, trok hij vervolgens alle kabels los, ook die van de geluidsinstallatie. Dan had ik de grootste moeite om alles weer aangesloten te krijgen.

Toen ik hem vanmorgen gedoucht had, gooide hij de handdoek die ik om zijn schouders had geslagen af en liep vervolgens spiernaakt de badkamer uit. Zo wilde hij ook naar buiten lopen. Ik deed mijn best hem ervan te overtuigen dat hij toch echt eerst zijn kleren aan moest voordat hij naar buiten kon. Maar wat ik ook probeerde, hij wilde niets aan. Geen onderbroek, geen hemd, geen kiel, geen spijkerbroek, niets kon hem bekoren.

'Oom u kunt niet in uw blootje blijven rondlopen,' zei ik. Maar blijkbaar vond oom dat geen enkel probleem.

Uiteindelijk pakte ik de bruine badjas en de strohoed. Tegen die uitmonstering maakte hij geen bezwaar, maar toen ik hem zijn sokken en zijn schoenen aan wilde doen, verzette hij zich. Het moesten per se zijn afgetrapte sandalen zijn.

Toen hij eindelijk aangekleed was, pakte hij een mesje uit de la van het aanrecht en begon onder het grote afdak in kleermakerszit de mosjes tussen de tegels uit te pulken. Gelukkig scheen de zon, hoewel het nog best frisjes was. In een dikke, wollen trui en jeans ging ik op een oude kist zitten die onder het afdak stond om hem in de gaten te houden.

Joke, die haar honden uitliet en ons zag zitten, kwam nog even langs voor een babbel.

Even later reed het busje van haar man het erf op. Harm stapte uit om zijn spullen uit te laden en op te slaan in het gedeelte van de schuur wat hij van oom huurde.

Oom stoof op, beende naar hem toe en begon tegen het busje te schreeuwen en te tieren.

Ik liep er gauw achteraan.

'Rustig moar Gerhard,' zei Harm, die er kennelijk niet koud of warm van werd. 'Ik ben't, wèt oe wèl.'

'Sorry hoor, hij was me te snel af,' verontschuldigde ik me.

Harm keek mij geringschattend aan, en zei lachend: 'Ie dach toch neet dà j'm an konn, of wèl dànn?'

Nu moest hij niet denken dat ik een weerloos wezentje was. 'Ik ben behoorlijk sterk hoor,' zei ik, maar dat maakte geen enkele indruk op hem.

Hij liet zijn blik over mijn tengere lichaam glijden. 'En ie geleuf dà. Ik zeg oe, met ene klap hèt-ie oe tegen de grond. Hie is bere stark veur sien leeftiet, kiek moar uut!'

Hier in deze streek was ik niet de regiomanager, die respect afdwong. Hier was ik het meisje met de vlecht dat voor haar oude oom zorgde en waar iedereen zorgelijk naar keek.

Oom kuierde intussen alweer naar zijn tegeltjes.

Zondagmorgen, toen oom en ik aan de koffie zaten, stonden opeens een grijze, oude man en een jongere, ook al grijzende dame in de keuken. Ze hadden een zekere distinctie waardoor ze zich onderscheidden van de autochtone IJsseldijkers.

Ik liep naar ze toe en keek ze vragend aan.

De man nam me lachend op. Hij had een open, vriendelijk

gezicht. Ondanks zijn hoogbejaarde leeftijd kon je hem zelfs knap noemen. 'Jij bent dus Puck,' zei hij. 'Je vader heeft ooit bij ons in huis gewoond toen ik nog met Agaath getrouwd was. Ik ben je oom Rolf, en dit is mijn vrouw Rebecca. Wij hebben het contact met Gerhard en Gerdien altijd aangehouden, en we komen weer eens kijken hoe het hier gaat.'

Oom Gerhard stond rustig te wachten in de kamer.

Toen ze hem zagen, liepen ze door naar binnen. Uit de manier waarop ze hem begroetten kon ik merken dat ze elkaar goed kenden. Ooms gezicht klaarde helemaal op.

'Wilt u koffie?' vroeg ik.

'Lijkt me heerlijk, kind,' zei de vrouw met een vriendelijke glimlach. Haar stem had een warme, prettige klank. Ze moest zeker twintig jaar jonger zijn dan haar man. Ze behandelden oom Gerhard met een waardigheid alsof hij niets mankeerde, en oom Gerhard had opeens iets over zich wat gezag uitstraalde. Tegenover zijn vrienden wist hij zich aardig op te houden.

Toen we aan de koffie zaten, begon hij meteen over zijn 'toe-toe-stand', en vroeg of oom Rolf hem wilde helpen.

'Nee, dat doet Puck al,' zei oom Rolf. 'Je kunt haar vertrouwen. Ik weet zeker dat zij je zaken goed behartigt.' Hij sprak langzaam en articuleerde duidelijk.

Oom knikte bedachtzaam.

'Ik vind het echt geweldig dat je je zo om Gerhard bekommert,' zei Rebecca. 'We waren hier laatst ook al, toen hoorden we van de juffrouw van de thuiszorg dat jij de zaken van Gerhard had opgepakt.'

Oom Rolf zei dat ze zich behoorlijk zorgen hadden gemaakt over oom Gerhard. Hij nam een slok van zijn koffie en vroeg wat ik voor werk deed.

Ik zei dat ik regiomanager bij een bank was. Dat sloeg meestal in als een bom. Dat kwam omdat ik nog zo jong was en tot overmaat van ramp er ook nog jong uitzag voor mijn leeftijd. Daarom was ik misschien ook wel zo'n bitch geworden. Ook al had ik een hoge functie op mijn tweeëndertigste, ik bleef een gevoel van minderwaardigheid houden. Dat was waarschijnlijk ook de reden dat ik niemand tot me toeliet, dan hoefde ik ook niks te voelen. Naar buiten toe leek het dan of ik de hele wereld aankon.

Ook de dood van mijn ouders had ik waarschijnlijk nog niet verwerkt. Mijn broer Jan Willem had de ogen uit zijn kop gehuild, terwijl ik alles had geregeld. Op de begrafenis had ik als een rots in de branding iedereen toegesproken. Aan Jan Willem had ik niets gehad. Hij stond er als een snotterende voddenbaal bij en was na de plechtigheid meteen weer naar Frankrijk vertrokken, terwijl hij mij de nalatenschap had laten afwikkelen.

'Ben je econoom?' vroeg oom Rolf.

Ik zei dat ik jurist was.

Hij sloeg met beide handen tevreden op zijn knieën. 'Je bent uitgegroeid tot een mooie vrouw. Ik heb je alleen maar als baby gekend. Dat was vlak voordat je tante en ik uit elkaar gingen. Wat zal Charles trots op je geweest zijn.'

'U weet toch dat m'n ouders...' zei ik. Ik kon er nog steeds niet goed over praten.

'Ja, kind,' zei Rebecca. 'Gerdien heeft het ons verteld, vreselijk. Wij zijn niet naar de begrafenis gekomen vanwege Agaath. We wilden haar gevoel sparen. Ja, zo gaan die dingen, kind. Je moeder heb ik niet zo goed gekend, maar je vader vond ik altijd een hele lieve man.'

Ik knikte en vocht tegen mijn tranen.

Oom Rolf veranderde net op tijd van onderwerp en vroeg wat mijn plannen waren. Hij was van mening dat oom Gerhard de particuliere thuiszorg nooit zou kunnen blijven betalen.

Ik vertelde ze over het bezoek aan huize De Weegschaal, maar dat ik daarover nog niet met oom gesproken had.

Oom Rolf had aandachtig zitten luisteren. In enkele rustige, korte zinnen vatte hij mijn verhaal samen, zodat oom Gerhard, die nogal benauwd keek, het goed zou begrijpen. Met nadruk zei hij dat hij het een heel goed idee vond.

Ooms gezicht klaarde op.

Deze mensen waren een geschenk uit de hemel. Ik was dolblij dat ik het heikele onderwerp in hun aanwezigheid had kunnen aansnijden, en dat ze me zo onvoorwaardelijk steunden.

Oom Rolf vertelde dat Gerhard de uitvinder was van het fenomeen "scharrelkip", en dat hij na zijn vervroegde pensionering nog zijn doctoraal Nederlandse geschiedenis had gehaald.

'Ja, ik ben heu-eul knap,' zei oom Gerhard.

'Nou, dat bent u zeker,' zei ik lachend.

Blijkbaar vond oom Rolf het zijn plicht mij wat meer over oom Gerhard te vertellen. Onder andere: dat hij in literaire- en in kunstkringen een begenadigd en veelgevraagd spreker was geweest. En dat hij de afgelopen jaren actief lid was geweest van de loge van vrijmetselaars in Zutphen, waar hij ook veel lezingen had gegeven toen hij nog goed kon spreken.

Rebecca nam het gesprek over. Ze vertelde dat Gerhard en Gerdien alle twee in het voormalig Indië zijn opgegroeid, dat ze beiden een concentratiekampverleden hadden. 'Ze hebben daar altijd vreselijk onder geleden, kind. Het concentratiekamp hebben ze nooit kunnen verwerken. Dat is het tragische van deze mensen. Vooral Gerhard heeft daar vreselijke dingen meegemaakt. Daarom werd hij zo panisch toen ze hem een jaar geleden in een inrichting dreigden op te sluiten. Gerdien heeft hem toen noodgedwongen weer mee naar huis genomen. Hij draaide helemaal door. Hij heeft toen zelfs een verzorger tegen de grond geslagen.' Ze keek oom vol medeleven aan. 'Dat was heel naar, hè Gerhard.'

Oom knikte, maar je kon zien dat hij maar half begreep waar het over ging.

Rebecca pakte mijn hand moederlijk in de hare, ze gaf er een paar bemoedigende klapjes op.

'Je hebt het er maar druk mee, kind. Zul je ons beloven dat je de kunstwerken en de boeken goed laat taxeren? Niet zomaar meegeven aan een opkoper hoor. Mocht je geen geschikt adres vinden, dan hebben wij nog wel wat connecties.'

Veel te vroeg naar mijn zin stapten ze al weer op. Deze mensen hadden wat mij betreft de rest van de dag mogen blijven. Oom Rolf gaf me zijn visitekaartje. Bij de deur zeiden ze dat ik toch vooral eens bij ze langs moest komen in Makkum. Ze hadden me nog zo veel te vertellen.

'Dat zijn goeie vrienden van u, hè,' zei ik tegen oom Gerhard toen we gearmd weer naar binnen liepen.

'Ja-a,' verzuchtte oom weemoedig. Nog geen tien minuten later lag hij met open mond te slapen in zijn stoel.

Oom at maar matigjes. Ik had besloten straks thuis maar wat te eten omdat ik nu nog geen honger had. Het feit dat ik oom aan de dames van de thuiszorg moest overdragen en dit idyllische oord weer moest verwisselen voor het tumultueuze leven in de Randstad, maakte me triest. Bovendien voelde het goed om voor oom te zorgen, daardoor voelde ik me minder eenzaam. Ik ontdekte dat ik überhaupt weer iets voelde en minder met mezelf bezig was. Of beter gezegd: niet langer voor mezelf op de vlucht was.

Deze keer had Elly dienst. Daar was ik blij om. Elly was al een bekende van oom.

Ze viel meteen met de deur in huis. 'We hebben erover gesproken. Het aantal verzorgsters blijft beperkt tot vier.' Ze vertelde dat er al een paar waren die niet eens meer durfden te komen, want oom had sommige dames toch wel behoorlijk hardhandig bejegend. 'Maar ik ben niet bang voor hem hoor,' zei ze stellig.

Nadat ik aan Elly verteld had wat ze moest weten en met mijn koffer naar de auto liep, stond oom verslagen toe te kijken hoe ik de koffer in mijn auto tilde. Elly, die hem steeds een arm wilde geven, duwde hij alsmaar weg. Toen ik hem omhelsde om afscheid van hem te nemen, zei ik hem voor de zoveelste keer dat ik vrijdag heus weer terugkwam, maar oom bleef boos kijken.

'Ga maar,' zei Elly. 'Ik leid hem straks wel af.'

Het kon niet anders. Ik kon echt niet blijven. Toch voelde het weer alsof ik hem in de steek liet. Weer brandden de tranen achter mijn ogen. Ik rende gauw naar de auto. Voordat ik van het erf af reed zwaaide ik naar ze. Alleen Elly zwaaide terug, oom niet. Oom was boos.

13

Mijn brievenbus puilde uit toen ik thuiskwam. Er zat een envelop bij van het CIZ. Dat moest de indicatiestelling zijn. Jan Siebesma had woord gehouden. Dat viel me mee.

Het was een ingewikkeld verhaal met allerlei codes waar ik niets van begreep. Ik gooide mijn jas over een stoel en deed een kant-en-klaarmaaltijd in de magnetron. Ondertussen las ik de brief verder. Er stond nergens iets over het persoonsgebonden budget. Daar zou ik Jan morgen over bellen. Volgens mij had hij mij maar wat op de mouw gespeld om ervan af te zijn. Zoals ik de brief interpreteerde, stond erin dat oom rijp was voor een gesloten inrichting, niet meer en niet minder. Over particuliere verzorging aan huis stond helemaal niets vermeld. Ik was des duivels.

De magnetron pringelde. Ik zette mijn maaltijd op de keukentafel naast mijn laptop. Onder het eten begon ik aan een mail op hoge poten aan Jan Siebesma, waarin ik hem nog net niet voor oplichter uitmaakte, al scheelde het niet veel. Toen ik het mailtje nalas, besloot ik het toch maar niet te versturen. Ik was nu te kwaad, en dan bereikte je meestal niks.

De volgende morgen verscheen ik met een sacherijnige kop op de bank en liep gelijk door naar mijn kantoor. Het eerste wat ik deed was Jan Siebesma bellen. Suzan, mijn secretaresse, sloop binnen. Ze ging stilletjes voor mijn bureau op een stoel zitten wachten.

'Dit moet ik eerst even afhandelen,' fluisterde ik met de hand op de hoorn.

Eindelijk kwam Jan aan de lijn.

'Goedemorgen meneer Siebesma,' zei ik strijdlustig. 'Ik heb uw brief ontvangen. Ik kan u wel zeggen dat het een klap in mijn gezicht is. Ik dacht dat u een persoonsgebonden budget zou regelen van twaalfhonderd euro per week. Hoe zit dat?'

'Eh tja, ik heb u toch gezegd dat ik een-eh, indicatie voor een gesloten inrichting af zou geven. Maar-eh, zolang u hem zelf verzorgt hoeft u er geen gebruik van te maken. Mocht het in de toekomst nodig zijn dan-eh, heeft u in ieder geval geen nieuwe indicatiestelling nodig. Dan-eh, kan hij zo worden opgenomen.'

'Ja, dat begrijp ik ook nog wel,' zei ik pissig. 'Het enige waar ik in geïnteresseerd ben is uw toezegging van twaalfhonderd euro per week. Daar zie ik niets van terug in uw brief.'

'Maar-eh,' begon hij weer met dat lijzige toontje van hem, dat me nu helemaal begon te irriteren. 'Als ik een indicatie afgeef voor een permanente opname dan-eh, kan ik toch niet ook nog eens een PGB afgeven. Dat snapt u toch zelf ook wel.'

'Dan had u er niet over moeten beginnen, meneer Siebesma!' Ik had inmiddels mijn kookpunt bereikt. 'Ik heb er niet om gevráágd. U heeft het zelf aangeboden. En nu zegt u me doodleuk dat ik ernaar kan fluiten. Dat noemen wij in juridische termen misleidende informatie. En dan druk ik mij nog zacht uit, meneer Sie-bes-ma! U hoort hier nog van. Goedemorgen!'

Omdat Suzan tegenover me zat, en zich dus in de gevarenzone bevond, was zij degene die het hele verhaal van oom als een tsunami over zich uitgestort kreeg. Ze hoorde het beleefd aan, maar begon wel steeds benauwder te kijken.

Toen ik haar benepen gezicht zag, moest ik al weer lachen. 'Nou, wat hebben we vandaag nog meer voor ellende?' vroeg ik. 'Kom op, voor de draad ermee.'

Om elf uur had ik een fusiebespreking met een cliënt op het hoofdkantoor. Om drie uur wilde een kantoordirecteur met een nieuwe klant, waarvan hij vond dat ik die ik zo nodig moest leren kennen, bij me langskomen. Dan moest ik om vijf uur een nieuwe vestiging openen en daarna fris en fruitig netwerken tijdens de aansluitende borrel.

Peter, mijn baas, belde me om tien uur om te vragen of ik na afloop een hapje met hem wilde gaan eten.

'Hoe dat zo?' vroeg ik achterdochtig.

'Gewoon. Omdat ik ook weleens met een mooie vrouw gezien wil worden. Vind je dat een goeie reden?'

'Nou, vooruit. Ik kan eigenlijk wel een verzetje gebruiken,' zei ik. 'Zit je vrouw soms weer aan de Côte d'Azur?' vroeg ik wel nog even langs mijn neus weg.

'Ja, maar die vermaakt zich wel,' zei Peter.

'O, en nu is het jouw beurt?' plaagde ik. Ik gaf hem geen gelegenheid daarop te antwoorden. 'Zeg, je weet toch welke roddel er over ons rondgaat?'

'Jaja,' zei hij. 'Heb jij daar problemen mee?'

'Ik heb helemaal nergens problemen mee. Ik dacht alleen even aan je vrouw.'

'Maak je daar maar niet druk om, die redt zich uitstekend. Laat trouwens je auto maar in de parkeergarage staan, dan laat ik de chauffeur wel even langs je kantoor rijden om je op te pikken.'

'Toe maar... wat een verwennerij. Jij hebt toch geen ondeugende plannetjes?'

'Ik heb altijd ondeugende plannetjes. Hé schoonheid, ik zie je.' Hij wachtte mijn reactie niet af.

Na ons verplichte nummer te hebben afgedraaid bij de opening van het nieuwe kantoor, zaten Peter en ik redelijk aangeschoten, althans ik, achterin de grote, zwarte Benz. De hele avond lag nog voor ons.

Peter liet zijn hand even op mijn dij rusten. Ik deed net of ik het niet merkte. Hij behoorde blijkbaar tot de categorie dijenknijpers. Dat waren meestal ook de stiekeme billenknijpers op recepties, of als je in de lift stond. Volgens mij waren bijna alle bankmannetjes die het hadden geschopt tot het hoger echelon dijen- en billenknijpers. Je zou bijna denken dat ze erop geselecteerd werden. En dat ze naast het incasseren van vette bonussen, waarvoor je toch een zeker gebrek aan moreel besef moest hebben, vrouwen als hun persoonlijke speeltje beschouwden.

Ondertussen keek ik quasi-nonchalant uit het raampje en vroeg me af of de chauffeur eigenlijk wel over de trambaan mocht rijden, en of Peter nu een stijve had.

Aan het dijenknijpen kwam abrupt een eind toen we voor de ingang van het Amstel Hotel stopten. Toen we over de loper naar binnen liepen sloeg hij een arm om mijn middel.

'Peter, ik ben een beetje teut, geloof ik,' flapte ik eruit, terwijl ik door mijn enkel zwikte.

We zaten net aan onze tafel voor twee personen, ik moest enorm plassen, dus stond ik meteen weer op. Toen ik van het toilet af kwam werkte ik mijn make-up bij voor de grote spiegel. Ik deed een extra knoopje van mijn blouse los, waardoor het kanten randje van mijn beha zichtbaar werd. Peter had alvast beluga besteld en een glas champagne voor me ingeschonken toen ik weer tegenover hem aanschoof.

Ik slurpte de kaviaar van mijn hand, en moest opeens denken aan de spartaanse, minimalistische inrichting van oom Gerhard. Ik begon te brullen van de lach. Dat kwam waarschijnlijk omdat ik nu meer dan een beetje teut was.

Peter zat geamuseerd naar me te kijken. Daardoor moest ik nog harder lachen, omdat ik ook weer moest denken aan het dijenknijpen. Ik keek naar zijn handen, die nogal groot waren. Hij had hele lange, dikke vingers. Ik kon er niets aan doen, ik bleef maar lachen. De tranen liepen over mijn wangen. Het kon me niets schelen dat iedereen naar ons keek.

'Sorry hoor,' zei ik, terwijl ik de tranen uit mijn ooghoeken pinkte. Ik moest eigenlijk alweer plassen, maar daar had ik nu geen zin in. 'Ik lach je echt niet uit,' zei ik, toen hij wat wantrouwend begon te kijken. 'Maar het is ook zo bespottelijk. Als je toch eens wist waar ik de weekends doorbreng... En dan nu dit hier...! O, Peter... Je hebt echt geen idee!'

Ik vertelde hem van oom, hoe hij daar in zijn vervallen boerderij als een monnik leefde, en dat ik hem in een luxe verzorgingshuis wilde plaatsen.

'Je vervult dus eigenlijk je burgerplicht door je zo om je oom te bekommeren,' zei Peter waarderend. 'Goh, dat had ik niet achter je gezocht. Je staat nou niet bepaald bekend als een barmhartige tante.'

'Ach, meen je dat nou?' zei ik sarcastisch. 'Ja, op het werk, tussen al die egotripperige mannetjes die voortdurend willen laten zien wie de grootste heeft... Ik laat nu eenmaal niet over me lopen.'

'Dat begrijp ik,' zei Peter. 'Daarom heb ik je ook uitgekozen voor deze functie.'

We zwegen even toen de ober het hoofdgerecht serveerde: gebraden kooieend met maïs, marloeskes, pompoen, vijgen, eendenjus en jabugoham.

Peter zocht een médoc uit. Hij hield zijn glas op.

Ik veegde gauw mijn mond af en tikte met mijn glas tegen het zijne. Onze ogen ontmoetten elkaar over onze glazen.

'Op je oom, zou ik zeggen,' zei Peter charmant.

Hij bleek trouwens uiterst onderhoudend en beschikte over een behoorlijke dosis zelfspot. Zo vertelde hij dat hij, wanneer hij vervroegd zou uittreden, bij zijn afscheid graag een blauwe stofjas wilde hebben, want dan kon hij keurmeester worden bij een apk-keuringsstation.

Ik kwam werkelijk niet meer bij. Ik probeerde me hem in zo'n stofjas voor te stellen. 'Weet je wat,' zei ik. 'Dan krijg je van mij een plankje met zo'n klip erop om het keuringsrapport tussen te klemmen. Vooruit, doe ik er ook nog een BIC-balpen bij om de vinkjes te zetten.'

'Jaja, jij verwent me maar,' zei Peter lachend.

Toen we uitgelachen waren legde hij zijn hand op de mijne en keek mij strak aan.

Ik dacht even: Nu gaan we het krijgen. Hij wil neuken. Ik vroeg me af of hij een driftige, snelle neuker was of een rustige, met trage, lange halen. Ik deelde hem in bij de laatste categorie.

'Zeg, je weet dat collega Van Sante volgende maand afscheid neemt. Hoe zou jij het vinden om hem op te volgen?' vuurde hij volkomen onverwacht op me af.

Ik kneep mijn ogen toe en nipte van mijn glas.

'Peter,' zei ik vermanend. 'Ik zit net anderhalf jaar in mijn huidige functie. Je hoeft me echt niet een nog mooier baantje aan te bieden om me het bed in te krijgen.' Alcohol werkte bij mij altijd als een soort waarheidselixer.

Peter veegde met een verholen glimlach zijn mond af en zwaaide met zijn vinger in de lucht. 'Nee, ik meen het serieus. Jouw naam is al een paar keer gevallen. Ik zou het op prijs stellen als je er in ieder geval over na wilt denken. Je was al de jongste regiomanager. Welnu, dan komen daar straks twee nieuwe wapenfeiten bij.'

'Je meent het, en welke zijn dat dan?' vroeg ik plagerig.

'Nou, niet alleen ben je dan het jongste lid van de Raad van Bestuur, maar ook de eerste vrouw in zo'n functie.'

Ik dacht: Maar dan moest ik me waarschijnlijk wel steeds in mijn dijen laten knijpen, of God weet waar laten knijpen. Ik was op slag helder. 'Goh, Peter,' zei ik. 'Wat moet ik daar nou op zeggen? Heb je me daarom uitgenodigd? Ik dacht dat je...'

'Dat ook natuurlijk,' viel hij me in de rede. 'Ik ben tenslotte een man.'

'Hm.' Ik keek hem spottend aan. Zie je wel, dacht ik. Dus toch neuken.

In de auto begon Peter weer te frunniken. Ik besloot hem flink aan te moedigen. Dat slappe, puberale gerommel werkte op mijn zenuwen. Als meneer dacht dat ik gewillig in aanbidding met de benen wijd zou gaan om in opperste extase zijn kwak in ontvangst te nemen, in ruil voor een baantje, dan had hij het mis.

Nou was ik eigenlijk wel toe aan een stevige wip, maar ik liet me niet gebruiken om straks als een trofee te worden bijgezet in zijn twijfelachtige hall of fame van veroveringen, zodat hij pocherige machoverhalen over mij kon ophangen tegenover zijn collega's. En het baantje...? Ach, daar was de Raad van Commissarissen dan opééns niet mee akkoord gegaan. Of De Nederlandsche Bank had onvoorziene bezwaren. Er viel altijd wel een smoes te bedenken. Helaas...! Jammer voor Puck. Ik nam me voor hem te verslinden als we eenmaal thuis waren.

Arme Peter. Hij lag met handen en voeten vastgeketend, badend in het zweet op mijn bed. Die handboeien had ik ooit in een vrouwvriendelijke sekswinkel gekocht. Peter vond het wel wat. Gefascineerd had hij toegekeken hoe ik hem aan het bed vastketende. Hij had er meteen een stijve van gekregen. Toen hij geen kant meer op kon, was ik naar de badkamer gelopen om een sexy setje aan te trekken.

Nadat ik met hem klaar was en ik spottend had toegekeken hoe hij zijn bancaire kwak over zijn buik gespoten had, keek hij me bijna smekend aan. Waarschijnlijk hoopte hij dat ik hem los zou maken, maar ik wilde nog even van mijn macht genieten. De bestuursvoorzitter van de grootste bank van Nederland lag tenslotte niet iedere dag hulpeloos in mijn bed. Nu was hij mijn slaaf.

Ik pakte een washandje en een handdoekje uit de badkamer. Met een minachtend glimlachje waste ik eerst zijn plakkerige buik, toen zijn lange, slappe geval. Daarna droogde ik hem af.

'Maak je me nog los?' vroeg hij dunnetjes.

'Hm, weet ik nog niet. Misschien laat ik je vannacht wel zo liggen.' Ondertussen kneep ik zachtjes in zijn ballen. Hij had al een beetje een oudemannenzak.

'Zal ik zo een fotootje van je maken?' zei ik geamuseerd. 'Leuk voor je vrouw. Misschien is het ook wel iets voor het bankblad.' Ik pakte mijn BlackBerry en klikte.

Peter rukte wanhopig aan zijn ketenen. 'Puck! Dat doe je niet!'

Volgens mij begon hij nu echt kwaad te worden.

Ik hield de BlackBerry voor zijn neus met de zojuist gemaakte afbeelding. 'Kijk,' zei ik. 'Dat is leuk. Als jij mij belt, dan verschijnt dit plaatje op het scherm.'

Peter werd bloedlink. 'Godverdomme Puck, maak me los! Zeg dat het een grap is!'

'O,' zei ik ijzig kalm, 'maar ik ben juist bloedserieus. Ik word tenslotte het jongste lid van de Raad van Bestuur en dan maak je geen grapjes. Zeg... Hoeveel ga ik eigenlijk verdienen? Of gaat het nu opeens niet meer door?'

'Jawel,' zei hij benepen.

Ik keek hem vermanend aan. 'Peter...!'

'Nee, echt. Het was een serieus aanbod,' bleef hij maar volhouden.

'Hmm... Geloof je 't zelf...? Ach man, houd toch op. Wie denk je wie je voor je hebt? Je dacht gewoon ik wil dat lange, blonde wijf weleens lekker naaien... Nou ja, het is natuurlijk wel de vraag wie hier vanavond genaaid is. Volgens mij heb jij niet veel gedaan. Je kwam er eigenlijk niet eens aan te pas.' Ik pakte hem aan de bovenkant van zijn zak beet. 'Volgens mij heb ik jou flink bij je ballen. Hoe voelt dat nou?'

Ik pakte weer mijn BlackBerry en hield hem omhoog. 'Kom, nog even een plaatje schieten. Deze is misschien wel leuk voor de pers. Zie je het al voor je? Bankdirecteur geeft zich bloot na perverse zelfverrijking. Of... Bankbestuurders met handen en voeten gebonden door verscherpt toezicht.'

Ik vond het zelf wel aardig gevonden, maar Peter gromde. Hij besefte nu wel dat hij me beter niet kwaad kon maken. 'Puck, alsjeblieft, maak me nou los? Je hebt je punt gemaakt.'

Het klonk nog niet smekend genoeg. 'Wacht effe,' zei ik. 'Ik download de plaatjes eerst even op mijn laptop. De eerste keer dat ik weer op het netwerk inlog worden ze opgeslagen op de server van de bank.'

Ik zag dat hij nu echt bang begon te worden. Hij zat me met grote angstogen aan te staren.

'O, wist je dat niet?' babbelde ik vrolijk door. 'Ja hoor, iedere keer dat ik online ga wordt mijn laptop gesynchroniseerd met mijn homegebied op de server. Vind je dat niet geweldig? Wees maar niet bang. Alleen de netwerkbeheerders en ik kunnen ze zien. Weet je wat? Ik zal meteen even inloggen.'

De plaatjes had ik naar het locale gedeelte op de harde schijf gekopieerd. Daar kon helemaal niemand bij komen, maar dat wist Peter niet. Ik sloeg mijn hand voor mijn mond en zei quasi-geschrokken: 'Oh... Dat ik dat nou toch zomaar over het hoofd heb gezien.'

'Wat!? Wat heb je over het hoofd gezien?' vroeg Peter benauwd.

'O... dat de netwerkbeheerders dit soort plaatjes moeten melden aan hun compliance officer.'

'Godverdomme, Puck!'

'Nou zeg, niet zo vloeken hoor. Ik maak nog even een backupje op de usb-stick,' zei ik vergenoegd. 'Ben zo terug!' riep ik hem toe terwijl ik naar de inloopkast, waar ik een safe had laten inbouwen, rende. Ik opende de safe en legde de stick in het plastic doosje bij de andere usb-sticks. Toen ik terugkwam, ging ik naast hem op de rand van het bed zitten en keek hem geamuseerd aan.

'Wat nu?' vroeg hij timide.

'Nu ga jij me de waarheid vertellen.'

'Hoezo? De waarheid.'

'Nou, dat je mij een baantje aanbood om me het bed in te krijgen. Geef het maar toe.'

'Eh, nou ja, eh...' hakkelde Peter. 'Misschien ben ik niet helemaal eerlijk tegen je geweest.'

'Kijk! Nou komen we ergens,' zei ik.

'Ik heb al zo lang fantasieën over je,' bekende hij.

'Bespaar me je zielige praatjes, wil je. Dat hoef ik allemaal niet te weten.'

'Sorry,' zei hij kleintjes.

'Peter... Ik zal het goed met je maken. Dat baantje kun je houden, maar ik wil wel een volledig betaald sabbatical year om voor mijn oom te zorgen. En daarna wil ik gewoon weer terugkeren in mijn huidige functie.'

'Deal!' riep Peter opgelucht... 'En de foto's?'

'O, die zijn bij mij veilig.'

'En dat netwerk dan?'

Met een ondeugend glimlachje, zei ik: 'O dat... Dat was om je bang te maken.' Hij kon er gelukkig onbedaarlijk om lachen. Het was zo aanstekelijk, dat we al gauw allebei niet meer bijkwamen.

'Zal ik je dan nu maar losmaken?' Ik keek hem doordringend aan. 'Maar alleen als je je aan je afspraak houdt. En je me niet achteraf gaat lopen fucken. Want je weet wat ik dan met die schattige fotootjes doe, hè. En o ja, dat was ik haast vergeten. Aan het eind van het jaar natuurlijk een riante bonus. Wat dacht je van een jaarsalaris?'

Peter gromde, knikte instemmend en gaf zich gewonnen.

'Jezus, wat ben jij een doortrapte bitch. Godgloeiende... Ik heb nou al medelijden met de man die jou ooit klein probeert te krijgen.'

De wekelijkse dinsdagmiddagbijeenkomst was oersaai als altijd. Niemand merkte de heimelijke glimlachjes die Peter en ik met elkaar uitwisselden. Aan het eind van de vergadering deelde hij mede dat vanaf 1 mei "onze Puck" voor een jaar met verlof zou gaan wegens privéomstandigheden, en dat haar functie tijdelijk zou worden waargenomen door...

14

Ik lag languit op de bank te mijmeren over hoe ik het zou gaan aanpakken. Het leek mij het beste om na 1 mei voorlopig in IJsseldijk te gaan wonen. Dan kon ik op m'n gemak alles uitzoeken en catalogiseren. In gedachten liep ik al gearmd met oom door de Engelse tuin van huize De Weegschaal. Wanneer Charlotte eindelijk terug was uit de States zou ze bij me kunnen logeren. Hoe meer ik erover fantaseerde, hoe mooier het werd.

Vanaf mijn studie had ik eigenlijk alleen maar oog gehad voor mijn werk. Peter had helemaal gelijk. Ik was een keiharde bitch geworden. Wat had het me nou helemaal opgeleverd? Ja, een salaris van twee ton per jaar plus een vette bonus, maar was ik daar nou gelukkiger door geworden? Alle gevoelens die andere vrouwen op mijn leeftijd hadden, had ik stelselmatig onderdrukt. De mannen in mijn leven waren eigenlijk nooit mijn maatjes geworden. Ik minachtte ze, en versleet ze dan ook net zo snel als een paar schoenen. Bij oom Gerhard lag dat anders, bij hem voelde ik iets wat ik nog nooit eerder had gevoeld. Het deed me goed, maar het bracht me ook in verwarring. Daar in IJsseldijk werden heel andere, onvermoede registers opengetrokken. Daar liep je niet in dure mantelpakjes. Daar leefde je gewoon het leven, ontdaan van alle franje, waardoor de essentie waar het werkelijk om ging naar boven kwam. Men leefde daar ook dichter bij de natuur. In de Randstad draaide alles om geld, Gucci-tasjes en dure auto's, allemaal klatergoud. Mijn lichaam tintelde bij het vooruitzicht mij een jaar lang te kunnen laven aan de sprookjesachtige rust. Daar hoefde ik niet te overheersen. Ik kon daar gewoon mezelf zijn. Misschien kwam ik dan eindelijk achter mijn ware persoonklijkheid.

Abrupt werd mijn droomwereld verstoord door het indringende geluid van de telefoon. Het was Elly. Haar stem klonk angstig.

'Mevrouw, het is niet goed met meneer. Hij heeft vanmiddag mijn collega geslagen.'

'Maar hoe komt dat dan?' vroeg ik.

'Door de meteropnemer van de Nuon. Hij kwam zomaar onaangekondigd naar binnen. Nou en toen wilde meneer hem aanvliegen. Mijn collegaatje wilde hem nog tegenhouden, maar toen sloeg hij haar een blauw oog. Nu zit hij me al de hele avond vals aan te kijken. Ik word er gewoon bang van. Als u maar weet dat ik mijn auto niet op slot heb gedaan, dan kan ik meteen wegvluchten als hij weer de kolder in z'n kop krijgt.'

'Maar je kunt mijn oom toch niet alleen laten?' riep ik verbijsterd.

'Nou, om u eerlijk de waarheid te zeggen, als hij weer agressief wordt, ben ik weg. U moet het mij maar niet kwalijk nemen.'

Ik keek op mijn horloge, het was acht uur. 'Zal ik naar je toe komen?' vroeg ik.

'Nee, doet u maar niet. Zoals hij nu is kunt u toch ook niets doen. Ik heb zijn pillen door de koffie gemengd. Ik hoop maar dat hij zo in slaap valt. Voordat u hier bent...'

'Ja,' gaf ik toe. 'Voordat ik daar ben…'

'Morgen zal Loes Woltink u wel bellen, want zo langzamerhand wil niemand meer voor uw oom zorgen,' begon Elly weer. 'Ik ben zowat de laatste die hij nog enigszins vertrouwt.'

'Shit! Dat is godverdomme écht kut,' zei ik. 'Heb ik net geregeld dat hij per 1 mei naar een verzorgingstehuis kan.'

'Ja, dat is ook kut,' zei Elly, die mijn taalgebruik naadloos overnam. 'Maar ik ren echt weg hoor.'

Ik vloekte inwendig. 'Proberen jullie het alsjeblieft nog even vol te houden?' smeekte ik bijna. 'Het is nog maar voor drie weken, en in de weekends ben ik er.'

Er volgde een stilte.

'Kan ik mijn oom misschien even aan de lijn krijgen?' vroeg ik.

'Ik zal het proberen,' zei Elly.

Ik hoorde haar tegen mijn oom praten. Op de achtergrond hoorde ik oom roepen: 'Nee, nee, geen toestand. Ik ben boos op Gerdien.'

'Maar dit is Puck,' hoorde ik Elly nadrukkelijk zeggen.

Toen klonk er een enorm gekraak en gerommel in mijn oor. Oom had de telefoon aangepakt. 'Wanneer kom je?' zei hij zonder omhaal.

'Ha, oom Gerhard. U moet wel een beetje lief zijn voor de dames hoor.'

'Jajajajajaja, goed goed. Hoe laat?'

'Ik kom vrijdag naar u toe. Is dat goed?'

'Hoe laat?!' vroeg hij weer.

'Aan het eind van de middag, rond een uur of vijf.'

'En dat toestandje, dat dat toestandje, dat dat blonde toestandje met dat dat, ja weet ik het wat. Komt die ook?'

Ik begon te vermoeden dat hij dacht dat ik zijn vrouw was. Ik vroeg: 'Puck bedoelt u?'

'Ja, met dat dat...'

'Met die lange vlecht?' zei ik.

'Jajajaja,' grinnikte hij tevreden. Toen zei hij resoluut: 'Dag Gerdien,' en hing meteen op.

Ik zat even beduusd op de bank, maar meteen ging de telefoon weer. Opnieuw was het Elly. Ze zei dat oom weliswaar tot rust gekomen was en vergenoegd in zichzelf zat te gniffelen, maar haar wel steeds uitschold voor Clitoris. 'En dat hoef ik tenslotte niet te pikken,' zei ze huilerig. 'Hij moet vooral zo doorgaan.'

Ik zei dat hij dat ook weleens tegen mij geroepen had, maar dat het hem alleen om de uitspraak te doen was, dat ze het maar niet persoonlijk moest opvatten.

'Nou, als u het zegt,' zei ze. 'Maar leuk is anders.'

'Ja, dat is waar,' gaf ik terug, om haar weer wat gunstiger te stemmen. Ik hoopte maar dat het allemaal goed zou gaan. Het liefst was ik meteen naar IJsseldijk gereden, maar dat kon nu echt even niet. Ik moest mijn plaatsvervangster inwerken, alles overdragen, en nog een ronde langs de kantoren maken om haar voor te stellen. Ik had het hartstikke druk.

15

Louise Verboom, mijn plaatsvervangster, kon meegenieten van de onheilstijding die luid en duidelijk door mijn auto schalde, nadat ik de bluetooth button had ingedrukt.

'Mevrouw Scheltinga,' tetterde Teun van Laar van het Riagg door de speakers. 'Ik heb niet zo'n leuk bericht voor u. We hebben zojuist uw oom afgevoerd naar Insituut Sparrenbos.' Hij klonk als een beambte van de belastingdienst die mij berichtte dat hij niet akkoord ging met mijn aangifte.

Zijn mededeling trof me als messteek. Ik kreeg acute aandrang om te plassen en om niet van de weg te raken stopte ik op de vluchtstrook.

'Hallo, bent u daar nog?' hoorde ik Teun roepen.

'Jaja, ik ben er nog,' zei ik 'Ik moest even mijn auto aan de kant zetten.'

'Het is helaas niet anders mevrouw. We hebben vanmorgen toestemming van de burgemeester gekregen en bij de rechtbank een rechtelijke machtiging aangevraagd. De situatie was onhoudbaar. Uw oom was door het dolle heen.'

'Kut!' riep ik hartgrondig.

'Wat zegt u?'

'Nee nee,' zei ik, 'gaat u verder.'

'De juffrouw van de thuiszorg is naar buiten gevlucht nadat hij haar met een stok had geslagen. Eerst heeft ze hem in zijn eigen huis opgesloten, daarna heeft ze ons gebeld. De speciale ambulancedienst en twee politieagenten hebben hem moeten overmeesteren.'

'En nu, wat gebeurt er nu met hem?' vroeg ik.

'Ja, ze zullen hem vasthouden op de gesloten afdeling. Voorlopig zal hij daar wel moeten blijven.'

'Ah, nee!' riep ik uit.

'Ja, mevrouw, toch is het zo.'

‘Maar als ik hem nu meteen kom ophalen en bij hem blijf?’

‘Nee mevrouw, dat zal helaas niet gaan. U kunt het beste contact opnemen met de behandelend psychiater van Instituut Sparrenbos in Warnsveld. Die kan u meer vertellen. Onze verantwoordelijkheid houdt hier op.’

‘Kunt u het telefoonnummer en het adres naar mij toe mailen?’ vroeg ik. Ik gaf hem mijn e-mailadres door. Toen het gesprek beëindigd was begon ik over mijn hele lichaam te beven. Louise, die alles gevolgd had, keek me vragend aan. Het was een kordate tante van midden veertig met kort, donker haar en grote, bruine ogen.

‘Ze hebben mijn oom opgesloten,’ piepte ik.

‘Ach, wat naar,’ zei Louise meelevend.

‘Ja, dat is echt heel naar,’ piepte ik weer.

‘Kom, laat mij maar rijden,’ zei ze. ‘Ga jij je telefoontjes maar plegen. Zet mij maar bij de bank af, dan kun jij naar huis. Jouw sabbatical gaat nu in. Ik red het verder wel. Die paar weken maken nu ook niet meer uit. Bovendien hebben we de meeste kantoren nu wel gehad.’

Ik slaakte een diepe zucht. ‘Dank je, Louise. Je bent een echte schat. Ik zit er even helemaal doorheen. Sorry.’

‘Begrijp ik toch,’ zei ze. ‘Van wat ik heb opgevangen, kan ik me dat levendig voorstellen. Je geeft zeker veel om je oom?’

‘Ja. Ik begrijp er niks van. Bij mij is hij altijd heel lief. Ze kunnen gewoon niet met hem omgaan.’

Nadat ik mijn persoonlijke spullen in een doos had gepakt, en van iedereen afscheid had genomen, stapte ik de lift in naar de parkeergarage. Gelukkig stelde niemand moeilijke vragen. Stilzwijgend hadden ze begrepen dat er wat ergs aan de hand was. Het voelde als een vlucht naar een onzekere toekomst.

Thuis belde ik meteen Instituut Sparrenbos. Ik vroeg de behandelend psychiater te spreken. Dat bleek ene Janneke Kamminga te zijn. Haar stem klonk zalvend.

‘Uw oom zit op dit moment in een prikkelarme omgeving om tot rust te komen.’

'Ja ja,' zei ik laatdunkend. 'U heeft hem dus gewoon in een isoleercel gedumpt. Nou daar wordt hij echt niet rustiger van, als u dat maar weet. Hij heeft een KZ-syndroom. Wist u dat?'

'Nee,' zei Janneke rustig. 'Dat was mij niet bekend.'

'Hij kan helemaal niet tegen afgesloten ruimtes.'

'Meneer was inderdaad erg overstuur. We hebben hem medicatie moeten toedienen om rustig te worden, zodat hij zichzelf niet kan verwonden.'

Ik voelde een blinde woede omhoog borrelen, maar ik kon mij nog net beheersen. 'Wanneer kan ik hem opzoeken?' vroeg ik.

'Voorlopig lijkt het mij beter dat hij even niemand ziet.'

'Maar dat is belachelijk!' viel ik uit. 'Ik wil hem zien! Of u het nou goed vindt of niet. Morgen om tien uur ben ik bij u, en dan wil ik iemand spreken die mij precies kan vertellen wat er met mijn oom gaat gebeuren.'

'Ik kan u niet tegenhouden, mevrouw,' zei Janneke laconiek. 'Zal ik u dan maar doorverbinden met Celine Foudraine?'

'En wie is dat dan wel?'

'Dat is het hoofd maatschappelijk werk. Zij bepaalt uiteindelijk, op basis van ons advies, wat er met uw oom gaat gebeuren.'

'Oké,' zei ik al iets rustiger. 'Verbindt u mij dan maar door.' Ze drukte me meteen weg. Na vijf minuten, die een eeuwigheid leken te duren, kreeg ik Celine Foudraine aan de lijn.

'U wilt mij morgen spreken?' Haar stem klonk nogal uit de hoogte.

'Ja, om tien uur graag,' gaf ik haar te kennen.

'Nee,' zei ze hautain, 'dan zit ik in stafoverleg. Het schikt mij pas om half twaalf. Nou, dan zie ik u morgen. Dag mevrouw Scheltinga.'

Voordat ik kon vragen of ik dan ook mijn oom te zien kreeg, hing ze op. Dit mens was nog erger dan de psychiater. In deze wereld was ik een nieuwkomer en zij de routiniers. Hier golden hún wetten. En ik dacht nog wel dat de bankwereld hard was.

Onder het eten zocht ik de website van Instituut Sparrenbos op.

Daar stonden uitgebreide verhalen. Ik werd er niet veel wijzer van. Het kwam op mij over als een niet te doorgronden organisatie, waar men veel woorden gebruikte om de gruwelijke waarheid zo mooi mogelijk te verpakken.

Toen ik tegen achten met een gierende koppijn in bad lag, belde Charlotte. Het leek wel of ze mijn neerslachtigheid aangevoeld had. Het moest daar nu ongeveer twee uur in de middag zijn rekende ik gauw uit.

'Dat hoef je niet te pikken hoor,' zei ze. 'Je moet hem daar gewoon weghalen. Zijn ze nou helemaal van de pot gerukt.'

Ik grinnikte door mijn jankbui heen.

'Ben je eigenlijk al curator?' vroeg ze.

Ik haalde mijn neus op. 'Nee, nog niet.'

'Jezus, wat duurt dat allemaal lang. Hier is dat zo geregeld.'

'Hé, tuthola. Wanneer kom je eindelijk weer eens terug?' vroeg ik. 'Of ben je van plan je hele leven in de States te blijven?'

'Nee hoor, lieverd. Zodra ik hier klaar ben kom ik naar je toe. Moet jij eens opletten. Desnoods ontvoeren we je oom gewoon.'

Ik moest lachen. Charlotte wist altijd precies de juiste dingen te zeggen als ik depri was of weer eens in de put zat. Na het ongeluk van mijn ouders heeft ze ook al heel wat met me te stellen gehad. Bij haar kon ik gewoon mezelf zijn. Zij kende mij door en door. We hadden zelfs weleens overwogen om te gaan samenwonen. Zij was de enige bij wie ik dat gevoel ooit gehad heb.

Na een half uur met de telefoon aan m'n oor te hebben gezeten, had Charlotte de knoop die mijn maag dichtsnoerde losgepraat. Geen mailtje, geen sms'je, maar gewoon even uithuilen bij je beste vriendin, had me goed gedaan. De rest van de avond besteedde ik aan het inpakken van mijn koffers.

IJsseldijk, en het drama wat zich daar had voltrokken, bleef maar door mijn hoofd malen. Het huis, met alle kunstschatten her en der daarin verspreid, stond nu spookachtig leeg. Het raam in de badkamer was stuk, dat stond altijd op een kier. De grote staldeur in de bibliotheek kon je ook makkelijk van de buitenkant opendrukken. Iedereen kon zo naar binnen. Ik maakte me behoorlijk ongerust. Net toen ik boven op een koffer zat om hem dicht te krijgen, ging de telefoon. Het was Loes Woltink. Ik had haar al eerder gebeld, maar ze was alsmaar in gesprek, dus had ik een bericht op haar voicemail achtergelaten.

'Mevrouw Scheltinga, ach ach, wat een narigheid nou toch,' zei ze vol medeleven. 'Wij vinden het erg naar voor meneer Brandal. Maar u zult begrijpen dat we echt niet anders konden. Wij zijn alleen maar geriatrische verpleegkundigen, ziet u. En meneer heeft verpleegkundigen nodig met een opleiding in de psychiatrie.'

'Toch ben ik er niet erg gelukkig mee dat Elly is weggerend,' zei ik.

'Tsja.' was het enige wat Loes antwoordde. Ze vond kennelijk dat met deze scherpzinnige conclusie alles wel zo'n beetje gezegd was wat erover te zeggen viel.

'Elly heeft toch hoop ik wel het huis goed afgesloten?' vroeg ik nog. 'En waar heeft ze trouwens de huissleutels gelaten?'

'Die zijn hier, mevrouw,' stelde ze me gerust. 'Komt u binnenkort nog deze kant uit?'

Ik vertelde haar dat ik voorlopig mijn intrek in de boerderij nam, dus dat ik morgen om tien uur al bij haar kon zijn.

'Nou, maar dat is goed hoor, mevrouw Scheltinga. Dan zien wij elkaar morgen,' zei Loes, alsof het een gunst was dat ik meteen bij haar langs mocht komen. Ik was allang blij dat ze niet moeilijk deed.

'Tot morgen dan maar,' zei ik gelaten.

Ik had alweer zoveel adrenaline in mijn lijf, dat ik niet in slaap kon komen. Dus ging ik een beetje op mijn laptop zitten zappen. Ik tikte het woord "decorumverlies" in. Ik kwam op een website terecht waar men uitlegde wat het precies inhield.

"Als iemand is vergeten hoe hij zich hoort te gedragen, spreken we van decorumverlies. Hij toont ongepast of ordinair gedrag dat eigenlijk niet bij hem hoort en is hier niet meer op aan te spreken of in te corrigeren. Bij decorumverlies is vrijwel altijd sprake van een stoornis in de hersenen. Deze zogenoemde cognitieve stoornis vertaalt zich in gedragsstoornissen."

Gedragsstoornissen? Hmm. Volgens tante Agaath had oom Gerhard altijd al een cognitieve stoornis gehad.

Om half zeven stond ik zo duf als een konijn onder de douche. De hoofdpijn van gisteravond was weer helemaal terug.

Met een muesli-ontbijt en twee saridons achter de kiezen, reed ik bepakt en bezakt om acht uur weg.

Ik voelde me heel dubbel. Blij dat ik vrij was, maar triest over oom, en boos op alles wat met de zorg te maken had. Ik had het gevoel dat iedereen tegen me was. Ook vond ik het een eng idee om mezelf weg te stoppen in een kleine, besloten gemeenschap. Misschien zouden ze mij daar niet accepteren. Misschien zouden ze het wel raar vinden dat ik meteen nadat oom was opgenomen mijn intrek nam in zijn boerderij, en dachten ze dat ik achter zijn geld aan zat. Of erger nog: dachten ze dat ik het was die hem had laten opnemen.

Opeens had ik faalangst, dat was me nog nooit overkomen. Ik was altijd zo zeker van alles wat ik deed, altijd zo overtuigd van mijn eigen gelijk, maar nu was ik nergens meer zeker van. En al helemaal niet van mezelf. In mijn hoofd was het één grote brij van onsamenhangende gedachten. Mijn maag zat in een knoop, mijn darmen borrelden en een giga-huilbui die maar niet doorbrak, kneep mijn keel dicht.

'Kom op, Puck! Pak jezelf aan. Nu geen plankenkoorts gaan krijgen.' Ik zei het hardop om mezelf te overtuigen, maar mijn stem klonk vreemd. Ik zuchtte een paar keer diep en blies de lucht telkens met kracht uit. Toen de omgeving langzaam in de vertrouwde boomgroepen en glooiende velden veranderde kreeg ik weer een beetje moed.

16

De ontvangst van Loes Woltink was hartverwarmend.

Toen ik haar kantoor binnenkwam, zat Elly als een bang vogeltje in een hoekje. Ze stond op, en waarom weet ik niet, maar ik omhelsde haar alsof ze een goede vriendin van me was. Alle opgekropte spanning kwam eruit. Ik huilde de ogen uit mijn kop. Ze lieten me rustig uithuilen.

Toen ik uitgehuild was, zei Loes: 'Nou, dat moest er even uit.'

'Nja-a, dat moest er zeker even uit,' snifte ik.

Het was nu een heel andere Loes dan de zakelijke Loes tijdens mijn eerste bezoek. Ik moest mijn vooringenomen standpunt over haar herzien. Ze was oprecht met me begaan.

Toen ik Elly nog eens goed bekeek, zag ik pas de donkere blauwe plek op haar hand.

'Komt dat door...?'

Ze knikte. 'Geeft niet, gaat wel weer over. Ik probeerde de klap af te weren.' Ze zei het zonder enig verwijt.

Ik vroeg Elly of ze erbij aanwezig was geweest toen ze oom ophaalden.

'Ja, het was niet leuk. Toen ze hem beetpakten, zei hij: "Kunnen jullie wel? Met z'n allen tegen een oude man." Het leek net of meneer weer kon praten. Verder was hij vrij rustig.'

Nadat ik de sleutels had aangenomen, een kop koffie had gedronken, nam ik afscheid van ze. Ze werden verlegen van mijn spontane knuffel. Loes lachte goedmoedig haar gêne weg. 'Ja ja. 't Is Goed zo. Sterkte met alles.'

Op het grote terrein van Instituut Sparrenbos zocht ik me een bult naar de afdeling Boslust nr. 4. Ik had het terrein al een paar keer rondgereden, maar kwam steeds weer bij hetzelfde gebouw uit, waar drie mannen buiten een sigaret stonden te roken. Ik stapte uit mijn auto en liep naar ze toe. Ze namen me van top tot teen op.

Ik vroeg ze waar ik Boslust kon vinden.

Ze begonnen een beetje te gniffelen. 'Mo'j doar wèsen dànn?' vroeg er een.

Bijna had ik gezegd: 'Ja, anders vroeg ik het niet.' Maar ik besloot me te beheersen. Je kon nooit weten. Misschien waren het wel een paar gestoorden die hier opgenomen waren.

De oudste van het drietal deed een paar passen naar voren. Hij wees naar rechts, toen zei hij: 'An 't end twee keer links.'

Ze giechelden ranzig toen ik naar mijn auto terugliep.

Door al dat rondrijden was ik al tien minuten te laat. Boslust nr. 4 bleek een laag, langgerekt gebouw met twee ingangen. Ik wist niet welke ik moest nemen. Bij de grote deur van de eerste ingang drukte ik op de bel. Na een hele tijd kwam er eindelijk een jonge vrouw die mij verwonderd aankeek.

'Ik ben familie van de heer Brandal, en heb een afspraak met mevrouw Foudraine,' zei ik.

'Dan moet u bij de volgende ingang zijn,' sprak het wicht.

Ik wilde al weglopen, maar ze zei: 'Nee, komt u maar hoor. U mag wel even binnendoor.'

Ze sprak niet Achterhoeks, maar had wel de typerende tongval. 'Heeft u ook spullen voor meneer Brandal meegenomen?' vroeg ze.

'Nee,' zei ik. 'Moet dat dan?'

'O, dat is wel een beetje jammer, want hij kan wel wat schone kleren gebruiken. Hij heeft nu wat oude kleren van ons aan die we hier nog hadden liggen, maar ja da's ook zo sneu.' Ze sprak de "eu" uit met getuite lippen.

Inmiddels waren we bij een soort kantoortje aangekomen. Ik kreeg een formulier voorgeschoteld waarop ik mijn adresgegevens, mijn naam, mijn telefoonnummer en mijn beroep moest invullen. Ook moest ik mijn relatie tot de patiënt aangeven. De mogelijkheden die je kon aankruisen waren voorgedrukt op het formulier.

'Ik ben zijn nicht,' zei ik, 'en dat staat er niet bij.'

'Zet dan maar een kruisje bij "anders",' zei ze.

Ik zette een kruisje bij "anders", streepte toen "anders" door en maakte daar "aangetrouwde nicht" van.

Ze bekeek het formulier en zei: 'Zo kan het ook.'

'Ja, zo kan het ook,' herhaalde ik, omdat ik nu eenmaal altijd het laatste woord wilde hebben. En zeker hier in dat kutinstituut. Alleen al van het woord "instituut" kreeg ik overal jeuk.

Na een klein kwartier kwam er een kordaat vrouwtje binnen. Ze droeg een zware bril, had kort afgehakt haar, en in ieder oor zat een hoortoestel, terwijl ze ironisch genoeg, enorme flaporen had. Ik weet niet wat ik zou doen als ik er zo uitzag, maar ik denk dat ik mezelf zou verhangen.

Ze maakte een gepresseerde indruk.

'Loopt u maar even mee.' Ze zei het op een manier dat je het niet in je hoofd haalde om het niet te doen.

Minderwaardigheidscomplex wat zich uit in superieur gedrag, dacht ik meteen.

Toen we in haar kantoor zaten, schonk ze koffie voor me in uit de koffiekan die al klaarstond. 'Of wilt u water?' vroeg ze toen ze al had ingeschonken.

'Nee hoor,' zei ik. 'Koffie lijkt me heerlijk.'

'Nou, dat komt dan goed uit,' zei ze.

'Inderdaad,' gaf ik fijntjes terug.

Celine Foudraine bekeek me taxerend. Uit haar blik kon ik opmaken dat ze me op alle fronten afkeurde. Mijn vale skinny jeans gaf daarbij waarschijnlijk wel de doorslag. Vanuit haar ivoren toren begon ze tegen me te praten.

'Meneer is hier op basis van een tijdelijke "in bewaring stelling" oftewel een IBS. Die geldt voor drie weken.'

'O, dat is mooi,' zei ik. 'Dan kan ik hem daarna weer meenemen.'

'Nee, dat kunt u niet,' zei ze bits.

'Maar...' Met een handgebaar legde ze me het zwijgen op.

'Er is al een RM aangevraagd.'

'Een RM?' vroeg ik, omdat ik bij God niet wist wat een RM was.

'O... Ik had begrepen dat u juriste was.' Ze keek daarbij nog eens op het formulier dat ik had ingevuld.

'Ja, dat ben ik ook, maar dit soort zaken vallen buiten mijn field,' zei ik pedant.

Nu de pikorde was vastgesteld vormde zich een triomfantelijke plooi om haar mond. 'Een rechterlijke machtiging wordt aangevraagd bij de Officier van Justitie.' Ze keek even of ik het wel kon volgen.

Dus zei ik maar: 'Jaja, uiteraard.'

'De rechtbank schakelt een onafhankelijke psychiater in die de patiënt moet beoordelen,' ging ze verder.

'Aha!' zei ik alsof het bij me begon te dagen. Maar ik moest toegeven dat ik op dit terrein niet thuis was.

'We hebben er hier verschillende rondlopen, dus dat is geen enkel probleem,' zei ze, waarop ze me met een mierzoet, minzaam glimlachje aankeek.

'En daar gaat de rechtbank zomaar mee akkoord?' vroeg ik. 'Het lijkt me nou niet echt onafhankelijk. Ze werken tenslotte allemaal voor Sparrenbos. Stel nou dat ik zelf een psychiater ken, en aan hém vraag om mijn oom te beoordelen...?'

'Het zal er dan wel een moeten zijn die door de rechtbank in Zutphen geaccepteerd wordt,' zei ze venijnig. 'Maar doet u vooral wat u niet laten kunt. Wij trekken onze procedure in ieder geval niet terug. Heeft u verder nog vragen?'

'Ja. Wanneer mag ik mijn oom zien?'

Ze begon op haar blocnote te schrijven zonder op te kijken. Toen ze uitgeschreven was, zei ze: 'Voorlopig niet. Meneer moet eerst tot rust komen. Ik schat in dat we zijn medicatie over twee weken wel op orde hebben.'

Het liefst wilde ik meteen haar keel dichtknijpen, maar ik moest mij beheersen. 'Ik wil mijn oom nu zien.' Mijn stem klonk schril, mijn hart denderde in mijn borst. Als een briesend paard blies ik de in mijn longen opgekropte lucht door mijn neus naar buiten.

Ze keek op van haar werk met weer dat minzame lachje. 'Nou,

heel even dan, alleen door het raampje. U mag niet bij hem. Loopt u maar even met mij mee.'

Zonder iets te zeggen liep ik achter haar aan door de lange gang. Ze opende met de sleutel, die om haar nek hing, de toegangsdeur van wat kennelijk "de gesloten afdeling" was.

Uit een grote ruimte hoorde ik een schelle vrouwenstem onafgebroken 'Nee! Nee! Nee!' gillen. Als je nog niet gek was, dan werd je het hier wel. Over "prikkelarme" omgeving gesproken! Celine opende een deur in de gang waarop "kantoor personeel" stond aangegeven. Een verpleger en twee verpleegsters staarden mij nieuwsgierig aan.

'Zit meneer Brandal nog in de separeer?' vroeg Celine.

'Nee, die hebben we net geïnstalleerd in de recreatiezaal,' antwoordde een van de verpleegsters. 'Komt u maar.'

'Mooi, mevrouw Scheltinga,' zei Celine kordaat. 'Dan neem ik hier afscheid van u. Mocht er wat zijn, dan kunt u altijd via het secretariaat een nieuw gesprek aanvragen.'

Het gebrilde monster gaf me een hand en liep als een verlicht despoot de gang uit. Ik had de neiging om mijn tong uit te steken en mijn middelvinger omhoog te houden. Die neiging kreeg ik hier steeds vaker.

De verpleegster, een jong mollig meisje, die Saskia heette, glimlachte naar me. Uit haar blik kon ik opmaken dat ze begreep wat ik net had moeten doorstaan. Ze liep voor me uit naar de zaal waar het nee nee-gekrijs vandaan kwam. Op de drempel bleef ik even staan en sloeg de handen voor m'n mond. En dat deed ik bijna nooit, de handen voor mijn mond slaan. Meestal kwam dat erg overdreven over. Maar wat ik zag was echt te erg.

Aan de tafel zaten twee vrouwen, waarvan één de neeroepster was, en drie mannen. Een van de mannen stond op. Hij liet mij trots zijn tekening zien. Als een kind pakte hij mijn hand vast. En ondertussen zat dat ene wijf maar 'Nee! Nee! Nee!' te gillen. Het deed gewoon pijn aan je oren. Ik kon me goed voorstellen dat iedereen hier stapelkrankjorum werd. Nog even, en ze konden mij ook opsluiten.

‘Kijk, een banaan!’ zei de man die mij zijn tekening liet zien.

Ik dacht: Dit moet een nazaat van Vincent van Gogh zijn, want die was tenslotte ook geëindigd in een krankzinnigengesticht. ‘Het lijkt meer op een wortel,’ zei ik.

Hij liet mijn hand los en liep naar de neeroepster. ‘Dit is toch een banahaan?’

‘Nee! Nee! Nee!’

‘Het is wél een banaan.’ De man begon bijna te huilen. Hij keek nog eens beteuterd naar zijn tekening.

‘Nee! Nee! Nee!’ riep het schreeuwwijf weer.

‘En nu houdt iedereen zijn mond!’ riep Saskia.

De andere dame stak haar vinger op, en vroeg: ‘Moet ik ook mijn mond houden, juf?’

‘Nee, u niet mevrouw Rademaker,’ zei Saskia licht geïrriteerd.

‘O, dat dacht ik toch ook, want ík ben niet gek.’ Ze keek mij aan. ‘Ik ben vroeger koningin geweest. En mijn man liep altijd in zijn blootje.’ Ze begon als een schoolmeisje te giechelen.

Ik stond nog steeds op de drempel, maar Saskia wenkte me naar binnen.

Oom zat apathisch heen en weer te wiegen in een houten stoel, op veilige afstand van de andere bewoners. Om zijn polsen, zijn middel, en zijn enkels, zaten banden waarmee ze hem aan de stoel hadden vastgebonden.

Saskia zag mijn verbijstering. ‘Ja, dat zijn onrustbanden,’ zei ze, alsof ze zich ervoor schaamde. Toen hield ze haar gezicht vlak voor dat van oom en zei: ‘Kijk eens, meneer Brandal, er is bezoek voor u.’ Maar oom reageerde niet.

De tranen sprongen in mijn ogen. Ik hurkte bij hem neer. Wat hadden ze met mijn oom gedaan? Hij leek, net als de anderen trouwens, op een volslagen krankzinnige. ‘Oom! Hoort u mij?’ riep ik door het geschreeuw van neeroepster heen. ‘Ik haal u hier weg hoor oom,’ probeerde ik tot hem door te dringen, maar ik was lucht voor hem.

Zijn handen zaten onder de blauwe plekken en zijn knokkels

waren helemaal geschaafd. 'Hoe komen die daar?' vroeg ik fel.

'Nee! Nee! Nee!' begon het geschreeuw weer.

'Kunnen jullie dat mens niet in een geluiddichte ruimte opsluiten?' viel ik uit. 'Jezus, wat een pokkenherrie.'

'Tsja,' zei Saskia, mij meewarig aankijkend. 'Die is ook net binnengebracht.'

'Nou,' zei ik. 'Hoe komt dat, hoe komen die daar?' Ik wees weer op ooms knokkels.

'Dat heeft hij zichzelf aangedaan. Hij stond tegen de deur te slaan en te trappen, terwijl hij keihard schreeuwde: "Ze is dood godverdomme."'

Ik wreef mijn wang teder langs zijn geboeide hand. Het hielp allemaal niets. De oom die ik kende was dood, vertrokken, alleen zijn getergde lichaam zat daar nog in die stoel. Zelfs het tumult van daarnet was aan hem voorbijgegaan, evenals het niet aflatende neegeschreeuw. Deze hel wilde ik zo snel mogelijk verlaten. Eén ding wist ik zeker: Hier hoorde oom niet.

Op de gang begon ik te huilen. Saskia pakte me bij een arm en duwde me het kantoortje in, waar nu nog maar één verpleegster zat. Ze gaf me een tissue en zette een kop koffie voor me neer. 'Dit soort reacties zijn we hier wel gewend hoor,' zei ze. 'Is heel normaal.'

'Ik ben Els,' zei de andere verpleegster.

Al heette ze Babette, Ottolien, Huberta of Serpentia, het interesseerde me geen bal, maar ze leek me wel aardig. Ik was volkomen leeg. Snotterend begon ik te vertellen dat ik juist zo'n prachtig tehuis voor mijn oom gevonden had. Ze zwegen begripvol.

17

In de auto belde ik Frank Postuma.

'Komt u maar even langs,' zei hij. 'U bent nu toch in Warnsveld.'

Acht minuten later trok ik aan de koperen trekbel. Frank deed zelf open.

In de grote salon keek hij mij onderzoekend aan.

Ik bracht hem op de hoogte van het trieste nieuws van oom, en zei dat ik wel begreep dat hij de kamer natuurlijk niet voor ons kon vasthouden, nu alles op losse schroeven stond. Hij reageerde heel anders dan ik verwacht had.

'Die kamer is zo één twee drie niet weg, bovendien is het nog geen 1 mei. Vindt u het goed dat ik contact opneem met mevrouw Foudraine? Dan kan ik uw oom zelf eens zien. Wellicht dat we uw oom met de juiste medicatie daar toch weg kunnen krijgen. Ik wil me daar wel voor inspannen. Wij kunnen hem tenslotte hier ook zijn medicijnen geven. Daarvoor hoeft hij niet in een gesloten inrichting te verblijven. Laat u het maar even aan mij over.'

Ik vroeg hem of dat echt niet te veel moeite was.

'Neu,' zei hij laconiek.

Zo graag als ik Celine Foudraine had willen wurgen en haar hoortoestel plat had willen trappen, zo graag wilde ik deze man om zijn nek vliegen, maar dat deed ik natuurlijk niet. In plaats daarvan zat ik hem alleen maar met dankbare, vochtige ogen aan te staren.

Frank stond resoluut op, en zei: 'U gaat lekker naar huis, dan ga ik voor u vechten.'

Toen hij mij uitliet kneep hij bemoedigend zijn ogen toe.

Het was al twee uur. Ik besloot meteen door te rijden naar Steenderen om daar wat boodschappen in te slaan. Bij de plaatselijke buurtsuper griste ik een boodschappenkar uit de rij en denderde naar binnen.

Je kon gillen, keihard 'brand' roepen, een steen door de ruiten gooien, of een granaat naar binnen werpen, de gezapige rust in deze winkel zou je er niet mee verstoren. Iedereen schuifelde gemoedelijk achter hun boodschappenkar door de paden. Hier te lopen deed alle haast in rook opgaan.

Eenmaal mijn boodschappenkar volgeladen, stond ik rustig in de rij te wachten totdat de vriendelijke kassajuffrouw weer terug was op haar plek. Ze had de sperziebonen even afgewogen voor de dame die voor me stond, omdat die dat vergeten was. Geen ergerlijke trek, geen verwijt, geen geschreeuw naar een andere collega om assistentie, nee, iedereen wachtte wel even, en had daar vrede mee.

Ondanks mijn bezoek aan het gekkeninstituut van vanmorgen, draaide ik, door de hoop die Frank me gegeven had en het heldere lentezonnetje, met een heerlijk gevoel de oprit van de boerderij op. De kale takken droegen reeds ontluikend blad. Tussen de oude klinkers kiemden enkele grassprietjes. De natuur ging hier sneller dan in het westen. De boerderij zou weldra verzwolgen worden door het oprukkend groen.

Het badkamerraam stond nog half op een kier zag ik, toen ik over het pad naar de keukendeur liep. Ik haalde de deur van het slot, keek daarna achterom of niemand mij gezien had, alsof ik iets deed wat niet mocht.

Binnen stond alles er nog.

Hier hadden ze geleefd, mijn oom en tante, in hun eigen kampong. Het had iets heiligs. Ik voelde ze om me heen, ondanks de doodse stilte. In de paar keer dat ik hier was geweest, was deze plek me zo dierbaar geworden. De schoonheid van de eenvoud, maar wat een rijkdom. Nu kon ik me wijden aan het ontrafelen van de geheimen die in dit huis verborgen lagen. Ik zou het bezit van oom niet verkwanselen, eruit halen wat erin zat, zodat oom een zorgeloze levensavond zou hebben. Samen met Frank zou het wel lukken om oom te bevrijden. Dat wist ik zeker.

18

Het leek mij het beste me in de slaapkamer boven in het oude gedeelte te vestigen. In het bed van oom en tante wilde ik niet slapen. Het rook er muf. Ik was er eigenlijk een beetje vies van. Ik schoof de metalen bedden met de goedkope, dunne matrassen tegen de andere muur, zodat ik de deur vanuit mijn bed kon zien. Dan werd ik tenminste niet in de rug aangevallen.

Tijdens de rondleiding van oom had ik op de grote rommelzolder twee kleine, houten tafeltjes gezien die ik zou kunnen gebruiken om naast de bedden te plaatsen. Ik vond ook nog twee schemerlampen om erop te zetten.

In het kleine portaal, dat de grote zolderruimte scheidde van mijn slaapkamer, kon ik mijn kleren ophangen, maar dan moest ik wel eerst de ingebouwde kast grondig schoonmaken. Overal hing spinrag. Op de grond lag een bijna verteerd lijk van een muis. Met toegeknepen ogen kromp ik ineen, als versteend stond ik met mijn tong uit mijn mond te rillen, bang dat het diertje uit de dood zou herrijzen om mij alsnog te bespringen. Op mijn tenen, alsof ik door een heel veld met muizen liep en bang was om er op eentje te trappen, sloop ik terug naar de slaapkamer. Ik dook op bed, trok meteen mijn benen op en slaakte een gil. In gedachten zag ik er opeens honderden, nee duizenden. Ik keek behoedzaam naar de vloer of er niet toch zo'n eng monstertje liep, maar het enige wat mij aanstaarde was het bruine Jabotapijt.

Ik stond op en rende angstig achteromkijkend de trap af. In de bijkeuken, achter de grote kapstok, ontdekte ik een grote deur in de met schrootjes betimmerde wand. De deur liet zich ontgrendelen door de sleutel met het label "kluis". Toen ik de deur opende, bleken daar alle schoonmaakspullen en de stofzuiger te staan. Ik grinnikte. In mijn wereld stopte je heel andere dingen in een kluis.
Mijn eerste schoonmaakklus zat erop. Het muizenlijk had ik

manmoedig met een stoffer en blik opgeveegd en in de vuilnisbak gekieperd. De keukendeuren had ik tegen elkaar opengezet om wat frisse lucht door het huis te laten stromen.

Even later zat ik met een voldaan gevoel op een houten eetkamerstoel op het terras in de achtertuin te genieten van een kop thee.

De koe op het grote schilderij dat in de tegenoverliggende schuur hing, staarde mij mistroostig aan. Schuur was een te groot woord, het was meer een patio met een schuin dak, twee zijwanden en een achterwand. Ik vond het wel vreemd om daar open en bloot een schilderij op te hangen, maar het was wel typisch iets voor oom. Daarom liet ik het maar hangen. Het vervallen bouwwerk vormde de erfafscheiding met de achterburen.

Ik liet mijn ogen rondgaan door de tuin. Alles groeide kriskras door elkaar. Wanneer het seizoen vorderde kon je er nog amper tussendoor. Daar zou ik ook gauw mee aan de slag moeten. Het leek wel een oerwoud.

Mijn blik gleed over het huis. Overal hingen de luiken scheef, sommige waren aan de onderkant zelfs vergaan. De keren dat ik hier gelogeerd had werd ik voortdurend door oom in beslag genomen, nu zag ik pas hoe vervallen alles was.

Benieuwd wat ik nog meer zou tegenkomen, besloot ik de rest van het erf ook aan een inspectie te onderwerpen.

Aan de achterkant van de boerderij groeide de klimop zelfs onder de dakpannen door. Overal schoten jonge, sprieterige bomen uit de grond. Je had een kapmes nodig om je een weg te banen.

De haag aan de noordzijde was zo uitgeschoten, dat hij de muur van het huis volledig bedekte, en zelfs het raam aan het zicht onttrok. Het rook er sompig. Dat verklaarde de grote vochtplekken die ik binnen ontdekt had.

Aan de zijkant stond een dunne boom pal tegen het huis aan. Het armetierige geval liep door tot aan de ramen van de bovenverdieping, die dan ook niet meer open konden.

's Avonds maakte ik een to do-lijst. Ik gaf ieder item een nummer om de prioriteit aan te geven. Tegen tienen was ik bekaf en besloot een douche te nemen.

Toen ik het doucheschuim van mij afspoelde, bekroop me het gevoel dat ik bekeken werd. Om een hoek van de douchecabine glurend, meende ik zelfs een schaduw langs het badkamerraam te zien schuiven.

Een ogenblik bleef ik naar het raam turen. Ik hoorde niets en zag ook niets vreemds. Behoedzaam liep ik op mijn tenen naar het raam. Ik duwde het verder open. Buiten was het al donker. Tot mijn schrik zag ik een duister silhouet op de oprit haastig weglopen. Niet dat ik het nou zo erg vond als iemand mij naakt zag, maar als dat in de vorm van begluren ging vond ik het onaangenaam worden. Aan de contouren van het silhouet kon ik wel zien dat het een man was.

Dit kreeg dus voorrang. Het raam moest gemaakt en er moest een rolgordijn voor komen.

Opeens realiseerde ik me dat ik de buitendeuren niet had afgesloten. Met een handdoek om rende ik naar de keuken en draaide beide deuren op slot. Mijn hart zat in mijn keel. Straks wist iedereen dat hier een jonge-vrouw-alleen woonde. Ik noteerde op mijn to do-lijst dat alle sloten vernieuwd moesten worden en dat er grendels op de deuren en de ramen moesten komen.

Voordat ik alle lichten uitdeed om naar boven te gaan, deed ik het licht in de hal voor de grote trap aan, zodat ik niet in het donker door de gang hoefde te lopen. Als door de duivel achternagezeten vloog ik de trap op.

Op de rand van het bed föhnde ik mijn haar.

Voordat ik in bed kroop, keek ik door het grote tuimelraam naar beneden. Buiten was het doodstil. Ik zag alleen de dakpannen van het nieuwe woongedeelte. Ook kon ik van hieruit de oprit overzien.

Ik moest in mezelf grinniken. De jonkvrouw had zich in de torenkamer van het kasteel verschanst. Van hieruit kon ik mijn belagers van ver zien aankomen om ze met pek te overgieten. Wee degene die mij te na zou komen.

Ik knoopte mijn handdoek los, dook onder het dekbed, trok mijn benen op en duwde de handen veilig in mijn kruis.

Gespannen lag ik te luisteren naar de geluiden. Bij ieder piepje of kraakje schoot ik overeind en keek schichtig om mij heen of ik iets op de grond zag bewegen. Het feit dat hier muizen waren liet me niet los.

Een late auto wierp zijn macabere schijnsel naar binnen, net op het moment dat ik in slaap dreigde te vallen. Door de adrenalinestoot die dat gaf ging mijn hart als een gek tekeer. Het duurde weer een tijd voordat ik opnieuw in slaap viel.

Even bekroop me de angst dat ik misschien toch niet de juiste beslissing had genomen. Misschien zou ik hier langzaam wegkwijnen en ziek worden van heimwee. Mijn oude, drukke leven leek opeens zo onbereikbaar, ergens ver weg in een wereld waar ik nooit meer naar zou kunnen terugkeren. Opeens voelde ik me eenzaam.

19

Om half zes werd ik gewekt door een voorbijdenderende vrachtwagen. Buiten was het nog donker.

Ik voelde me niet gestrest, niet opgejaagd, had geen kater, geen hoofdpijn, en geen slaap meer. Ik schoot in mijn badjas en mijn slippers en klakte de trap af.

In de keuken liet ik het koffiezetapparaat pruttelen en zette water op voor de eieren. Giechelend om de keiharde scheet die zich tussen mijn billen naar buiten werkte, ontgrendelde ik de deuren.

De eerste nacht zat erop. Ik was niet aangerand, niet door enge beesten of spoken belaagd, maar had alle moeheid weggeslapen. De lucht hier was anders… Gezonder.

Om half tien precies gooide ik een koffer met de spullen van oom in de auto om ze naar hem toe te brengen. Dit keer meldde ik me bij de goeie ingang.

Naast de ingang zat een vriendelijk mannetje. Ik lachte naar hem, waarop hij uitriep: 'Kankerzooi!'

Ik trok mijn wenkbrauwen op en keek de andere kant uit.

Een potige, jonge verpleger deed open.

'Ik kom de kleren brengen van meneer Brandal,' zei ik.

'Dat is fijn,' zei hij. 'Loopt u maar even mee naar de naaikamer, dan kunnen de dames ze merken.'

'Kan ik mijn oom even zien?' vroeg ik.

Op het gezicht van de verpleger verscheen een spijtige trek.

Het vriendelijke mannetje was met ons meegelopen. Hij bekeek ons van een afstandje.

'Nee, dat kan echt niet,' zei de verpleger. 'Hij ligt nog op bed. Ze moeten hem nog wassen en aankleden.'

'Kankerzooi!' riep het mannetje weer. Ik probeerde er niet op te letten, dat leek mij het beste.

'Nou dat geeft toch niet,' zei ik pinnig. 'Ik kan hem toch ook wassen en aankleden. Dat heb ik toen hij thuis was ook gedaan hoor.'

'Kankerzooi!'

'Ja, dat geloof ik best, maar dat gaat hier niet. Stel je voor dat iedereen dat doet...'

'Kankerrr-zooi!' Het mannetje kwam nu pas goed op dreef. De verpleger zweeg even verstoord, maar praatte daarna weer door: '… dan wordt het hier een janboel.'

Ik kon hem wel op zijn bek rammen, dat had ik al gauw bij dit soort types, dat ik ze op hun bek wilde rammen. Eigenlijk zou je al voordat ze iets gezegd hadden ze op hun bek moeten rammen, vond ik, hielden ze tenminste hun mond, dan hoefde je hun bedillerige geleuter ook niet aan te horen. En de neiging om hem op zijn bek te rammen werd er zeker niet minder door met iemand die naast je "kankerzooi" stond te brullen. Het leek me wel een goed idee om mevrouw de neeroepster en meneer Kankerzooi bij elkaar in een kamer op te sluiten, dan kon je tenminste nog lachen.

'Hoe gaat het nu met mijn oom?' vroeg ik. 'Is hij een beetje tot rust gekomen?'

De verpleger ontweek mijn vraag. 'Dat kunt u beter met de psychiater bespreken.'

'Kankerrrr-zzooi!!'

Nu moest die computergestuurde randdebiel gaan uitkijken met zijn "kankerzooi".

'U kunt het me toch gewoon zeggen,' bleef ik volhouden.

'Ach, weet u. Het duurt altijd even voordat patiënten zich hier aanpassen, dat geldt zeker voor uw oom. We hebben hem vannacht toen hij onrustig werd extra medicatie toegediend.'

'Medicatie?'

'Ja, om zijn lijden te verzachten.'

'Lijden?!'

'Lijden, ja. U moet niet vergeten dat uw oom zwaar ziek is.'

'O, noemt u dat zo,' zei ik sarcastisch. 'Als u maar weet dat mijn oom volkomen gezond was toen hij hier binnenkwam. Oké, hij is misschien een beetje dement. Hij kan daardoor soms wat agressief reageren, maar om dat nu zwaar ziek te noemen...'

'Toch is het zo, mevrouw.'

Ik kon hem in het gezicht slaan, uitschelden of bespugen, hij bleek niet te vermurwen mij ook maar één seconde bij oom toe te laten.

Onverrichter zake droop ik af. Dat had het mannetje al eerder gedaan, waarschijnlijk omdat we niet op zijn uiterst beperkte vocabulaire gereageerd hadden.

Ik moest uitkijken dat ik mijn goodwill, voor zover ik die hier had, niet verspeelde. Hier spanden ze allemaal samen om mij zo ver en zo lang mogelijk bij oom weg te houden.

Toen ik naar buiten liep, zat het mannetje weer op het bankje naast de deur. Hij had pretogen. Ik zag dat hij zich inhield, maar toen ik bijna bij de auto was ging hij helemaal los. 'Kanker kanker kanker-zzooi!'

Het irriteerde deze keer niet, ik vond het eigenlijk wel vermakelijk. Voor mij had hij gelijk. Je kon het niet vaak genoeg herhalen. Volgens mij deed hij geen vlieg kwaad. Hij vond het alleen een kankerzooi. En daarmee had hij geen woord te veel gezegd.

Nadat ik de auto in de open ruimte van de schuur had geparkeerd, liep ik door naar Harm en Joke. Dat diende twee doelen. Eén: ik moest mijn frustratie kwijt. Als ik nu even niet tegen iemand aan kon praten zou ik knappen. Twee: ik wilde aan Harm vragen het badkamerraam te repareren en om overal deugdelijk hang-en-sluitwerk aan te brengen. Schoorvoetend liep ik het erf op.

Joke zag mij al aankomen. 'Kumpt'r in.' Ze zei dat Harm ergens een klus had. 'Moar, hie kump wèl efkes bie oe kiek'n, as-tie weer umme is.'

Haar "O godogodogod" klonk meewarig bij alles wat ik over oom vertelde. Ze was het roerend met me eens. 'Doar heurde Gerhard niet, ne-e-e.' En, ak erover proat'n wulde dànn konn ik altiet langskomm'n. Waar moest ik beginnen? Het leek me beter om toch maar eerst aan de grote schoonmaak te gaan. Gehuld in een hemdje, een oude spijkerbroek waar de gaten in zaten en een zweetband om mijn hoofd, ging ik de strijd aan met de spinrag en hun makers, en de dikke laag stof die overal lag.

De kasten zaten vol met pissebedden, zo vochtig was het. Maar de grootste gruwel was toch wel, dat ik weer overal die uitgedroogde engerdjes met lange staart tegenkwam. Ze lagen me met hun venijnige tandjes als ondode monstertjes uit te lachen.

Niemand kon van mij zeggen dat ik geen dierenvriend was, maar muizen... en alles wat daar op leek, vond ik van alle dieren wel het meest geniepige dier dat er bestond. Alleen al daarom wilde ik gecremeerd worden. Het idee dat die enge beestjes aan me zaten te knagen als ik daar vredig in mijn kist lag bezorgde mij de koude rillingen.

Daarom wist ik ook zeker dat God niet almachtig was, en er bij de schepping behoorlijk wat mis was gegaan. Dat moest wel haast, anders zaten wij nu niet met die beestjes opgescheept. Dan had hij trouwens ook nooit de mens geschapen, die op lieve Bambi-hertjes jaagt.

Mijn broer was ook zo'n lul. Toen ik bij hem logeerde zou hij gebraden eend voor mij klaarmaken. Ik was met hem meegelopen naar het eendenhok om er eentje uit te zoeken. Toen ik dat gedaan had draaide hij voor mijn neus de nek van het dier om. Ik moest acuut overgeven. Daarna heb ik hem over het hele erf achternagezeten. Toen ik hem eindelijk bij zijn kraag te pakken had, probeerde ik hem te slaan. Ik roeide wild op hem in met mijn magere staakarmen, maar raakte alleen zijn harde, eeltige knokkels waarmee hij zich afweerde. Na afloop zaten mijn armen onder de blauwe plekken. Ik heb de hele avond geen woord meer tegen hem gesproken.

Toen ik de vuilniszak, die ik ver voor me uit hield, vol muizenkadavers in de container wilde gooien, stond er een jonge vrouw met blond, krullend haar voor de keukendeur. Ik schatte haar midden dertig.

'Hoi,' zei ze, 'ik ben de achterbuurvrouw.' Ze wees naar de patio met het schilderij van de koe. Met een schuchter glimlachje nam ze me op.

'O, ja…eh,' stamelde ik. Ik had geen bezoek verwacht. Ik trok een vies gezicht en hield de zak omhoog. 'Eerst dit even in de container kieperen. Dooie muizen.'

'Hoe-oe, get!' riep ze. 'Heb je ook een fobie?' Ze stak haar tong uit, waaruit bleek dat haar dierenliefde ook een grens had.

'Ja, jij ook. Ik ben er zo vies van,' zei ik.

We hadden meteen een "lijntje". Ze sprak niet Achterhoeks, maar je kon wel horen dat ze uit deze streek kwam.

Ze stak haar hand uit. 'Ik ben Sandra Lochtenberg.'

'Sorry,' zei ik met een scheve mond en trok gauw een huishoudhandschoen uit. 'Grote schoonmaak. Ik ben Puck.'

Ik vroeg of ze even binnenkwam, maar ze draalde om meteen op mijn uitnodiging in te gaan.

'Nou ja,' zei ze, 'dat is te zeggen… Laat ik maar meteen met de deur in huis vallen. Gerhard en ik waren nou niet bepaald vrienden. We hoorden dat hij was opgenomen, en voordat je het van iemand anders hoort, dacht ik dat ik het je maar beter zelf kon zeggen. Anders krijg je misschien zo'n vreemde indruk van ons.'

'O, maar zo ben ik niet hoor,' probeerde ik haar gerust te stellen. 'Ik ga nooit af op wat anderen zeggen.'

Ik vroeg of ze niet toch een kopje thee wilde.

'Nou goed, heel even dan.'

Ze ging onwennig aan de grote tafel zitten.

'Wat is er dan tussen jullie voorgevallen?' vroeg ik vanuit de keuken.

'Gerhard mocht ons geloof ik niet zo. Onze tuin grenst namelijk aan zijn erf. Hij kon het gewoon niet verdragen dat ik in mijn eigen tuin liep. Hij dacht waarschijnlijk dat onze tuin nog bij zijn erf hoorde. Nou en dan stond hij toch te schreeuwen, níét normaal. En ik overdrijf echt niet hoor.'

Ik moest lachen.

'Ja, lach maar. Maar da's heus niet leuk hoor.' Het viel me op dat zij ook die typische kale "eu" had waarbij je je lippen moest tuiten.

'Soms stond hij een hele middag te schelden,' ging ze verder. 'Ik zal maar niet zeggen wat hij dan allemaal riep.'

Ik was toch wel nieuwsgierig, dus vroeg ik: 'Wat riep-ie dan zoal?'

'Nou ja-eh: "Vuile hoer," en zo. En-eh... "Oprotten. Ga van m'n land af." Dat soort dingen en nog veel meer. Hij had me natuurlijk weleens topless zien zonnen, niet dat ik dat daarna nog gedaan heb.'

'Nee,' zei ik, 'dat snap ik. Mijn oom stond je dus te begluren?'

'Niet dat ik je oom ergens van wil beschuldigen. Dat niet. Maar ik werd wel bang van hem. Hij was soms zo kwaad dat hij zijn tuinafval bij ons over de heg kieperde. Eén keer probeerde hij er zelfs doorheen te komen. Dan zaten zijn vingers onder het bloed, want hij pakte zo met zijn blote handen de dorens vast. Je zou zeggen dat doet toch pijn, maar hij leek het niet eens te voelen.'

'Jeetje,' zei ik, omdat ik niet goed wist wat ik moest zeggen.

'Gerdien stond erop een afstandje hulpeloos naar te kijken. Zij kon hem ook niet tot bedaren brengen. Ik kreeg dan best wel medelijden met haar.'

'Ja, dat kan ik me voorstellen.'

'Maar ja, zij kon ook alleen maar wachten tot hij was uitgeraasd. Dan voelde ik me zó schuldig, omdat wij de oorzaak waren dat zij het dan weer moest ontgelden. Want als ze hem probeerde weer rustig te krijgen, dan ging hij achter háár aan. En wij konden dat allemaal horen. We hebben zelfs een keer de wijkagent gebeld. Soms waren we bang dat hij haar dood zou slaan. Ja dat kon toch!'

'Maar waarom vertel je me dit allemaal?' vroeg ik vriendelijk.

'Nou, toen ik hoorde dat je oom weg was, en jij hier alleen woonde, dacht ik dat het goed was om met een schone lei te beginnen. Wij willen helemaal geen ruzie.'

'Maak je maar niet bezorgd,' zei ik. 'Ik weet ook heus wel dat mijn oom geen lieverdje was.' En zei toen lachend: 'In ieder geval hoef je niet bang te zijn dat ik tuinafval bij jullie over de heg gooi. En wat mij betreft kun je weer lekker topless zonnen. Misschien kom ik wel een keertje bij je liggen als het mooi weer is.'

'O, ja, maar alleen als Henk, dat is mijn man, niet thuis is hoor, want je moet de kat niet op het spek binden. Ik ben nogal een jaloers typje. Van mij mag hij niet eens naar andere vrouwen kíjken.'

Ze stond op en liep lachend naar de deur. 'Hé, ik zal je niet verder ophouden. Je hebt vast nog genoeg te doen. Ik ben blij dat we elkaar nu kennen. Toch? Nu is de lucht geklaard. En als we je ergens mee kunnen helpen, kom dan gerust langs. Wij zijn trouwens gek op tuinieren, dat is onze hobby. Echt doen hoor! Henk heeft een motorzaag. Daar is-ie helemaal waas van.' Ze giechelde. 'Kan hij hem eindelijk weer eens gebruiken. Nou doehoeg.'

Ik bleef staan kijken hoe ze langs de grote schuur liep, tot ze verdween door het gat in de heg naast de patio. Het leek mij een tof wijf, die Sandra.

20

Ik was druk bezig met het fotograferen van de schilderijen en het maken van een lijst toen Celine Foudraine belde. Ze zei dat ze Frank Postuma had gesproken.

'De heer Postuma vertelde me dat u uw oom alsnog bij hem wilt onderbrengen. Ik heb hem gezegd dat daar voorlopig geen sprake van kan zijn, maar hij wilde per se uw oom zelf zien. Enfin, morgen om half elf is hij hier. Ik zou het op prijs stellen als u daarbij aanwezig bent. Dan zorgen we ervoor dat uw oom er ook even bij kan zijn. Kan ik op u rekenen?'

Ik kon een vreugdekreet nauwelijks onderdrukken. 'Ja, natuurlijk,' riep ik 'Reken maar. Ik zal er zijn.'

'Mooi zo. Dag mevrouw Scheltinga.'

Ze brak het gesprek ook nu weer meteen af. Normaal gesproken zou ik dat zakelijk hebben gevonden, maar bij haar vond ik het irritant. Waarschijnlijk omdat ik meestal degene was die gesprekken afbrak en nu moest ervaren hoe onaangenaam dat was.

Kennelijk had Frank Postuma haar zo onder druk gezet, dat ze niet onder een gesprek uit kon. Eén ding stond voor mij vast. Ze kon op haar kop gaan staan met haar rechtelijke machtiging. Ik zou oom bevrijden uit haar klauwen. Ik keek op mijn horloge en liep naar de groene brievenbus vooraan bij de oprit.

Bannink, die schijnbaar altijd buiten liep, keek nieuwsgierig mijn kant uit. 'Geet 't een bitjen,' riep hij.

'Ja, hoor, dag meneer Bannink,' riep ik terug.

Leunend op zijn bezem, bleef hij naar me staan kijken toen ik terugliep. Misschien was hij het die door het badkamerraam had staan gluren. Het idee dat hij mij naakt had gezien, maakte dat ik hem niet goed onder ogen durfde te komen.

Dat gold trouwens ook voor Harm Schildkamp, die gister het badkamerraam had gerepareerd en een rolgordijn had opgehangen.

'Zo kunn'n ze oe neet meer bekiek'n,' zei hij met een vette grijns toen ik samen met hem zijn werk bekeek.

Ik had zijn opmerking genegeerd, dat leek me beter. Hij kon tenslotte net zo goed de gluurder zijn. Zijn opmerking had hem alleen maar verdachter gemaakt, alhoewel ik het me van hem eigenlijk niet kon voorstellen.

Toen hij 's avonds eindelijk weg was, nadat hij ook nog alle sloten had vervangen, had ik het rolgordijn dichtgedaan, en buiten gekeken of je er echt niet doorheen kon kijken als het licht aan was. Ook op de deur die het woongedeelte scheidde van het oude huis had ik een dubbel slot laten aanbrengen.

Harm zou in de loop van de week nog terugkomen om de ramen van afsluitbare raamboompjes te voorzien. Voor de openslaande deuren van de bibliotheek, of de boekerij zoals Harm altijd zei, had hij tralies besteld. De grendels van de staldeur had hij kunnen repareren.

De envelop met het embleem "De Rechtspraak" maakte ik als eerste open. Eindelijk had ik de beschikking binnen. Nu was ik officieel provisioneel bewindvoerder. Met deze beschikking kon ik bij de banken ooms zaken overnemen.

Er zat ook een envelop van de Postbank bij. Ze schreven dat mijn wachtwoord voor internetbankieren klaarlag bij het postkantoor in Zutphen.

Eindelijk begon het allemaal een beetje te lopen. Ook de doorstuurservice van het postbedrijf werkte goed, zodat ik niet steeds naar Amsterdam hoefde te rijden voor mijn eigen post.

Met kletsnatte sliertharen door de verkwikkende douche, zat ik in mijn witte badjas, met de knieën onder me opgetrokken in ooms stoel.

Ik moest even tegen iemand aan praten, dus belde ik tante Agaath. Ik voelde me schuldig dat ik alweer een tijd niets van me had laten horen.

Ik merkte dat ze blij was dat ik belde. 'God kind, hoe gaat het daar?' vroeg ze. 'Red je het een beetje?'

'Ja, hoor,' zei ik. 'Maakt u zich maar geen zorgen.' Ik vertelde haar van het gesprek dat ik morgen zou hebben.

Tante vond het maar niks dat ik oom uit Sparrenbos weg wilde halen.

'Kijk maar uit, kind. Straks slaat hij nog iemand dood, daar in De Weegschaal. Waar hij nu zit, zit hij goed. Ik ken hem tenslotte langer dan jij. Die man had eigenlijk al veel eerder opgenomen moeten worden.'

Ze was meer bezorgd over mij dan over oom.

'Je mag dan een kordate meid zijn,' zei ze. 'Maar zul je me beloven voorzichtig te zijn? Ik wil niet dat je in moeilijkheden komt. En ik weet zeker dat je vader er net zo over gedacht zou hebben. Je moet trouwens ook weer eens deze kant uit komen. Een levenslustige, jonge meid moet zich niet wegstoppen in zo'n gat. Gerhard en Gerdien hebben er zelf een puinhoop van gemaakt, die hoef jij echt niet op te lossen. Je hebt ook nog een eigen leven.'

'Voorlopig vind ik het hier heerlijk. U hoeft zich echt niet ongerust te maken. En het is maar voor een jaartje.'

'Wat voor haardje?'

'Nee, tante. Het is maar voor een jaartje!' herhaalde ik met enig stemverhef.

'Jaja. Ik hoor je wel.'

Tante bleek maar moeilijk te overtuigen.

21

In het kantoor van Celine Foudraine zaten we elkaar wat onwennig aan te kijken, Frank Postuma, de psych Janneke Kamminga en ik. Oom was er nog niet.

Om er niet al te meisjesachtig uit te zien, had ik mijn haar opgestoken en een kordaat grijs mantelpakje aangetrokken, dressed to kill. Ze moesten het niet in hun hoofd halen me ook maar een strobreed in de weg te leggen, want ik zou ze afslachten.

Ik rechtte mijn rug, schoof gedecideerd op mijn stoel heen en weer, trok een strijdvaardig gezicht, en vroeg: 'Waar blijft mijn oom?'

'O, die laat ik straks pas halen,' zei Celine. 'Eerst wil ik de zaak zonder hem bespreken, zodat we op één lijn zitten. Het wordt anders veel te verwarrend voor hem.' Ze had weer haar gebruikelijke minzame pruil.

Deze keer zou ze daar niet mee wegkomen. Ik stak mijn kin naar voren, trok mijn wenkbrauwen op, en keek als een freule op haar neer. 'O nee, geen sprake van,' zei ik. 'Ik wil dat u hem nu gaat halen.' Aan de lichte trilling van haar neusvleugel zag ik dat ik haar van haar stuk gebracht had. Daar kun je het mee doen, dacht ik vals.

'Zoals u wilt,' zei ze, 'maar verstandig vind ik het niet.'

'O, maar ik vind van wel,' gaf ik ongenaakbaar terug.

Janneke vertoonde tekenen van plaatsvervangende schaamte. Dat zag ik aan de hoogrode kleur van haar gezicht. Ze keek mij met een boterzachte glimlach aan, alsof ze begreep wat ik voelde. Waarschijnlijk keek ze zo naar iedereen, begreep ze van iedereen wat ze voelden. Ik had een hartgrondige hekel aan psychiaters, omdat psychiaters dáchten dat ze wisten wat anderen voelden, maar meestal waren dat hun eigen gevoelens, die ze dan vervolgens op de ander projecteerden, en daaruit concludeerden dat die ander gestoord was, terwijl ze eigenlijk zelf gestoord waren. Waarschijnlijk dat ze daarom psychiatrie waren gaan studeren, die psychiaters.

Frank vond het allemaal nogal vermakelijk en leunde vergenoegd achterover in zijn stoel. Hij sloeg zijn handen ineen. Volgens mij waren hij en ik de enigen van het gezelschap met gezond verstand.

Om toch nog enigszins haar gezag te laten gelden, liet Celine een verpleegster komen. 'Ga jij meneer Brandal even halen?' Ze wapperde met haar hand het arme schaap de deur uit. Dat moest ze met mij eens proberen...

Ik schoot overeind toen oom even later aan de hand van de verpleegster werd binnengeleid. De rest zat hem aan te gapen alsof hij een bezienswaardigheid was, of het monster van Frankenstein, dat kon natuurlijk ook.

Oom zag er goed uit. Zijn gezicht stond ernstig, maar klaarde op zodra hij mij zag. Met een blije glimlach liep hij op me af en greep mijn beide handen. Ik schoot vol.

Hij herkende mij nog. Uit zijn blik sprak zoveel warmte en tederheid. 'Ja-a-a,' was het enige wat hij zei, maar uit de manier waarop hij het zei, en hoe hij erbij keek...

Janneke bood hem een stoel aan. 'Vindt u het fijn dat uw nicht er is, meneer Brandal?' vroeg ze.

Ja, natuurlijk vindt hij dat fijn, dacht ik. Stom wijf! Ik zou het ook fijn vinden als ik eindelijk weer een normaal mens tegenkwam.

Oom had wat je noemt een entree gemaakt. Iedereen was onder de indruk. Ik was trots op hem. De verpleegster schonk een kop koffie voor hem in, wij hadden al. Toen ze weg was en oom waardig van zijn koffie nipte, opende Celine het gesprek.

Ze vroeg hem of hij wist waarom we hier waren.

Alsof hij dat zou kunnen weten, dacht ik. Alsof hij alles wat ze hier met hem uitspookten, of nog van plan waren met hem uit te spoken, van tevoren kon weten.

Oom keek ernstig, zette zijn kopje op tafel, ging weer langzaam achterover in zijn stoel zitten, vouwde zijn handen, plooide zijn gezicht in een beminnelijke, doch superieure glimlach, en zei bedachtzaam: 'Neen.'

Celine legde hem uit dat het doel van de bijeenkomst was om te bespreken of hij naar het verzorgingstehuis van meneer Postuma kon. Ze wees daarbij naar Frank.

Oom draaide zich om en bekeek Frank aandachtig. 'O, juist ja,' zei hij. 'Dus u bent van de toe-toestand.'

Ik hoopte maar dat oom goed uit zijn woorden zou kunnen komen, hij niet hopeloos zou verzanden in gemummel en gestotter.

Toen het mis dreigde te gaan nam ik het van hem over. 'Daar hebben wij het over gehad. Weet u nog wel, oom? Meneer Postuma heeft een heel mooi huis in oud-Hollandse stijl. Er is een mooie Engelse tuin bij waar u lekker in kunt wandelen. U heeft daar een kamer voor uzelf en u mag ook uw eigen meubels meenemen.'

Celine onderbrak mijn betoog door haar hand op te heffen. 'Begrijpt u wat uw nicht zegt?' vroeg ze aan oom.

Oom keek haar aan, en zei: 'Maar ik ben heu-eul oud... Wel tweehonderd.'

'Nou, nee hoor. U bent eenentachtig,' reageerde Celine pinnig.

'O,' zei oom, dacht even na en zei toen: 'Dat is, dat is... weet ik het wat, heu-eul heu-eul oud.'

'Maar begrijpt u wat uw nicht wil?' vroeg Celine nogmaals. Ze snauwde net nog niet tegen hem, maar het kwam er dichtbij.

'Jajajaja,' zei oom opeens, alsof het hem al die tijd al duidelijk was geweest. Hij wees met een gestrekte arm naar mij, en zei toen met enig stemverhef: 'Hij...! Hij is de baas!'

'Nou, dat is dan duidelijk,' zei Celine. 'Dan laat ik u nu weer naar de recreatiezaal brengen. Wij praten hier nog even verder.'

Ik kon me niet aan de indruk onttrekken dat ze oom een storende factor vond, dat ze hem daarom zo snel mogelijk weer weg wilde hebben.

Oom liep gedwee mee aan de hand van de verpleegster.

Ik vond het aandoenlijk zoals hij zich liet meevoeren. Het leek wel of alle verzet in hem gebroken was.

'Ik kom straks nog bij u langs, hoor oom,' riep ik hem nog na.

'Tja, meneer Postuma, wat vindt u ervan? Durft u het aan?' vroeg Celine.

Frank had al die tijd niets gezegd, maar had alles vanuit zijn stoel rustig zitten observeren. 'Ik vind hem heel goed,' zei hij. 'Ik kreeg ook de indruk dat hij zeer goed begreep waar het over ging. Hij zei het niet met zoveel woorden, maar dat hij mevrouw Scheltinga vertrouwt is wel duidelijk.'

Ik wilde zo gauw mogelijk een eind aan het gesprek breien en spijkers met koppen slaan. Wat moest ik verder nog bespreken met die tang en haar halfzachte psych? De zaak was wat mij betreft helder.

'Goed. Wat gaan we doen?' zei ik. 'Over drie dagen is het 1 mei. Zullen we afspreken dat ik hem dan ophaal en naar De Weegschaal breng?'

Janneke schoot in de lach.

Daar schrok ik een beetje van, want eerlijk gezegd was ik niet helemaal zeker of mijn missie wel zou slagen.

Frank kwam me te hulp. 'Wat mij betreft kunnen we de zaak in gang zetten,' zei hij.

Celine trapte echter snoeihard op de rem. Dat had ik niet zien aankomen.

'Ho ho. U gaat nu wel heel erg snel,' zei ze. 'Ik stel voor dat we over drie weken weer bijeenkomen, dan kunnen we kijken hoe meneer zich heeft aangepast. Het moet tenslotte wel verantwoord zijn.'

Gut gut, dacht ik. Stel je voor dat ze iets zouden doen wat niet verantwoord was. Ik begon me zo langzamerhand af te vragen wie hier de werkelijke gekken waren.

Janneke bemoeide zich er natuurlijk ook weer mee. 'Ja, wij zijn tenslotte verantwoordelijk voor meneer,' zei ze zalvend.

Spuit elf geeft ook modder, dacht ik.

'Nu is hij heel rustig,' ging ze verder, 'maar we willen echt even over een langere periode kijken hoe hij zich gedraagt en hoe hij reageert op de medicatie. U zou toch ook niet willen dat hij een van de medebewoners wat aandoet?'

'En als meneer Postuma bereid is om hem wél een kans te geven, dan is mijn oom toch niet langer uw verantwoordelijkheid?' Mijn ogen zochten hulp bij Frank. 'Toch? Zo is het toch?'

Maar Frank keek ineens moeilijk. 'Euh... Niet helemaal,' zei hij. 'Als ze hem hier niet laten gaan, tja, dan euh, kan ik helaas niets doen.'

Ik had er een gloeiende hekel aan als ik mijn zin niet kreeg. Ik deed nog een laatste alles-of-nietspoging: 'Oké. Zegt u maar waar ik moet tekenen. Ik neem de volledige verantwoordelijkheid op me, want dat is waar jullie toch zo bang voor zijn. De verantwoordelijkheid!'

'Zo werkt dat helaas niet, mevrouw,' zei Celine. 'Uw oom zit hier omdat hij een ernstige gedragsstoornis heeft. Hij is een gevaar voor zichzelf en voor anderen. Daarom heeft de rechter ook aan óns een rechterlijke machtiging afgegeven, en niet aan ú. De zaak is u daarmee uit handen genomen.'

'En waar blijf ik dan in dit verhaal?' beet ik van me af, met woedende tranen in mijn ogen. 'Als curator ga ík toch over zijn welzijn, of niet soms?'

'Maar u bent nog geen curator, mevrouw,' gaf Celine fijntjes terug. 'En dat zou trouwens niets uitmaken. Een gerechtelijke uitspraak gaat boven die van een curator.'

Celine moest vooral zo doorgaan, dan zouden niet ooms handen, maar de mijne haar strot dichtknijpen, net zolang tot het leven uit haar verlepte lichaam verdwenen was.

Ik keek naar Frank en vroeg hem of hij de kamer zolang voor oom kon vasthouden.

'Neu,' zei hij. 'Dat zal niet gaan. Mocht het zo zijn dat over drie weken besloten wordt dat uw oom kan verkassen, dan zal het minstens een maand of zes duren voor er weer een kamer vrijkomt. In ieder geval staat uw oom boven aan de lijst.'

Ik haalde mijn schouders op en slaakte een hopeloze zucht. Iedereen zat me meewarig aan te staren. Zelfs Celine's gezicht vertoonde een glimp van medeleven, ook al was het maar kort. Ik voelde mij nog nietiger dan de armzaligste aardworm. Ik kon gillen, huilen, of in hongerstaking gaan, maar zelfs de mobile eenheid zou oom niet uit deze bunker kunnen bevrijden.

Celine stond resoluut op. 'Goed, dan is wat mij betreft het gesprek beëindigd.'

'Kan ik nog wel even bij oom langs,' vroeg ik timide.

'Dat mag, loopt u maar even naar de verpleegpost, daar weten ze wel waar hij zit.'

In de gang nam ik afscheid van Frank. Hij zei dat we ons best gedaan hadden en dat hij mij nog wel zou bellen. Daar maakte ik uit op dat hij de zaak zo goed als verloren beschouwde.

Janneke blaatte nog dat ze vond dat ik het héél goed deed en héél consciëntieus met oom omging. Ik mocht haar altijd bellen, zei ze. Ze begreep dat het voor de familie erg moeilijk was om een geliefd persoon hier achter te laten, maar dat het leven doorging, en dat ik vooral aan mezelf moest denken. Dat had ik nou net mijn hele leven al gedaan, aan mezelf denken.

Bij de verpleegpost vroeg ik waar ik oom kon vinden. Het was lunchtijd. Ik mocht maar heel even bij hem. Hij zat in de grote zaal aan tafel met alle andere gekken. Ik hurkte naast oom neer. Hij keek niet op of om, zat wat met zijn vork in zijn boterham te poeren.

'Zal ik uw boterham even voor u in stukjes snijden?' vroeg ik.

Hij haalde zijn schouders op.

Meteen schoof de vrouw naast hem haar bordje naar mij toe. De neeroepster en meneer Kankerzooi waren in geen velden of wegen te bekennen. Dat was wel zo rustig.

'Carla, je moet míj helpen, niet hém. Hij is stout,' pruilde de vrouw.

'Ik ben uw Carla niet, mevrouw. Ik denk dat u een beetje in de war bent,' zei ik. Dat was misschien niet aardig van me, maar ik had helemaal geen zin in dat opdringerige mens. Ze kon wat mij betreft het rambam krijgen met haar bordje. Het liefst zou ik het op haar kop kapotslaan. Ik kwam hier voor mijn oom.

Tegenover oom zat een man naar me te giechelen. Hij leek mij wel aardig.

Toen ik vriendelijk naar hem lachte werd hij kwaad. 'Zit je mij uit te lachen? Moet je soms een klap?' Hij sloeg hard met zijn vuisten op tafel.

'Maar ik lach u helemaal niet uit, echt niet,' zei ik nog, maar dat maakte hem blijkbaar nog bozer.

'O nee! O nee...! Ik zag het toch! Jij bent een hoer, net als alle andere hoeren! Hoeren zijn het!' Hij schoof zijn stoel naar achter en kwam met een gebalde vuist op mij af.

Ik hield mijn arm afwerend voor mijn gezicht.

Hij stond op het punt mij een dreun te geven, maar gelukkig stormde er net op tijd een broeder naar binnen, greep mijn belager in zijn nekvel, en zei kordaat: 'Komt u maar met mij mee, meneer van Kralingen. Als u zich niet kunt gedragen dan sluiten we u weer op.'

'Maar zij is een hoer!' schreeuwde de man. 'Ze lacht me uit!'

'Nee,' zei de verpleger, 'dat is een hele nette dame, die hier gewoon op bezoek komt, en ze lacht u helemaal niet uit.'

'Ik ben vroeger koningin geweest,' begon mevrouw Rademaker, waarschijnlijk voor de honderdtachtigste keer. 'En mijn man....'

'Ja ja, dat weten we nou zo langzamerhand wel dat je man altijd in z'n blote kont liep,' zei een rijzige dame met grijs, opgestoken haar die ik hier nog niet eerder gezien had.

'Ik begrijp nog steeds niet waarom ik hier zit,' zei ze, 'dat moet een vergissing zijn.'

'Tja,' zei ik. 'Ik zou het ook niet weten, mevrouw. Ik kom hier voor mijn oom.'

'Wat is er dan met je oom? Loopt die soms ook een beetje door, net als al die andere gekken hier? Of ben je zelf soms niet helemaal lekker?'

Aan haar spraak te horen kwam ze niet uit de Achterhoek, maar eerder uit de omgeving van Amsterdam. 'U komt zeker niet uit deze streek,' zei ik.

'Kind. Ik zou het echt niet weten, al sla je me hartstikke dood. Ik begrijp tot op de dag van vandaag niet wat ik hier doe, dat moet vast een vergissing zijn.'

De verpleegster die haastig de zaal was binnengekomen om assistentie te verlenen, zei zacht: 'U kunt beter een andere keer terugkomen, dan kunt u met meneer in een aparte kamer zitten.'

Oom was onder het tumult stoïcijns gebleven. Zelfs toen ik afscheid nam en hem een zoen gaf, keek hij niet op of om. Oom was weer vertrokken, zijn geest dwaalde waarschijnlijk rond in vervlogen tijden.

22

De afgelopen vier weken ben ik van 's ochtends vroeg tot laat in de avond bezig geweest met het uitpakken van boeken en het versjouwen van kunstwerken.

Nadat ik alle 196 schilderijen had gefotografeerd en vastgelegd in een Excelbestand, had ik ze opgeslagen in de bibliotheek. Ook alle boeken stonden nu keurig op genre en alfabetisch op auteur gerangschikt in de stellingen.

Tussen de bedrijven door bezocht ik oom en reed daarna door naar Steenderen voor de boodschappen in de plaatselijke buurtsuper, waar ze me al kenden.

Ik had het zo druk als een klein baasje en niet eens tijd om bij mezelf stil te staan. Ik leek wel een soort kluizenaar. Ik keek geen tv, ik las geen krant. Joke kwam iedere dag even kijken hoe het ging en dan maakte ik met haar een praatje, of met Bannink, die de vreemde gewoonte had 's avonds over het terrein rond te struinen. Soms liep ik als ik terugkwam van mijn joggingronde Harm tegen het lijf die zijn busje stond uit te laden, en maakte ik met hem een praatje. Dat waren wel zo'n beetje mijn enige verzetjes.

's Avonds in bed belde of skypte ik met Charlotte om haar van de laatste gebeurtenissen op de hoogte te brengen.

Ik vond het heerlijk met basale dingen bezig te zijn, niet meer mee te hoeven doen aan de rat race. Ik had nog maar twee doelen: ooms spullen veilen en hem uit Sparrenbos zien te krijgen. Dat waren mijn targets voor dit jaar. Desnoods nam ik hem zelf voor een tijdje in huis tot er weer een kamer vrijkwam bij Frank Postuma.

Nu kon ik eindelijk een geschikt veilinghuis gaan zoeken en orde gaan scheppen in de gigantische berg troep die oom en tante hadden verzameld.

Ze bewaarden letterlijk alles. Ik trof zelfs belastingaangiften uit de jaren zestig aan, stapels oude tijdschriften over het koloniale tijdperk en onderzoeken die oom ooit had gedaan.

In de Rosengrens-hangkasten ontdekte ik documentatie over de antiquarische boeken die ze door de jaren heen hadden verzameld.

De zolder lag bezaaid met ouwe troep, rijp voor de container. Het woord "weggooien" kwam in hun vocabulaire niet voor.

Gekleed in slechts een legergroen hemd en shorts zat ik even met een kop koffie uit te puffen op het terras voor de keukendeur.

Ik realiseerde me opeens dat ik ook nodig wat aan de tuin moest doen. Het werd hoe langer hoe meer een ondoordringbaar oerwoud. Ik vroeg me af hoe ik ooit orde zou krijgen in deze chaos. Over het pad langs het huis naar de keukendeur zou al gauw het loof van de bomen zo laag hangen, dat je moest bukken om niet in de takken verstrikt te raken. Er moesten nodig een paar bomen gekapt worden, anders kon ik straks het huis niet meer in. Hoe ik dat voor elkaar moest krijgen wist ik nog niet. Ik zag mezelf nog geen bomen omhakken. Zo langzamerhand kwam er geen straal zonlicht meer in huis.

Het gras moest ook hoognodig gemaaid worden, maar een grasmaaier had ik niet kunnen ontdekken tussen het tuingereedschap in de schuur.

Het eind was nog lang niet in zicht. Wilde je een behoorlijke prijs voor de boerderij krijgen, dan moest in ieder geval de tuin er een beetje toonbaar uitzien, vond ik.

In ooms werkplaats had ik een grote snoeischaar gevonden, waarmee ik de overhangende takken kon afknippen. Dat zou me nog wel lukken.

Na de koffie ging ik aan de slag. Als een ware tornado ging ik erdoorheen. Ik nam steeds grotere takken. In een mum van tijd lag het pad bezaaid met afgeknipte ledematen. Ik besloot ze naar de achterkant van de grote schuur te slepen en daar een stapel aan te leggen. Hoe ik die dan weer weg kreeg was van later zorg.

Ik had hem helemaal niet horen aankomen, zo ingespannen hing ik achterover op de grond, met alle kracht die ik in mij had, de grote armen van de snoeischaar bij elkaar te drukken om het dunne boompje om te krijgen.

'Gaat het? Of zal ik het effe doen?'

Ik schrok zo van de stem achter me, dat ik de snoeischaar losliet en plat op mijn rug op de grond viel.

Hij droeg een moderne, kleine bril, had een keurige spijkerbroek aan met een blauw overhemd. Daaronder droeg hij een T-shirt. Zijn donkere haar was modieus geknipt. De combinatie met de gladde, gebruinde huid en de helderblauwe ogen maakte hem fris en fruitig, alsof hij zo uit een frisdrankreclame kwam; terwijl ik meer op een onwelriekende, zwetende bostrol leek.

Hij stak galant zijn hand uit om mij omhoog te helpen.

Mijn bezwete hemd zat tegen mijn lijf geplakt. Het zachte briesje zorgde ervoor dat mijn tepels pront naar voren priemden. Mijn benen en armen zaten onder de schrammen. Uit het opgestoken haar hingen lange, losgeraakte slierten plakkerig langs mijn gezicht, en ik vermoedde dat het ook onder de vegen zat. Het liefst zou ik ter plekke verdampen.

'Ik ben Henk,' zei de jonge man, 'van Sandra weet je wel. De achterburen.'

'O-o... Ja-a,' riep ik infantiel.

Nu ik tegenover hem stond bleek dat ik een centimetertje of vijf groter was dan hij.

'Toen ik je zo bezig zag, dacht ik: Ik ga maar even langs. Sandra heeft je vast wel verteld dat wij van tuinieren houden.'

Hij kwam meteen met zijn motorzaag op de proppen. Ik kon een schalkse glimlach nauwelijks onderdrukken door wat Sandra mij daarover gezegd had. Hij vertelde trots dat hij ook nog een heggenschaar had die ook op benzine liep. Hij wees naar verschillende dichtbegroeide plekken. 'Ik wil met alle plezier je heg snoeien. Kijk daar... en daar moet ruimte komen. Nu verstikt alles. Wij willen je daar best mee helpen.'

Zijn blik peilde of ik hem niet te vrijpostig vond, maar ik vond het een schat.

Ik beet op mijn lip en knikte gretig. 'Heel graag,' zei ik. 'Ik kan wel wat hulp gebruiken.'

Eigenlijk voelde ik me behoorlijk betrapt, ik schaamde over hoe ik eruit moest zien. Ik vroeg of hij wat fris wilde.

'Ha ha... Nee, dat hoeft echt niet.'

Hij bekeek mijn bezwete lichaam. En ik drong niet aan.

'Kom anders vanavond bij ons een bak koffie halen,' zei hij. 'Dan kunnen we wat afspreken.'

'Oké. Gezellig.'

Ik liep met hem mee over het pad langs de schuur.

'Hier moet je Roundup op spuiten,' zei hij, 'dan is het onkruid zo weg.'

'Ja-a ja,' zei ik. Ik had geen idee wat "Roun dup" was.

Dat kon je zo halen bij Welkoop, zei hij.

'Welkoop?'

Henk moest alweer lachen en legde uit dat Welkoop een grote winkel in tuinspullen was. Hij bood heel lief aan mee te gaan, want ik had ook een goeie trimmer en een motormaaier nodig voor het gras. Dat moest eerst getrimd worden, zei hij, anders kwam je er met de maaier niet doorheen.

Net als Sandra laatst, verdween hij door het gat in de heg.

Blij dat ik eindelijk hulp kreeg, huppelde ik als een jong veulen terug naar de voorkant van het huis.

23

Het had me heel wat moeite gekost om er weer enigszins toonbaar uit te zien. Onder de douche had ik staan boenen op mijn handen en mijn voeten. Ze waren nog nooit zo smerig geweest. Maar na een grondige vijlbeurt en een beetje rode nagellak leek het alweer heel wat.

Mijn benen en armen zaten onder de schrammen. Geen rok dus, maar ook geen korte mouwen. Legging, korte rok, platte schoenen, modieus hemd met kanten rand en een tuniek, dat leek mij het beste.

Ik wist niet goed wat ik met mijn haar zou doen, gewoon los en lang? Nee, te wulps. Opsteken? Te streng. Lage of hoge staart? Hmmoi, nee toch maar niet, te gewoontjes. Twee vlechtjes? Hmm, best leuk... Nee, dan leek ik net op het Zeeuwse botermeisje of dat van Uniekaas. Toch maar weer de traditionele lange, losse vlecht. Ik keek in de spiegel. Bah, dat strakke haar kon echt niet, zo zag ik er op kantoor ook altijd uit.

Om acht uur stond ik met twee staartjes die aan de voorkant van mijn schouders hingen bij de Lochtenbergs op de stoep. Uit ooms wijnkelder had ik twee flessen merlot meegenomen.

Sandra deed open. We gaven elkaar spontaan twee dikke kussen alsof we hartsvriendinnen waren. Zo'n type was Sandra, ze voelde meteen "eigen". 'Meid, wat zie je er goed uit!' riep ze met een lange uithaal. 'En wat zit je haar leuk.'

Ik trok een gek gezicht, dat doe ik altijd als ik een compliment krijg. Niet dat ik er niet leuk uit wilde zien, maar als ze dat dan gingen zeggen...

Henk stond met een big smile in de deuropening van de woonkamer. Ik boog voorover en gaf hem ook een zoen. Hij werd er even verlegen van. Ik duwde de merlots in zijn handen en veegde mijn lipstick van zijn wang.

Ze woonden in een moderne nieuwbouwwoning. Hun inrichting vond ik smaakvol. Je kon zien dat ieder meubelstuk zorgvuldig was uitgezocht. Er stond niets te veel in de kamer. Ik ging op de bank zitten.

Sandra zette koffie met een appelpunt voor me neer. Ze klapte op haar heupen. 'Jij kunt dat nog wel hebben, maar ik moet uitkijken,' zei ze. 'Bij mij vliegt het eraan tegenwoordig.'

'Blijf je hier lang?' vroeg Henk.

Ik zei dat ik dacht een jaar te blijven.

'Heb je een sabbatical opgenomen?' vroeg hij verder.

'Ja, om mijn ooms zaken te regelen.'

Ze knikten begripvol.

'Wat doe je eigenlijk voor werk?' vroeg Sandra, die me net verteld had dat ze assistente was bij een chirurg in Doetinchem, en dat Henk senior engineer was bij een bedrijf dat in medische apparatuur deed.

Henk vertelde dat hij veel langs de weg zat en daarom in een leasebak reed.

'Ik werk bij een bank,' zei ik. Ik vond het niet nodig om daar verder over uit te wijden.

'Aha,' zei Henk. 'Merk je daar nou veel van, van al die bonussen?'

Sandra redde me. 'Zeg, kun je eigenlijk onze tuin goed zien als je boven door het grote raam kijkt?' vroeg ze 'Ik zeg zo vaak tegen Henk. Kijk nou een beetje uit, straks zien ze je nog als je zo bloot rondloopt.'

Het was dus niet alleen oom die de neiging had om bloot naar buiten te lopen. Ik vroeg me af wie hier in de buurt nog meer bloot rondliep, en nam mij voor nu toch met enige regelmaat eens door het bovenraam te gluren.

Henk leunde quasi-verongelijkt achterover in zijn stoel.

Ik keek even naar zijn handen.

'Ik zou het echt niet weten,' zei ik. 'Ik gluur nooit. Trouwens ik heb zelf last van een gluurder.'

'Dat is Bannink!' riep Sandra uit. 'Die loopt 's avonds altijd over jouw erf te struinen. Dat doet-ie sinds jij er woont. Ik zeg zo vaak tegen Henk: Moet je nou zien, daar loopt hij weer. Wat heeft zo'n man daar nou te zoeken?! Ja toch! Wat heeft zo'n man daar nou in gódsnaam te zoeken?!'

Ik trok mijn schouders op. 'Tsja. Ik zou het ook niet weten,' zei ik. Ik vond dat daarmee wel zo'n beetje alles gezegd was wat erover te zeggen viel.

'Ik zeg het zo vaak tegen Henk,' begon Sandra opnieuw. 'Zeg jij nou ook eens wat Henk.'

Henk knikte naar zijn vrouw, en zei: 'Eh... Jaha, zeker ja.'

'Ik kan me niet voorstellen dat hij iets kwaads in de zin heeft,' zei ik maar. Ik wilde niet dat ze Bannink er kwaad op zouden aankijken. Straks was ik nog de oorzaak van een burenruzie.

'Nehee...!' riep Sandra. 'Maar hij heeft op jouw erf niks te zoeken. Ik houd daar gewoon niet van. Als je daar niks te zoeken hebt dan hoor je daar niet te komen.'

Tegen twaalf uur liep Sandra met me mee naar de achterkant van de tuin. Ze zei dat daar hun geheime ingang was. 'Dan hoef je niet om te lopen. Ziet niemand je,' hikte ze. Net als ik, bleek ze ook niet echt tegen alcohol te kunnen.

Ik sloeg mijn ene been over het gespannen ijzerdraad en riep keihard: 'Au mijn kut! Godverdegodver.'

Sandra stond met haar hand in haar kruis te gillen dat ze moest plassen.

Waar Henk gebleven was wist ik niet, maar die stond waarschijnlijk ook wel ergens te plassen, vermoedde ik. Hij kon natuurlijk ook zelfmoord hebben gepleegd, met twee van die rare wijven.

'Ik ga naar binnen, doe doei. 't Was gezellig!' riep ik, maar het kan ook zijn dat ik dacht dat ik het riep. Als je straalbezopen bent roep je wel vaker wat, of juist niet.

Toen ik het zijpad langs het huis op liep, zag ik een donkere figuur wegvluchten over de oprit.

'Hi hi. Dahaag, meneer Bannink, goede-(hik)-navond!'

Volgens mij verdween hij in de bosjes, maar het kon ook in een groot gat zijn.

Toen ik in bed lag schoot opeens in mijn gedachten dat mijn auto ook aan een grote beurt toe was.

24

Voordat ik het lijstje met aan te schaffen tuingereedschap, dat Henk voor me had opgesteld, ging afwerken, besloot ik even bij oom langs te gaan. Die mocht ik niet verwaarlozen.

Ik scheurde over het terrein van Instituut Sparrenbos en parkeerde mijn auto voor Boslust nr. 4. De keukendeur stond open, dus struinde ik door de keuken naar binnen. De twee keukendames waren te verbouwereerd om er iets van te zeggen.

Ik riep nog: 'Goedemorgen dames!' en verdween door de deur naar de gang.

Daar kwam ik een verpleegster tegen. 'Hoi!'

'Hoi.'

Als een wervelwind vloog ik de recreatiezaal binnen, maar oom zat er niet.

De verpleegster liep haastig achter mij aan.

'Waar is mijn oom?' vroeg ik.

'Er is iets naars gebeurd,' zei ze. 'Hij is vanmorgen gevallen.'

'Zo! Mooi is dat. En waar is hij dan nu?'

'Bij de dokter. Zijn wenkbrauw moest gehecht worden.'

Ik vroeg waar ik die dokter dan wel kon vinden. Je moest ook werkelijk alles eruit trekken bij deze mensen. Als jij niks vroeg, dan hoefde je niet te denken dat ze je uit zichzelf op de hoogte hielden. Ze hadden me ook even kunnen bellen. Dat had ik wel zo netjes gevonden. Al zou hij van drie hoog te pletter zijn gevallen, dan zou ik dat waarschijnlijk ook pas te horen krijgen op het moment dat ik hem kwam opzoeken.

Ze wees naar de toegangsdeur van de gang. 'De volgende gang door, dan de derde deur aan de linkerkant.'

Zonder iets te zeggen stoof ik weg.

In de tweede gang probeerde Celine tevergeefs mijn opmars te breken.

'Goedemorgen,' zei ik met nadruk.

'Mevrouw, mevrouw...' riep het mens me na.

'Jaja-a,' riep ik terug, ik had nu even geen zin in dat spook.

Zonder te kloppen zwiepte ik de deur open. Oom zat ontdaan in een rolstoel. Hij had een zwaluwstaart op zijn wenkbrauw. De vrouwelijke arts en de verpleegster keken verbaasd om. Zonder ze een blik waardig te gunnen hurkte ik voor oom neer, streelde over zijn wang en inspecteerde zijn hoofd of er nog meer verwondingen zaten. Zijn oog was wel helemaal blauw, maar voor de rest viel het mee.

'Hoe kan zoiets gebeuren?!' vroeg ik giftig.

'Meneer was vanmorgen een beetje wankel,' zei de verpleegster, keek toen naar oom. 'Toch, meneer Brandal?'

Het kwam mij niet bekend voor. Oom was van alles, maar niet wankel.

'Hij wordt waarschijnlijk wat duizelig van de medicijnen, dat zie je wel vaker,' zei de dokter. Ze keek me aan alsof het de gewoonste zaak van de wereld was, en dat ik het dus maar moest accepteren als iets wat er gewoon bij hoorde.

Net op het moment dat ik het mens eens flink haar vet wilde geven, verscheen die van maatschappelijk werk als een spookverschijning in de deuropening.

Heb je haar ook weer, dacht ik.

'En waar kom jij je nou weer mee bemoeien overjarige placenta, met je perkamenten rotkop?' lag op het puntje van mijn tong, maar ik had haar nog nodig voor de heroverweging van ooms situatie, dus hield ik me in.

Het vervelende was dat Celine zich niet inhield. 'Mevrouw Scheltinga. Het is niet de bedoeling dat u hier te pas en te onpas komt binnenstormen. De bezoektijden zijn doordeweeks van twee tot vier, en 's avonds van zeven tot acht. Alleen in de weekends hebben we een extra bezoektijd ingesteld tussen tien en twaalf. Dat geldt ook voor u.'

'Maar nu ik er toch ben,' gaf ik vilein terug, 'neem ik mijn oom even mee naar buiten.' Meteen duwde ik met een provocerende glimlach de rolstoel met oom erin voor haar langs.

Celine keek me doordringend aan, alsof ze me daarmee dacht tegen te houden. De witte jassen zwegen veelzeggend.

'Nou ja, zeg,' blies ik. 'Ik breng hem ruim voor de lunch weer terug, wees maar niet bang. Ik ontvoer hem niet.'

'Vooruit dan maar,' zei Celine. 'Maar hier maken we geen gewoonte van.'

Celine moest nu eenmaal altijd het laatste woord hebben. Ik ging er maar niet op in. Alhoewel het me speet dat ze er weer mee wegkwam. 'Dank u!' riep ik, zonder om te kijken. Ondertussen gaf ik oom een kneepje in z'n schouder. Met de handen in zijn schoot verkneukelde hij zich zichtbaar.

Lopend achter zijn rolstoel keuvelde ik aan een stuk door. Over de mooie bomen, die toch eigenlijk veel hoger waren dan in het westen, over de mooie omgeving waar je helemaal tot rust kwam, dat ik het zo gezellig vond met hem te wandelen.

Oom was niet bijster spraakzaam. Hij maakte een gelaten indruk.

Bij het bankje in het park draaide ik de rolstoel, zodat ik oom kon aankijken.

Zijn schoenveter zat los. Ik hurkte naast hem neer om de veter vast te maken.

Oom boog helemaal voorover en gluurde onbeschaamd in mijn decolleté. Toen de veter vastzat keek ik lachend omhoog. Oom hield op een olijke manier zijn wenkbrauwen opgetrokken, alsof hij zeggen wilde: 'Nou nou, dat was even mooi.'

Uit mijn tas haalde ik een reep chocola, puur, want daar hield hij zo van. Dat hadden de dames van de thuiszorg me tot vervelens toe laten weten in de tijd dat ik op oom paste. Het eerste stukje smolt in zijn hand. Hij kon blijkbaar niet meer bedenken dat hij het in zijn mond moest stoppen. Ik veegde zijn hand schoon met een tissue, brak een vers stukje af, en stopte het in zijn mond.

Hij vond het heerlijk. Uit zijn mondhoek liep een donkerbruine pasta die stolde in zijn baard. Zo had ik hem thuis nog nooit zien knoeien. Met een vinger opende ik zijn mond. Hij had zijn plaatje niet in, daarom zat hij zo te mummelen.

Ik gaf hem nog een paar stukjes, daarna liepen we weer rustig terug naar Boslust nr. 4.

Oom had al die tijd gezwegen, maar ik zag dat hij had genoten.

Toen ik hem met behulp van een verpleger had geïnstalleerd aan de grote tafel, waar ze bezig waren met de voorbereiding van de lunch, gaf ik hem een knuffel. Ik zei dat ik zondag weer zou komen kijken.

De verpleger had waarschijnlijk van hogerhand opdracht gekregen om erop toe te zien dat ik op tijd zou vertrekken, want hij liep helemaal met me mee naar de uitgang.

'Waarom heeft hij zijn gebitplaatje niet in?' vroeg ik. 'Zo kan hij toch niet eten. Straks verslikt hij zich nog.' Ik keek hem pissig aan.

Hij zei dat het plaatje waarschijnlijk nog op zijn kamer lag.

Ik draaide me meteen om, om het te gaan halen.

'Ho ho, waar gaat u naartoe?' riep de verpleger. Hij greep mijn arm vast. 'Ik zal ervoor zorgen dat hij het nog voor het eten in zijn mond krijgt, maar nu moet u echt vertrekken.'

Hij wilde mij al haast naar buiten duwen, maar kon zich nog net inhouden. Dat had hij ook niet moeten proberen trouwens, want dan had ik toch echt mijn hak in zijn voet gezet.

'Daar moet ik dan maar op vertrouwen, hè,' beet ik terug.

'Heus, mevrouw, ik zal er persoonlijk op toezien.'

Hij bleef in de deuropening staan om er zeker van te zijn dat ik in mijn auto stapte.

Ik schoof mijn zonnebril naar beneden. Bij het wegrijden wuifde ik uitdagend met mijn vingers naar hem.

In de achteruitkijkspiegel zag ik dat hij er nog steeds stond. Hij stond me vast te verwensen. Het kon natuurlijk ook zijn dat hij op me viel. In ieder geval was hij míjn type niet. Dat was niet zo vreemd, want bijna geen enkel type was mijn type.

'Sukkel!' schamperde ik hardop, toen ik het pad afreed.

25

In de Welkoop winkel kon je alles op tuingebied kopen, volgens Henk dan. En die kon het weten, want hij had tenslotte een leasebak en deed in medische apparatuur.

Ik grinnikte om mijn eigen gedachtekronkel. Met een uitgestreken gezicht deed ik alsof ik precies wist wat ik moest hebben. Met het boodschappenlijstje van Henk voor mijn neus, liep ik langs de schappen. Niet dat ik enig verstand had van tuinspullen, maar de afdeling waar de grasmaaiers stonden was míj zelfs niet ontgaan. Er stonden er zoveel, ik had werkelijk geen flauw idee welke ik zou moeten nemen.

Twee jonge kerels stonden tegen de muur geleund, geamuseerd naar me te kijken.

Ik keek even schalks over mijn schouder, maar trok meteen weer een gezicht waarvan ik dacht dat het er wel vakkundig uitzag. Ik deed of ik ieder apparaat nauwkeurig bestudeerde, maar gluurde ondertussen vanuit mijn ooghoeken of ze er nog stonden.

Een van de mannen liep naar mij toe, en vroeg: 'Kump oe d'r een bitjen uut.'

Ik slaakte een diepe zucht. 'Nou kijk,' zei ik. 'Wat ik in ieder geval wel weet, is dat ik dit moet hebben.' Ik liet hem het lijstje zien.

'Aha,' zei de man.

Dat klinkt hier net zoals in het westen, dacht ik hoopvol.

Na mij een poosje te hebben aangegaapt, zei hij: 'Ik begriep 't al. Een stadse gort'n dretter.'

'Pardon?'

'Een stadse...' Hij maakte een wegwerpgebaar. 'Laat maar.' Hij liet het Achterhoeks nu achterwege en sprak mij in mijn eigen taal aan. 'Is het een groot grasveld?'

'Het is het grasveld van mijn oom,' antwoordde ik.

'Jah,' verzuchtte hij, draaide met zijn ogen en deed of hij flauwviel, alsof ik het stomste wezen was dat hij ooit was tegengekomen.

Waarom wist ik niet, maar ik voelde een slappe lach opkomen. Ik wees een maaier aan waarvan ik de kleur en het model wel leuk vond. 'Deze lijkt me wel wat,' zei ik, 'die heeft tenminste een beschaafd kleurtje.'

Ik zag de jongeman verschieten. Heel raar, maar de ander was opeens verdwenen. Niet dat me dat iets kon schelen, maar raar was het wel.

'Hoe heet je?' vroeg hij.

'Puck,' zei ik. Ik besefte te laat dat het vreselijk braaf klonk. Daarom grinnikte ik maar wat.

'Goed Puck.' Het klonk alsof hij zijn kleine zusje hielp bij het uitzoeken van een ijsje. Hij pakte resoluut een maaier uit de rij.

Dat was nou precies het apparaat dat ik nooit uitgezocht zou hebben. Al was het maar vanwege de kleur, blauw met rode wielen. Ik vond het ding werkelijk afschuwelijk.

'En jij?' vroeg ik. Hij keek mij vragend aan.

'Hoe heet jij?'

'O, ha ha. Wull'm!'

'Wulm??'

'W i l l e m.'

'Oh, sorry.'

'Geuf nie.'

'Dus dit zou hem dan moeten zijn?' zuchtte ik. 'En hoe… eh…?'

Hij glimlachte: 'Deze heeft aangedreven wielen. Hoef je alleen deze hendel maar in te knijpen en dan gaat-ie. Is ook makkelijk aan te trekken, loopt op normale benzine. EURO vijfennegentig. Gewoon bij de pomp.'

'En waar zit de startknop?' vroeg ik.

'Ne-e-e, antrekken.'

'O,' zei ik, 'maar ik heb er toch liever een met een startknop.' Ik keek hem suikerzoet met toegeknepen ogen aan om hem te vermurwen. Ik wist dat de meeste mannen voor die blik vielen.

Aan de manier waarop hij reageerde concludeerde ik dat dit wel de stomste opmerking moest zijn die ooit in deze winkel gemaakt was. Hij deed niet eens meer moeite om zijn lachen in te houden. ''t Is geen auto,' zei hij. 'Maaiers hebben nooit geen startmotor.'

'Het is "geen" of "nooit", maar nooit "nooit geen",' verbeterde ik hem, maar daar ging hij niet op in.

'Dat is dubbel,' zei ik.

Hij keek nogal oenig, alsof ik hem gevraagd had hoe groot zijn pik was.

'Maar waar moet ik dan aan trekken?' vroeg ik.

Hij wees met zijn voet een zwarte, plastic handgreep aan. 'Probeer maar.'

'Ja zeg,' zei ik, vechtend tegen mijn slappe lach. 'Ik ga hier een beetje aan zo'n ding staan trekken.'

'Kijk zo.' Hij gaf een flinke ruk aan het koord.

'Tjonge, moet je er zo hard aan rukken?' gilde ik. 'Ik weet niet of ik dat wel kan.'

Of het nou door mijn dubbelzinnige opmerkingen kwam wist ik niet, hij sloeg een hand voor zijn hoofd. 'Tjonge jonge!' riep hij uit, griste toen het lijstje uit mijn hand, en zei: 'Geef maar hier, dan breng ik de spullen vanavond wel bij je langs, laat ik je meteen zien hoe alles werkt.'

Ik trok verbaasd mijn wenkbrauwen op.

'Doe ik er twee verlengsnoeren en wat extra draad voor de trimmers bij,' zei hij. Het klonk alsof ik overtuigd moest worden toch vooral met hem in zee te gaan.

'Moet ik die trimmers soms ook aantrekken?' vroeg ik.

'Nee,' zei hij, 'daar zit een knop op.'

'Joh...!' Ik gaf hem een enorme por.

'Bij de Brandals?' vroeg hij toen hij mijn adres opschreef. 'Dan ben ik je achterbuurman. Ik ben van die caravan op het graslandje.'

Ik kreeg er een kleur van. 'O, wat leuk,' zei ik net iets te overdreven, leunend op mijn linkerbeen, terwijl ik hem strak bleef aankijken.

Hij pakte een doos, deed daar twee grote flacons Roundup in, en duwde een briefje in mijn hand. Ik dacht dat hij mij zijn mobiele nummer gaf.

'Voor de kassa, om af te rekenen,' zei hij ontnuchterend. 'Wip ik vanavond zo rond half acht even bij je langs.'

'Leuk... Gezellig,' zei ik gretig. Mijn hart zat zowat in mijn keel.

Bij het afrekenen bekeek ik mijn sprankelende achterbuurman nog eens goed. Hij had gemillimeterd, blond haar en helderblauwe ogen in een gebruind gezicht. Zo te zien had hij een gespierd lichaam. Ik liet mijn ogen vluchtig over zijn vingers glijden. Geen trouwring. 'Vindt je vrouw dat zomaar goed?' vroeg ik langs mijn neus weg.

'Ik ben single,' zei hij, 'en dat wil ik graag zou houden ook.'

'Oké. Dag W u l l e m, tot vanavond.'

Toen ik naar de auto liep, voelde ik dat hij naar me stond te kijken. Niet dat ik wilde omkijken, voor geen prijs, zo was ik niet, en zo zou ik nooit worden ook. Maar nu keek ik om.

Thuis realiseerde ik me dat Willem me meer gedaan had dan ik voor mogelijk had gehouden. Voor de zekerheid nam ik gauw een douche. Stel je voor dat Willem het langswippen letterlijk opvatte.

'We leven tenslotte op onze driften,' zou Charlotte zeggen. Maar dat gold natuurlijk niet voor mij...

De meeste vrouwen van mijn leeftijd werden zich bewust van hun biologische klok en kregen de oerdrang om te baren. Ik had dat helemaal niet. Ik wilde juist níét baren. Thuis dacht ik daar nooit zo over na. Hier peinsde en filosofeerde ik me suf, over van alles en nog wat. Ik dook in onderzoeken die oom gepubliceerd had, doorleefde de dingen die me overkwamen. Het schild dat ik om mij heen had opgetrokken om niet gekwetst te worden begon langzaam af te brokkelen. Was ik nu weerloos? vroeg ik mezelf af. Of was dit juist: "Het leven"?

In de dossierkasten die in de bibliotheek stonden trof ik mappen vol met artikelen aan. De meeste gingen over de Tweede Wereldoorlog en Nederlands-Indië. Door in al die paperassen te grasduinen kwam ik steeds meer aan de weet over mijn zonderlinge oom en tante.

Als iets hun interesse wekte dan wilden ze er ook alles over weten. Ze deden nooit iets half, getuige de grote doos met alle versies van Word Perfect en DOS, of de kast vol met alle uitgaven van Alleen op de wereld van Hector Malot.

Boven stond bijvoorbeeld een hele kamer vol met skeletten en doodshoofden van de meest uiteenlopende diersoorten. Volgens mij zaten er zelfs een paar bij die van een mens waren.

In een grote vitrine stonden potten waarin embryo's dreven. Toen oom nog "normaal" was, was hij ook al vreemd.

Zo kwam ik ook een heel onderzoek tegen over kippen, met enge foto's van kippen die vier poten hadden. Oom vond dat de kippen meer leefruimte moesten krijgen. Volgens mij moest dat ook wel, want als je over vier poten beschikte dan wilde je lopen ook.

Op zolder stond een stapel schoenendozen, met daarin alle ansichtkaarten die ze ooit hadden ontvangen. Er zaten ook ansichtkaarten tussen die oom naar huis gestuurd had wanneer hij weer eens een congres in het buitenland bezocht. De kaarten waren altijd aan 'De jongetjes Brandal' gericht. Oom Gerhard hield zielsveel van zijn kinderen, dat bleek wel uit de tekst. Eén kaart trof me het meest, waarop geschreven stond: "Nicolaas, grote vent. Jij bent nu de man in huis. Let je goed op moeder dat ze geen stoute dingen doet?" En aan de jongste: "Louis, ben jij mijn grote vriend? Ja hè. Wij weten dat moeder eigenlijk een nijlpaard is, maar dat is ons geheim."

Ik trof geen enkele kaart aan voor zijn vrouw. Zijn vrouw werd slechts zijdelings in de ansichten genoemd, meestal in denigrerende zin. Moeder was dom, moeder was een heks, moeder was stout, moeder was een nijlpaard, moeder was een monster, en als moeder stout was dan moesten ze haar maar opsluiten. Het had iets dubbels vond ik.

Ik voelde me een voyeur wanneer ik avond aan avond in de onderzoeken van oom zat te lezen. In bed bekeek ik vaak de oude fotoalbums. Daaruit bleek hoe hun jeugd geweest was.

Oom Gerhards vader had een leerlooierij op Java. Uit de manier waarop zijn vader zich liet afbeelden, concludeerde ik dat het een feodaal heerser geweest moest zijn. Mijn opa had een droogdokmaatschappij in Soerabaja. Oom en tante hadden dus een rijke koloniale jeugd gehad.

Ik had ook een album met foto's van de geboorte van hun eerste zoon ontdekt. Iedere fase was prominent in beeld gebracht. Dat was voor die tijd, eind jaren vijftig, behoorlijk gewaagd. Zelfs in deze tijd zou ik niet zo te koop willen liggen, alleen omdat mijn man bioloog is, om daarna als interessant natuurverschijnsel aan vriend en vijand getoond te worden.

Soms sloot ik even mijn ogen en probeerde me voor te stellen hoe ze hier rondschuifelden te midden van hun kunstschatten, papieren, artikelen, kranten, atlassen, boeken en oude jaargangen van tijdschriften.

De rode draad was wel het koloniale verleden en de Tweede Wereldoorlog. Uit alles sprak hun heimwee naar de Oost.

Hoe bizar het misschien ook moge klinken, oom en tante hadden veel van elkaar gehouden, dat merkte je ook aan alles. Heel langzaam adopteerde ik het gevoel dat ze in dit huis hadden achtergelaten.

26

Willem bleek een man van de klok. Hij kwam drie kwartier later dan hij had afgesproken. Uitgerekend toen ik voor de zoveelste keer op het toilet zat, klopte hij op de keukendeur.

'Ik kom eraan!' riep ik.

Gelukkig bleef hij netjes voor de deur wachten.

Toen ik met een verlegen glimlach in de deuropening stond, zei hij: 'Nou, kom op, meid, dan laat ik je zien hoe de maaier werkt.' Hij deed de laadklep van zijn Chevy open, tilde het apparaat eruit en liet me zien waar de olie in moest. 'Want dat is belangrijk,' zei hij. De dop was tevens de peilstok, legde hij uit, maar dat ik wel op het bovenste streepje moest letten. Toen wees hij op het onderste streepje en zei: 'Hier mag het oliepeil beslist niet onder komen. Nooit meer dan een halve liter bijvullen. Snap je dat?' Het klonk bijna wanhopig.

'Als mijn ruitensproeier leeg is vraag ik altijd aan de garage of ze hem even bijvullen,' zei ik, terwijl ik hem stralend aankeek.

Ik zag aan zijn blik dat hij mij een hopeloos geval vond.

Het enige waar ik gebiologeerd naar had gekeken, waren zijn handen. Nu wist ik precies hoe groot die van hem was. Volgens Charlotte kon je dat aan de vingers van een man zien.

Willem had overal aan gedacht. Hij legde alles tot in de kleinste details uit, dat vond ik heel lief van hem. Wat ervan is blijven hangen, is de klank van zijn stem en de soepele manier waarmee hij zich als een panter bewoog.

Toen hij aan de grastrimmers wilde beginnen, zei ik: 'Als ik iets niet weet, dan roep ik toch gewoon jou erbij, of Henk.'

Ik had er zo langzamerhand schoon genoeg van. Dat was ook niet verwonderlijk, want ik kreeg meestal gauw genoeg van alles wat met techniek te maken had. Het boeide me voor geen meter. Hij had wat mij betreft nog uren door kunnen gaan, maar dan had ik er een stoel bij gepakt, al was het maar om naar zijn gespierde lichaam te gaan zitten kijken.

'Kom je nog even mee voor een glaasje?' vroeg ik.

Dat wilde meneer wel.

Binnen duwde ik hem meteen de fles Chateau Lamothe Bergeron 1989 en de kurkentrekker in zijn handen.

Hij keek aandachtig naar de fles. 'Zoho, dat is niet mis,' zei hij. 'Zou je dat nou wel doen?'

'Ik heb hier nog vierentwintig flessen van in de kelder liggen,' zei ik.

'Hmm.' Hij knikte.

Waarschijnlijk vond hij mij een overdreven trut. Ik kon mijn tong wel afbijten.

Ik keek toe hoe hij in één keer de kurk uit de fles trok. Mij lukte dat nooit. Hij rook eraan als een kenner, schonk zichzelf een klein scheutje in, nam een slok, hield de wijn een tijdje in zijn mond, slikte door en hield het glas scheef, zodat de wijn tot aan de rand van het glas kwam.

'Uitstekende wijn,' zei hij gewichtig. 'Kom je niet iedere dag tegen. Mag je alleen schenken aan wijnliefhebbers.'

Deze "gewone" winkelbediende verraste me.

Hij keek de kamer rond. 'Dus hier leefden ze dan, de oudjes,' zei hij plechtig.

'Tja,' zei ik. 'Wel een beetje een afgebrande troep misschien.'

'Helemaal niet, meer heb je niet nodig. Al die luxe is nergens goed voor.'

Hij stond op, liep naar de boekenkast en liet zijn oog over de boeken glijden. Uiteindelijk haalde hij er een boek uit over Papoea's, daar bladerde hij wat in. 'Kijk dat vind ik nou interessant,' zei hij. 'Deze mensen leven gewoon in de natuur. Meer hebben ze niet nodig.'

Ik ging naast hem staan.

'Denk maar niet dat in die hutjes een koelkast staat,' ging hij verder. 'En wij kunnen geen dag zonder.'

'Dat is waar, ja,' zei ik.

Ik had het onooglijke ijskastje van oom en tante, waar je geen pak melk behoorlijk in kwijt kon, net vervangen door een grote combi met het koelgedeelte op ooghoogte. Daar begon ik me nu bijna schuldig over te voelen.

Ik wees op een afbeelding van drie mannen met enorme peniskokers. 'Kijk,' zei ik. Het was eruit voor ik er erg in had.

'Ja,' zei Willem. 'De mens in z'n meest pure vorm.'

'Ja, zeg dat wel,' zei ik met hese stem. Mijn hart hamerde in mijn borst. Ik voelde me ongemakkelijk en opgewonden.

Hij bladerde aandachtig door.

Willem rook zoals ik vond dat mannen moesten ruiken. En ineens werd ik ook een mens in z'n meest pure vorm. Ik bestond louter uit borsten en een onderbuik. Ik kreeg er de kriebels van. Het weeë kippenvel aan de binnenkant van mijn dijen trok door tot in mijn kruis.

Toen we naar onze zitplaats liepen bleef hij even staan bij de ivoren netsukes. Daar bleek hij ook al verstand van te hebben. 'Kijk, deze heeft twee gezichten,' zei hij. Hij trok aan iets en toen keek het lachende mannetje opeens heel boosaardig. 'Zeker duizend euro waard,' merkte hij op. 'Moet je hier niet zo laten staan.'

Hij schonk met de nodige aandacht onze glazen weer vol.

'Hoe weet je dat allemaal?' vroeg ik.

'O. Ik lees nog weleens wat. En ik heb veel gereisd. India, Pakistan, China, Japan, Australië, Afrika.'

'Cool.' Ieder ander woord zou niet precies mijn gevoel hebben weergegeven. Ik had in mijn hele leven nog nooit gezegd dat iets "cool" was. Meestal vond ik dingen "stom" of "te gek", maar nooit "cool"...

'Ben je ook in Amerika geweest?' vroeg ik, omdat dat zowat het enige land was wat hij niet had genoemd.

'Nee. Amerika haat ik,' zei hij. 'Ik ben nu aan het sparen voor Canada. Misschien dat ik dan naar Alaska doortrek.'

'Niet om het een of ander,' zei ik, 'maar Alaska is toch ook

Amerika.' Ik wilde echt niet vervelend doen, maar het was wel waar.

'Alaska is toch heel wat anders.'

'Stom wijf...' Dat zei hij niet, maar het klonk wel zo.

'Daar heb jij weer gelijk in,' zei ik.

We zwegen even. Ondertussen werd mijn menselijke vorm steeds puurder, net als bij die mannen met hun peniskokers.

'Goh,' zei ik na een tijdje, 'dat had ik helemaal niet achter jou gezocht.'

'Nee, maar je kent mij ook helemaal niet.'

'Dat is waar, ja.'

'Blijf je hier wonen?' vroeg hij.

'In ieder geval voor een jaar.'

'Hmm.' Hij knikte weer.

'Ik moet eerst alle kunst zien te verkopen, dan pas de boerderij. Anders kan ik mijn ooms verzorging niet betalen.'

'Haal je hem weg uit dat gekkenhuis?' vroeg hij.

'Ja, ik heb al wat anders. Ook in Warnsveld. Huize De Weegschaal.'

Willem vroeg waarom ik hem niet gewoon in huis nam. 'Laat je hem hier lekker zijn gang gaan.'

Ik vertelde hoe ze oom buiten mij om hadden afgevoerd en dat hij voor mij helemaal niet weg had gehoeven.

Willem leunde met de ellebogen op zijn knieën, en zuchtte: 'Tja, regeltjes regeltjes regeltjes, stapelgek word je ervan. Zo gaat dat hier. Als iemand een beetje excentriek is sluiten ze hem op. Ik zie de oude man hier nog rondstruinen in zijn bruine badjas. Wie heeft daar nou last van...? Daar heeft toch niemand last van!'

Zijn verontwaardiging klonk oprecht.

'Nee,' zei ik. 'Ik zou het ook niet weten. De achterburen misschien?'

Hij moest lachen, maar ging er niet op in.

'En jij past nu op zijn spullen?' vroeg hij verder.

'Ja.'

'Daar moet je met respect mee omgaan...'

'Heb je eigenlijk een vriendin?' vroeg ik.

'Nee, mij niet gezien.'

'Dus er is geen dorpse schone die jou heeft kunnen strikken?'
'En dat wil ik graag zo houden.'

Dat had hij vanmiddag ook al gezegd. Ik vroeg me af hoeveel glazen wijn hij nodig zou hebben om mij als een wild dier te bespringen. We hadden al twee flessen wijn soldaat gemaakt, het was al twaalf uur. 'Zal ik een nieuw flesje naar boven halen?' vroeg ik.

Maar Willem stond op. Hij zei dat hij er maar weer eens vandoor ging.

'Ah nee! Nu al!' riep ik. Mocht het hem nog niet zijn opgevallen hoe puur ik inmiddels was geworden, dan wist hij het nu.

Hij liep naar de deur, draaide zich om en wenkte naar me met zijn wijsvinger. 'Kom eens,' zei hij met een machoglimlach.

Ik waggelde half teut naar hem toe. Hij greep me bij m'n middel en draaide me met mijn rug naar zich toe. Voor ik er erg in had gleden zijn handen over mijn borsten. Ik gooide vol overgave mijn hoofd in zijn nek. Zijn lippen drupten langs mijn hals, eindigend bij mijn oorlelletje. Plotseling liet hij me los, stapte naar buiten en keek mij lachend aan.

'Je bent een lekkere meid. Ik kom nog wel eens langs. Nog bedankt voor de wijn.'

Zo, dacht ik, die is heftig.

'Gemenerik!' riep ik in het donkere gat waarin hij verdwenen was. Ik bleef staan totdat ik de lichten van zijn auto zag aanfloepen en zijn achtcilinder hoorde wegstampen in de nacht.

Ik moest denken aan wat ik laatst in de spullen van oom gevonden had. Het was een lezing over dierenleed. Het ging over ganzen. Hij deed nauwgezet uit de doeken hoe paté de foie gras gemaakt werd. De beesten zaten met hun poten op een plank vastgespijkerd, terwijl het voedsel met een trechter door hun strot naar binnen werd gegoten. Op die manier verbrandden ze hun voedsel niet en werd de lever extra groot.

Zo had Willem mij vanavond ook laten zitten, vastgespijkerd op een plank, met een verlangen waar ik niet aan had kunnen toegeven. Ik was zo opgefokt dat ik het nog drie uur heb zien worden.

27

Om twaalf uur zouden Sandra en Henk me komen helpen in de tuin. Met een kop als een houtblok stond ik al om zeven uur onder een loeihete douche.

Het was zaterdag, dus kon ik om tien uur al bij oom terecht, zonder dat ik op m'n donder zou krijgen van Celine. Op de terugweg had ik dan ook nog tijd om broodjes te halen bij de warme bakker.

Het prachtige meiweer deed verwoede pogingen mijn humeur op te vijzelen, dat lukte aardig, zolang ik vandaag Willem maar niet tegenkwam. Mijn maag had zich tegoed gedaan aan de muesli en een bak slappe thee.

In een kleurig blousontopje met driekwart pofmouwtjes en een witte capribroek met daaronder witte, opengewerkte pumps, stond ik om half tien voor de grote gevangenisdeur om door de cipier van de dag naar binnen te worden gelaten.

Het eeuwige gevecht met mijn haar had vandaag een laat-maar-loshangen resultaat opgeleverd.

Ene Simon deed open. Nog voor hij wilde gaan zeggen dat ik een half uur te vroeg was en dat dat zo maar niet kon, want stel je voor dat iedereen dat deed, stoof ik hem voorbij. Voor de deur van de afdeling zware gevallen moest ik mijn zegetocht staken. Ik keek om naar Simon, die mij gevolgd was.

Blijkbaar was ik inmiddels zo over de tong gegaan, dat iedereen wist wie ik was.

'U komt zeker voor meneer Brandal?' vroeg Simon.

'Ja, kun je misschien even opendoen?'

'Als u hier even wacht, dan kijk ik of meneer al klaar is.'

Ik zeeg ongeduldig en moedeloos op de houten bank neer, die daar tegen de muur stond. Ik had een pesthekel aan wachten. Op de bank hoefde ik nooit te wachten; daar haalden ze het niet in hun hoofd om mij te laten wachten, want dan konden ze een uitschijter krijgen.

Na een minuut of vijf kwam hij terug. Aan zijn gezicht zag ik al dat er weer eens iets mis was.

'U mag wel even bij hem. Hij ligt nog in bed. Hij wil er niet uit vandaag, ben ik bang.'

Ik stoof op. 'Hoezo, hij wil er niet uit! Wat is dat nou weer voor onzin?!'

'Meneer heeft een heel onrustige nacht gehad. We hebben de dokter erbij moeten halen. En nu zit hij onder zware medicatie.'

'Jaja,' zei ik. 'Jullie hebben hem dus gewoon weer platgespoten.'

'Zal ik u even naar hem toe brengen?' vroeg Simon.

'Dat zou ik maar doen, ja.'

Oom lag vastgebonden in bed luid te snurken, soms haperde zijn ademhaling, en net als je dacht dat hij erin zou blijven kwam er weer een luide knor.

Ik keek voorzichtig even onder het laken. Mijn vermoeden was juist. Hij was naakt, op een zeiknatte luier na. 'Wat is dit?' beet ik Simon toe.

Simon keek nu ook even onder het laken, en zei laconiek: 'O, die zal ik meteen verschonen.' Hij trok het laken van oom af, rolde hem behendig op z'n zij, haalde het klittenband los, rolde hem toen op z'n andere zij en trok ook daar het klittenband los. Daarna trok hij met een ruk de luier onder oom vandaan. Oom protesteerde verstoord.

Zijn piemel was knalrood en zijn voorhuid zat weer in een lange tuut. Ik vermoedde dat het zaakje weer verkleefd zat. En ook z'n liezen zaten weer onder de smetplekken.

'Zeg, smeren jullie hem wel in na het wassen?' vroeg ik vinnig. 'Of laten jullie hem gewoon wegrotten?' Ik rolde oom iets naar de zijkant, zodat ik zijn bips kon inspecteren. De vellen hingen eraan. Al onze noeste arbeid was tenietgedaan in de paar weken dat hij hier zat. 'Vinden jullie het gek dat hij een onrustige nacht heeft gehad?' zei ik. 'Hij heeft gewoon pijn. Moet je die open smetplekken zien!'

Simon stond er schuldbewust naar te staren. Ik zag aan zijn gezicht dat hij ook vond dat het zo niet kon.

'Kijk nou,' riep ik verontwaardigd. 'Zijn pikkie verdwijnt helemaal naar binnen, zo erg wordt het afgeknepen door z'n voorhuid.'

Simon begon te grinniken.

Ik werd razend. 'Wat sta je daar nou stom te lachen. Ik wil hierover praten met iemand van de leiding. Dit kan zo echt niet.'

Simon zuchtte. 'Als u hier even wacht, dan haal ik er een hoofdverpleegkundige bij.'

Toen ik het laken over oom heen wilde leggen, zag ik in de gauwigheid dat zijn teennagels ook weleens geknipt mochten worden. Ik ging naast hem zitten en streelde hem over z'n lange, grijze haar. Ik moest maar eens een baardtrimmer voor hem kopen, want aan zijn baard deden ze hier ook niets. Het enige wat ze hier deden was hem volstoppen met medicijnen en hem laten vegeteren.

'Hai. Ik ben Nicolette. En wat is hier aan de hand?' zei de jonge vrouw, van het type huismoeder, die kordaat de kamer binnenstapte. Ze droeg geen witte jas, maar een spijkerbroek en een dunne, grijze trui, waarvan ze de mouwen opgestroopt had. Ze leunde schuin voorover op de rand van het bed alsof ze liefdevol in het wiegje van een pasgeboren baby keek.

Ze rolde het laken terug. 'Ah nee, dat is niet goed,' zei ze. 'We zullen meneer met speciale zeep wassen.'

Ik wees naar ooms piemel. 'En dat daar. Moet daar niet wat aan gedaan worden. Hij is helemaal rood en ingetrokken.'

Nicolette vertrok geen spier en dook met haar neus in ooms kruis. Ik kon niet goed zien wat ze precies deed. 'Ja,' zei ze na een tijdje, 'daar moet de dokter straks maar even naar kijken. Meneer is natuurlijk ook van zichzelf nogal bescheiden geschapen. Misschien is het beter dat we een katheter aanleggen. Hij moet voorlopig maar even geen luier om, dan kan er wat lucht bijkomen.' Ze keek Simon aan, die er wat stilletjes bij stond.

Ik dacht: Hij denkt waarschijnlijk aan zijn eigen piemel, aan wat die te wachten staat wanneer hij zo oud is.

'Ik gebruikte altijd uierzalf en waste hem met Sebamed,' zei ik.

'Nee hoor, daar hebben wij speciale zinkzalf voor,' zei Nicolette. 'Ik zal ervoor zorgen dat hij een onderligger krijgt voor de bips.'

'Ja graag, kunnen jullie dan ook meteen even naar zijn teennagels kijken, z'n baard moet getrimd en zijn haar moet ook nodig geknipt worden.'

Ze lachte vriendelijk, vol begrip. 'We gaan goed voor uw oom zorgen, alleen we hebben hier geen baardtrimmer, dus als u die langs kunt brengen dan zullen we ons best doen. Misschien wilt u het zelf wel doen als u weer een keer hier bent? Volgende week of zo.'

'Ja, dat lijkt me wel wat,' zei ik.

'Komt u een keertje 's ochtends langs.'

Eindelijk iemand die praktisch kon denken en met oplossingen kwam, in plaats van alleen maar met verwijten en regeltjes.

'Als u nog even bij uw oom wilt zitten, laten we zeggen een klein kwartier, dan kan dat, maar u moet er niet te veel van verwachten. Hij weet waarschijnlijk niet eens dat u er bent.'

'Blijft dit nu zo?' vroeg ik benauwd.

'Nee hoor, vandaag zal meneer nog wel onder zeil blijven. Zal ik u vanavond anders even bellen voordat mijn dienst erop zit?'

'Ah, als je dat doen wilt, ben je een engel,' flapte ik eruit.

Verlegen lachend verliet ze de kamer, gevolgd door Simon die mompelde dat ze me even met oom alleen lieten.

Ik fluisterde nog wat opbeurende woorden in ooms oor. Mogelijk dat hij mij ergens toch kon horen. Dat oom hier zo gauw mogelijk weg moest, was wel duidelijk. Hier zou hij doodongelukkig aan zijn eind komen.

Bij de kleine bakkerij kenden ze mij al.

'Zo, weer op bezoek geweest?' vroeg de bolle bakker meelevend. 'Valt niet mee zeker?'

Hier wist iedereen altijd alles van elkaar. Hoe? Het was me een raadsel. Kennelijk was dat in deze streek normaal. Ik vroeg me af wat ze nog meer van me wisten. Ik wist nooit wat, van niemand niet.

Ik hield me nooit met die dingen bezig. En toch gaf het me een aangenaam gevoel, een gevoel van ergens bij te horen. Je leefde hier niet alleen, iedereen leefde met elkaar mee.

Het feit dat Willem niet was blijven slapen, bezag ik nu ook vanuit een ander perspectief. Waakhond Bannink, mogelijk ook anderen, zouden het direct geweten hebben wanneer we samen de nacht hadden doorgebracht. Daar moest je hier allemaal op letten.

Henk en Sandra waren al druk in de tuin bezig. Ik verkleedde me snel en vroeg wat ik kon doen.

'Ga jij Sandra maar helpen met grastrimmen,' zei Henk. 'Het maakt trouwens geen reet uit wat je doet, want veel zal het toch niet zijn.' Zo kwam het wel een beetje op me over.

Sandra hielp me op weg. 'Let maar niet op hem,' zei ze moederlijk. 'Als-ie met z'n boomzaag aan de gang gaat denkt-ie dat-ie Silvester Stalone is.'

We moesten er samen om lachen.

Hij had de dunne bomen langs het pad naar de keukendeur al omgezaagd. Er stonden er nog maar een paar. Die konden wel blijven staan, vond hij. Dus vond ik dat ook, want ik had een rotsvast vertrouwen in Henk die in medische apparaten deed en in een leasebak reed. Als je hem zijn gang liet gaan stond er straks geen boom meer, vreesde ik.

'Hé-uh! Arnold Schwarzenegger, laat je nog wel wat staan?!' riep Sandra, die haar man kende.

Henk riep terug dat er lucht bij moest komen, anders verstikte de boel. De grote struiken en bomen liet hij staan, zei hij. Dat vond ik een hele geruststelling.

Sandra wist gelukkig precies hoe de grasmaaier werkte en kon het mij in Jip-en-Janneketaal uitleggen, zodat het zelfs voor mij glashelder werd. 'Gewoon aantrekken en gaan met die banaan.'

'Maar Willem zei...' pruttelde ik nog.

'Ach, die moet je gewoon laten lullen. Hij doet het zo toch ook.' Ze maakte een achteloos gebaar. 'Die kerels denken altijd dat ze het beter weten. Gewoon "ja" zeggen en dan je eigen gang gaan. Ja toch?'

Nadat het gras gemaaid was pauzeerden we even om wat te eten. Daarna sleepten Sandra en ik de afgezaagde takken en de dunne boomstammen naar de stapel achter de schuur.

'Je moet wel uitkijken voor de egeltjes,' zei Sandra. 'Want hier zitten egeltjes.'

'O, dat wist ik niet,' zei ik schuldbewust.

'Daar moet je op létten!'

Volgens mij werd het een eldorado voor die egeltjes, want de stapel werd steeds hoger.

28

Tot nog toe was ik iemand waarbij alles wat ik aanpakte lukte, maar waar het oom betrof leek het tij definitief gekeerd. Dat werd mij pijnlijk duidelijk toen ik Frank Postuma belde.

Ik hoorde aldoor niks, dus nam ik het initiatief. We gingen tenslotte de vierde week in sinds het gesprek. Ik vroeg hem of hij Celine nog gesproken had.

'Jazeker. Heeft zij u niet gebeld dan?'

'Nee.'

'O, dat is vreemd. Nou, de zaak gaat definitief niet door. Meneer Brandal is te instabiel. Ze vinden het onverantwoord om hem te ontslaan. Ik ben onlangs nog bij hem langs geweest, maar eerlijk gezegd schrok ik toch wel een beetje van wat ik aantrof. Hij zat in zijn stoel "Gerdien Gerdien" te roepen. Ik kon absoluut niet tot hem doordringen.'

Ik voelde een machteloze rilling door mijn lichaam trekken. 'Dat doet hij wel vaker,' zei ik met onzekere stem. 'Het is op zich toch niet zo erg. Dat is zijn manier van rouwen. Als je hem rustig tegemoet treedt dan kalmeert hij wel weer.'

'Ik begrijp dat het voor u een hele teleurstelling is, mevrouw. Maar er moesten toch wel twee verplegers aan te pas komen om te voorkomen dat hij een andere bewoonster wat aan zou doen.'

Ik sloot even mijn ogen. Waarom was oom toch zo tegen zichzelf? 'Ik snap het,' zei ik uit het veld geslagen. 'U kunt er ook niks aan doen.'

'Nee, inderdaad. Als ik u was zou ik maar even contact met Sparrenbos opnemen. In ieder geval zoals hij nu is kunnen wij hem hier niet hebben.'

Ik zweeg en moest even slikken om niet aan de telefoon een potje te gaan zitten grienen. Ik wist niets meer te zeggen.

'Tja, dan scheiden hier onze wegen ben ik bang,' zei hij na een tijdje.

'Ja, begrijp ik,' zei ik gelaten. 'Dahaag, meneer Postuma, en bedankt voor alle moeite.'

'Neu, was geen moeite. Ik wens u veel sterkte en kracht, die kunt u wel gebruiken.'

Toen ik de telefoon had neergelegd sloeg ik even een hand voor m'n ogen, zat daarna een tijdje besluiteloos aan de grote tafel. Wat nu? Hoe nu verder? Moest ik weer dat vreselijke mens bellen. Het leek haast wel een soort straf die oom aan het eind van zijn leven moest ondergaan, een soort boetedoening voor al zijn wandaden. De brullende leeuw was dus voorgoed gekooid.

Toen ik mezelf weer enigszins in de hand had, greep ik m'n BlackBerry, belde Instituut Sparrenbos en vroeg naar Celine Foudraine.

'Ogenblikje,' zei het wicht aan de andere kant. Blijkbaar klonk ik zo gedecideerd dat ze niet het hart had om mij af te poeieren. Ik wist dat Celine op dit tijdstip stafoverleg had, maar dat kon mij niks schelen.

'Met Celine Foudraine, mevrouw Scheltinga. U bent me net een slag voor. U staat bovenaan de lijst om gebeld te worden voor een afspraak. Ik wil namelijk een familiegesprek. Schikt het u vanmiddag om vijf uur?'

Nog voor ik iets had kunnen uitbrengen had ze alweer het initiatief naar zich toe getrokken. 'Even in mijn agenda kijken,' blufte ik en zei, nadat ik hoorbaar in mijn agenda gebladerd had: 'Nee, dat komt mij zeer ongelegen. Zes uur komt mij beter uit.' Celine moest nou niet denken dat ze me zomaar kon oproepen wanneer het háár uitkwam. Alsof er met mij geen rekening gehouden hoefde te worden.

'Nou, dan moeten we het uitstellen naar woensdagmiddag vijf uur,' sprak de gnoom bazig.

'Kan het niet gewoon 's ochtends?' vroeg ik.

'Nee, dat kan niet, want de psychiater moet er ook bij zijn. Familiegesprekken houden wij altijd om vijf uur in de middag.'

Ik slaakte een hopeloze zucht. 'Pfff, nou dan moet het maar.'

Weer kon ik het niet van haar winnen.

'Goed, dan zie ik u woensdag.' Ze wilde al ophangen.

'Neehee,' riep ik. 'U zei toch vanmiddag?!'

'U kon toch niet,' klonk het laconiek. 'En bij nader inzien komt mij woensdag ook beter uit. We houden het op woensdag. Dag mevrouw Scheltinga.' Celine hing meteen op.

'Godverdomme! riep ik.

'Ho ho ho!'

Ik had Bannink niet aan horen komen. Zijn brede gestalte vulde de deuropening. Zijn gezicht vertoonde een grijns. ''t Geet neet helemaal naar 't zin, geleuf ik.'

Ik voelde me betrapt. Normaal gesproken zou ik het niet in mijn hoofd halen om bij iemand als Bannink mijn hart te luchten. Maar bij gebrek aan beter bood ik hem een stoel aan en een kop koffie, en begon tegen hem aan te ratelen.

'Ja, 't is mien wat,' zei hij. 'Wèt oe hoe dat ze'm hier hebben weggehoald?'

Ik schudde nee.

'Nee! O, dà waar neet leuk. Ze hebb'm mott'n vastbind'n. Hie lag doar moar te schreeuw'n. Te schreeuw'n,' zei hij nogmaals met nadruk, 'en te fluuk'n. Oooh! 'k Hebb'm de hand nog vastgehold'n. Ik zeit alsmoar tege-nem: "Rustig moar, rustig moar, 't kump goe. Ik loat oe neet in de stèk".'

Dat was wel een heel ander verhaal dan Elly van de thuiszorg me had verteld. Deze rondborstige man loog daar niet over. Het moest zo zijn gegaan zoals hij mij zojuist onverbloemd had verteld. Ik zat hem verbijsterd aan te staren.

'Moar ik kwam alleen efkes kieken noar de tuun, ie hèt neet stilgezeet'n. 't Weer al wat, en 't gres is goed kort.'

'O, de tuin, ja,' zei ik. 'Ja, we hebben gewerkt als paarden.'

De tuin was wel het laatste wat me nu interesseerde.

Bannink sloeg zijn koffie in één teug achterover en klopte bemoedigend op mijn hand. 'Ik goa moar weer-es kiek'n bie moeder de vrouw. Ik zeg: Moj!'

'Dat is goed, meneer Bannink. Sorry, dat ik een beetje van mijn stuk was.'

'Dà begriep'k ook nog wèl. Wie waar'n d'r kapot van, dà kan'k oe wèl zeggen. Wie zull'nem es een keer opzuuk'n doar in Instituut Sparrenbos.'

'Ja dat moet u zeker doen,' zei ik, 'dat zal oom vast heel leuk vinden.'

'Nou, dànn doen wie dàt toch.'

Ik bleef in de deuropening staan en keek hoe hij over de oprit naar huis liep. Het was toch eigenlijk een doodgoeie vent, vond ik.

Toen hij weg was kwamen de tranen los. Arme oom. Zijn grootste nachtmerrie was bewaarheid. Het beeld van een oude, doodsbange man die zich uit alle macht verzette, onbarmhartig op de brancard werd vastgesnoerd, bleef maar op mijn netvlies staan. Alsof de mannen met de witte jassen erop hadden zitten wachten om toe te kunnen slaan. Precies op een moment dat ik er niet was. Het was me gewoon door de vingers geglipt. En nu kon ik oom daar nooit meer weg krijgen.

Opeens was ik doodmoe... Ik had nergens puf meer in. De batterij was volkomen leeg. En ik moest nog zoveel regelen. Afspraken maken met veilinghuizen. De rechtbank bellen hoe het met de curatele zat. De man van de centrale verwarming bellen omdat de boiler lekte. Het containerverhuurbedrijf bellen om de gigantische troep van de zolder af te voeren. Ik moest nog bij de ABN-AMRO langs, bij de Fortis langs. En wat deed ik...? Ik zat hier maar aan die grote, oude tafel een beetje voor me uit te staren. Ik voelde me eenzaam en wilde getroost worden. Eerlijk gezegd, zou ik nu een moord doen voor een beetje tederheid. Een man waar ik lekker tegenaan kon hangen, m'n tranen kon laten gaan, mezelf kon zijn. Een die me niet zag als de carrièrebitch, en niet meteen z'n geval ergens in wilde steken.

Na me een klein uur te hebben overgegeven aan het gevoel van zelfmedelijden, besloot ik maar eens naar de brievenbus te lopen om te kijken of er post was. Dat was nodig ook, want de groene bus puilde zowat uit.

Terwijl ik terugliep bekeek ik de enveloppen. Er zat één grote bij. Ik zag het al aan het vignet De Rechtspraak, hopelijk zat erin wat ik dacht, dan hoefde ik tenminste de rechtbank niet meer te bellen. Ik rende naar binnen.

Met mijn duimnagel ritste ik de envelop open. Het bleek inderdaad de beschikking te zijn. Vanaf nu was ik officieel ooms curator. Dat was dan ook wel zo'n beetje het enige pluspuntje van deze kutdag, maar tegelijkertijd was het als mosterd na de maaltijd, nu oom levenslang had gekregen.

Mijn optimisme dat het misschien toch nog wat zou worden vandaag, werd bij het openen van de volgende envelop meteen de grond in geboord. Er zat een nota van een zorginstelling Plansierra uit Deventer in. Ze schreven dat ze de administratie hadden overgenomen van Loes Woltink van de thuiszorg. Of ik maar even binnen veertien dagen vijfentwintigduizend euro aan ze wilde overmaken... Ik dacht dat ik gek werd. De impuls om direct de telefoon te pakken en dat zootje van de thuiszorg eens flink de mantel uit te vegen kon ik nauwelijks onderdrukken. Die impuls om welk zootje dan ook de mantel uit te vegen moest ik heel vaak onderdrukken, dat was wel zo'n beetje de rode draad in mijn leven, dat de mantel uitvegen... Primaire reacties losten nooit iets op, dus die had ik maar afgezworen. In theorie dan, want in de praktijk was zowat iedere reactie van mij primair.

Dit absurde bedrag kon nooit kloppen. Bovendien had ik van de nota's van Loes Woltink, van in totaal tweeëntwintigduizend euro, al vierduizend euro betaald. Daar zag ik op deze nota niets van terug.

Ik pakte mijn laptop en begon aan een brief op poten.

Toen de brief klaar was, nadat ik drie keer opnieuw was begonnen, klapte ik mijn laptop dicht.

Om mijn hoofd leeg te krijgen besloot ik mijn joggingronde nu maar te maken. Onderweg kon ik dan de brief op de bus doen.

Toen ik met een sportpet op, waar mijn vlecht onder uitstak, in een modieuze, helblauwe jogging-outfit, met soepele bewegingen langs de plaatselijke dorpskroeg spurtte, werd ik aangemoedigd door de locale hangjongeren, die leunend tegen de muur in hun pilsjes hapten. Ik nam maar aan dat ze me aanmoedigden, want hun dialect kon ik niet goed verstaan. Het kon net zo goed zijn dat ze me voor stoephoer uitscholden. Ik zwaaide vriendelijk naar ze, dat leek me het beste… Toen ik voorbij was brak er een hilarisch gejoel achter me los alsof er een vos in een kippenhok was losgelaten.

Op het zandpad zwaaide ik naar het oude boertje dat, al mijmerend op het bankje onder het afdak, met zijn hofstede een tijdloos beeld vormde. 'Moj!' riep ik.

'Moj!' riep hij terug… Verder ging onze conversatie nooit. Ik was er al aardig aan gewend. In deze streek groette je elkaar, ook al kende je elkaar niet, en dan zei je: 'Moj'.

Willem had me op deze route gewezen. Je liep zo het bos in als je eenmaal voorbij de boerderijen was. Je kon er ook lekker mountainbiken vond hij. Het idee om een mountainbike te kopen leek me wel wat. Misschien dat ik hem dan eens kon uitdagen. Thuis fietste ik altijd in het Amsterdamse Bos.

Steeds vaker drong de gedachte zich aan me op helemaal nooit meer terug te gaan. Gewoon een heel ander leven te beginnen. Dan zou ik de rechter ervan overtuigen dat ik best voor oom kon zorgen. We zouden het heerlijk hebben samen. Ik verdrong gemakshalve ooms gedragsstoornis en het feit dat hij zomaar mensen sloeg. Als ik goed op hem zou passen dan gebeurde dat niet, hield ik mezelf voor. Ik hield van hem, hij maakte iets in mij los wat ik nooit eerder bij mijzelf had ontdekt. Tegelijkertijd beangstigde het me ook. Het maakte me kwetsbaar. Het veilige harnas van ongenaakbaarheid viel van me af. Het harnas dat me altijd beschermd had, waardoor niemand tot mijn hart kon doordringen… Dat oom waarschijnlijk een narcistische, schizofrene persoonlijkheid had maakte mij niet uit. Hij was óók een eenzame, oude man die liefde nodig had. En ik kon hem die liefde geven. Dat had ik nog nooit gedaan, liefde aan iemand geven.

Al luchtkastelen bouwend, zeilde ik vanuit het zandpad de ventweg van de Zutphen IJsseldijkseweg op waar de boerderij aan lag. Ik liep pardoes in Jokes armen.

'Ha ha. Ie hebt'r nogal zin an,' riep ze me toe.

'Hai... Ja, het luie zweet moet eruit,' hijgde ik.

De twee terriërs sprongen blijmoedig tegen me op, ze kenden me al. Het waren Joke haar oogappels. Bij nacht en ontij, regen, sneeuw, wind, of op een mooie dag als deze, liet ze trouw haar beide viervoeters uit. Je kon de klok erop gelijk zetten.

Midden op de ventweg deed ik uitgebreid het Plansierraverhaal uit de doeken en luchtte meteen mijn hart dat oom nooit meer vrij zou komen. Dat deed je hier. Je liep niet zomaar door. Je legde je ziel en zaligheid bloot.

Joke vertelde dat zij ook curator was, van haar zuster die in Baarn woonde. 'Nou, meneer de rechter in Zutphen is streng heur. Iedere cent mott'n wie verantwoord'n. Laatst hè'k een jas veur mien zus gekocht. Nou, of dà wel neudig waar. O godogodogod, ik konn't gewoon neet geleuv'n!'

Nu was het mijn beurt om een 't-is-mien-toch-wat-gezicht te trekken.

Joke vertelde verder nog dat haar Harm het zo langzamerhand wat rustiger aan wilde gaan doen, dat ze uitkeken naar zijn pensioen. Want ja: doar hadd'n sie veur gespoard.

Toen ik na een tijdje weer wegsprintte, riep ze me na: 'We goat gauw een keer bie Gerhard langs!'

'Goehoed, doei!' riep ik terug. Oom werd nog populair.

Eindelijk thuis, dook ik meteen onder de douche. Het badkamerraam liet ik openstaan om wat verkoeling binnen te krijgen, het kon me niks schelen. Als Bannink wilde gluren, nou dan deed hij dat maar.

29

Ik keek even in de spiegel en besloot toch maar wat mascara op te doen, anders stak ik zo af bij Charlottes natuurlijke schoonheid.

Toen ik haar pas leerde kennen, wilde ik er net zo uitzien als zij. In die tijd wilde ik er zo'n beetje uitzien als iedereen, behalve als mezelf. Tot overmaat van ramp wilden mijn tieten maar niet groeien, terwijl Charlotte al prachtige had. Bij mij waren het alleen maar tepeltjes. Pas op mijn vijftiende begonnen ze te groeien, maar ze waren al gauw uit gegroeid. Nu heb ik vrede met ze gesloten en ben ik wel blij met ze.

'Eerst eten en dan wil ik de grand tour,' zei Charlotte toen ik beneden kwam.

Ze stond vanmiddag opeens voor mijn neus in de keuken, ik had me net gedoucht. Haar koffer stond nog in de smalle gang... Bij de Indische winkel in Amstelveen had ze eten meegenomen dat ze op het gasfornuis stond op te warmen. Het rook heerlijk.

'Hoe is het nou met je oom?' vroeg ze.

'Niet zo best. Ik kreeg vanmorgen een telefoontje. Ze willen woensdagmiddag een familiegesprek. Het verzorgingstehuis waarvan ik je vertelde gaat definitief niet door.'

'Dat is kut,' zei ze. 'En voor hem nog wel het meest natuurlijk. Zal ik anders woensdag met je meegaan?'

'Nee,' zei ik. 'Dit moet ik alleen doen.' Ik kreeg tranen in mijn ogen en benadrukte dat het zéker behoorlijk kut was.

Charlotte sloeg haar armen om me heen. Ik snotterde en snikte op haar blote schouder. Om niet haar glanzende haar nat te snotteren schoof ik het achter haar oor. Ze rook heerlijk kruidig en vertrouwd.

'Ach, meis toch,' zei ze. 'Zo ken ik je helemaal niet. Wat is er dan toch allemaal met je gebeurd, hmm...?' Ze zette me op een stoel in de woonkamer, liep terug naar de keuken en wierp me de keukenrol toe. 'Jank maar even lekker, dan maak ik het eten af.'

Ik moest zo verschrikkelijk huilen dat ik alweer lachen moest, vooral als iemand tegen mij zei: 'Jank maar even lekker uit.' Zo tegendraads ben ik wel. Maar ik ben opgehouden mezelf voortdurend met anderen te vergelijken en me af te vragen wat normaal is, want dan kon ik beter meteen bij oom in het gekkenhuis gaan zitten. Dat normale was nooit zo mijn ding. Alleen al daarom haatte ik zowat alle "normale" mensen, althans dat deed ik. Nu was ik daar niet meer zo zeker van. In dit achterlijke gehucht haatte ik niemand, en gek genoeg mezelf ook niet.

Charlotte haatte ik vaak vanwege haar oogverblindende schoonheid, waardoor ik me dan zo lelijk voelde. Soms wenste ik dat ze onder de puisten kwam te zitten, of dat haar beide borsten moesten worden afgezet, of dat ze een schildklierafwijking kreeg waardoor ze moddervet werd. Maar ik hield van Charlotte, mijn hartsvriendin. Zonder haar had ik helemaal niemand meer. Toen we veertien waren hebben we samen gemasturbeerd, Charlotte en ik, in het badhokje van het zwembad. Alleen zij kwam klaar.

Ze gaf me een warme kus, zette het eten voor me neer en ging tegenover me zitten.

Ik ritste de zoveelste reep van de keukenrol en snoot mijn neus. 'Is mijn mascara doorgelopen?' vroeg ik.

'Ja. Je ziet eruit als een spook.'

'Echt waar?!' Ik wilde al opstaan om naar de badkamer te rennen.

'Meid. Ga zitten!' zei Charlotte. 'Ik zit je maar te dollen.'

Ik wilde van onderwerp veranderen. 'Nog-eh... iets interessants tegengekomen?' vroeg ik. Uit de manier waarop ik keek kon ze opmaken dat ik "de mannen" bedoelde. Charlotte had altijd wel iets met mannen, ze zat eigenlijk nooit zonder.

'Mmmoi, niet iets blijvends,' zei ze zonder van haar bord op te kijken. 'Maar, hoe zit het met jou?'

Ik kreeg een kleur, dacht aan Willem.

'Jij bent écht in je voordeel veranderd,' zei ze opeens.

'Vind je?'

'Ja, milder geworden. Die harde trek op je gezicht is verdwenen.' Ze keek om zich heen naar de oude, versleten meubels. 'Vroeger zou je meteen een binnenhuisarchitect in de arm genomen hebben.'

'Ja,' zei ik zacht. 'Dit heeft iets authentieks, ik voel me er heerlijk bij.' Ik keek Charlotte even aan om te kijken of ze het niet gek vond wat ik zei, ging toen gauw verder om haar voor te zijn. 'Nou ja, als ik eerlijk ben, zou een lekkere bank niet misstaan. Deze stoelen zijn soms wel erg hard voor die puntbillen van mij, maar ook dát went na een tijdje.'

Charlotte tuitte haar lippen en keek bedenkelijk. 'Hmm. Je bent inderdaad broodjemager. Eet je eigenlijk wel goed?'

Ze leek mijn moeder wel. Als ik eens een weekend thuiskwam, was dat het eerste waar ze over begon, over mijn figuur. Dan kon ik haar wel op haar bek rammen en had voor de rest van de dag een rothumeur. Dat ik een negatief zelfbeeld had verwijtte ik haar nog steeds.

'Ja, maar het is hier hard werken hoor,' antwoordde ik. 'Ik heb bergen verzet. Dozen sjouwen, kasten in elkaar schroeven, troep opruimen, in de tuin werken. Ik heb het klinkerpad naast de schuur helemaal zand- en onkruidvrij gemaakt. Ik ben de brandnetels te lijf gegaan. Ik spuit me rot met Roundup.' Eindelijk wist ik hoe je het uitsprak.

Charlotte keek me verbaasd aan.

'Ja, dat is onkruidverdelger.'

'Onkruidverdelger?!'

'Ecologisch afbreekbaar. Ik zeg het maar even, voor je weer commentaar hebt.'

Ik was haar net een slag voor, anders had ik het komende halfuur weer een lezing over ecologisch evenwicht en duurzame energie gekregen... 'En nu ga ik beginnen aan het terras achter de schuur,' zei ik trots.

Charlotte begon ineens onbedaarlijk te lachen. 'Sorry, lieverd. Ik lach je niet uit, maar het is *so definitely not you.* Niet dat ik het erg vind hoor. Je weet, ik houd wel van een beetje handwerk.'

Na het eten gaf ik haar een rondleiding. Ze bekeek alle schilderijen nauwkeurig. Ze was tenslotte kunsthistorica.

'Heb je al een taxatie laten verrichten?' vroeg ze.

'Nee, nog niet. Volgende week heb ik een afspraak.'

'Met wie?'

'Trompetter, van veilinghuis De Ster.'

'Dat is een laaielichter, moet je niet doen,' zei Charlotte gedecideerd.

'Door de telefoon klonk hij anders heel betrouwbaar,' gaf ik verongelijkt terug.

Charlotte vroeg of ik het goed vond dat ze morgen een paar collega's belde. 'Zij weten meer van oosterse kunst dan ik. Ik ben meer van de Nederlandse meesters.' Ze bestudeerde de Zandlevens en de Karsens en zei dat die zeker tien- tot vijftienduizend euro opleverden... Ze liep naar de twee schilderijen die ik apart had gezet. 'Wat is dit?' vroeg ze.

'O, dat zijn neppers,' zei ik.

Charlotte haalde er eentje naar voren. Ze hield het schilderij schuin en liet het licht erover vallen. Ze rook eraan, bekeek het nog eens vanuit een andere hoek, draaide het om, streek heel licht met haar hand over de achterkant van het doek, zette het tegen de muur, bekeek het van een afstandje, dan weer van dichtbij, liet haar linker elleboog op haar rechterhand leunen en ondersteunde haar kin met haar linker, humde een paar keer en tuitte haar lippen... Daarna pakte ze het tweede schilderij en bestudeerde ook dat op dezelfde manier. Toen zette ze de werken naast elkaar, nam er weer wat afstand van, en zei: 'Weet jij wel wat je hier in huis hebt?'

Ik haalde mijn schouders op.

'Ik zou hier maar heel voorzichtig mee zijn,' zei ze. 'Volgens mij zijn het originele Kandinsky's. Deze werken moet je door een gerenommeerd huis laten taxeren. Als het wáár is wat ik vermoed, dan heb je hier misschien wel twintig miljoen in handen.'

'Ja, duh.'

'Nee, Puck. Ik maak géén grapje. Je moet me beloven dat je dit nooit aan mannetjes als Trompetter laat zien.'

'Meen je dat nou? Maar mijn oom kon dit soort schilderijen toch nooit betalen.'

'Ja, weet ik veel. Misschien kende hij Kandinsky wel persoonlijk. Hij is tenslotte pas in negentienvierenveertig overleden.'

'Toen was mijn oom pas achttien en zat bovendien in het jappenkamp.'

Charlotte opperde de mogelijkheid dat oom ze ook geërfd kon hebben.

'Dan had ik dat wel in de boedelbeschrijving bij het overlijden van zijn ouders aangetroffen,' gaf ik ongelovig terug. 'Ik kan je de ordner zo laten zien.'

We liepen naar de kast waarin ik alle ordners opnieuw had ingedeeld.

Binnen aan de grote tafel speurden we als twee vrekkige, ouwe wijven alle lijsten af. Eindelijk vonden we een taxatierapport dat was opgemaakt naar beste kennis en wetenschap en te goeder trouw door: Winkelmann en van Gijssel. De omschrijving luidde: "Twee onbekende kopieën van Kandinsky ter waarde van tweeduizend gulden per werk, vervaardiger onbekend."

'Zie je nou wel!' zei ik 'Het kon toch ook helemaal niet.'

Charlotte was er nog niet van overtuigd. 'Toch laat ik er een collega naar kijken, als je het goed vindt tenminste. Voorlopig zou ik ze maar op een veilige plaats opbergen. Ergens waar het droog is, wat je kunt afsluiten.'

Ik wist niets beters te bedenken dan de kluiskast in de hal van het oude woongedeelte. We sleepten de vermeende meesterwerken er meteen naartoe. Charlotte kwam niet meer bij van het lachen toen ze de emmers, de dweilen, de schoonmaakmop en de stofzuiger zag. Ze schoof alles aan de kant en plaatste haar schilderij tegen de muur. Ik wilde de mijne ertegenaan zetten.

'Nee nee,' zei ze. 'Er moet eerst een deken om, een groot badlaken is ook goed.' Nadat ze de kunstwerken met de nodige omzichtigheid had afgedekt, sloot ik de kluisdeur af. Charlotte drukte me op het hart dat ik de sleutel niet mocht laten slingeren en altijd bij me moest dragen. Ik was eigenlijk wel moe en zei dat ik zo langzamerhand naar bed wilde.

'Oké. Waar slaap ik?' vroeg ze.

'Bij mij,' zei ik. 'Ik heb de grootste kamer als slaapkamer gebombardeerd. Daar heb ik twee bedden tegen elkaar aan gezet. Als je dat niet erg vindt tenminste?' De andere kamers, die veel kleiner waren, stonden vol met rommel die ik nog moest laten afvoeren.

Charlotte vond het niet erg. 'Mag ik dan eerst nog een quick shower nemen?' vroeg ze.

Met de armen onder mijn hoofd lag ik met een intevreden gevoel languit op bed op haar te wachten... Na een tijdje kwam ze spiernaakt de kamer in en plofte in het bed naast me. 'Pfff, ik ben nu toch ook wel moe,' zuchtte ze.

We gaven elkaar een vluchtige nachtzoen. Toen trok ik het licht uit aan het koord boven het bed.

30

Charlotte zat al helemaal aangekleed aan tafel toen ik beneden kwam. Ze hield haar smartphone tegen haar oor gedrukt, priemde met haar vinger richting het dienblad op het aanrecht, waar een ontbijt voor me klaarstond: een kommetje muesli, een kop koffie en een gekookt ei. Ik pakte het dienblad op en ging tegenover haar zitten.

Ze praatte druk, maakte heftige gebaren en schoof steeds haar haren naar achter. Ik ving nog net het laatste gedeelte van het gesprek op. Nadat ze afgedrukt had keek ze mij aan. Haar ogen glommen helemaal en haar wangen vertoonden opgewonden blosjes. 'Hij komt. Hij doet het!' riep ze.

'Wie komt? En wie doet het?' vroeg ik.

'Diewe Folkerts... Hij is een autoriteit. Als er een is die kan beoordelen of het originele Kandinsky's zijn, dan is hij het wel.'

'Weet je dat nou wel zeker?' vroeg ik nuchter. Charlotte liet zich meestal nogal meeslepen, dan werd ze altijd zo euforisch. Ik was meer het cynische, realistische type, op het zwartgallige af soms. Ik moest het altijd eerst zien, en zelfs dan geloofde ik het vaak nog niet.

'Straks ga je af als een reiger,' zei ik. 'Dan zijn het gewoon neppers. Is die vent helemaal voor niets hierheen gekomen.'

Charlotte haalde haar schouders op, alsof ze wilde zeggen: 'Kind je bent niet wijs...'

'Vooruit onder de douche jij, maak je mooi op en trek wat leuks aan,' zei ze bedillerig. 'Om één uur is hij hier met zijn assistente. Ik heb de werken net nog even bekeken en kreeg weer overal kippenvel. Dan weet ik dat ik goed zit.'

Ze bedoelde het goed, maar ik ergerde me toch een beetje aan haar bedillerige gedoe. Ook al was ze honderd keer mijn beste vriendin. Ze hoefde me echt niet onder de douche te sturen en te zeggen dat ik me op moest maken en iets moois aan moest trekken. Net of ik stonk en er niet uitzag. Ook al was het zo, dan hoefde ze nog niet zo bazig te doen.

Om kwart over een zagen we een zilvergrijze Mercedes C-klasse het erf oprijden.

Diewe Folkerts was een mager, benig mannetje van een jaar of vijftig. Toen we aan kwamen lopen, was hij net bezig het colbertje van zijn moderne, grijze pak aan te trekken.

Zijn assistente droeg een modieus, gestreept jasje, met daaronder een auberginekleurige, linnen broek met bijbehorende pumps. Ik schatte haar iets over de veertig. Zij was wel een kop groter dan haar baas.

Charlotte omhelsde Diewe. Uit de manier waarop ze elkaar begroetten vermoedde ik meteen dat ze met Diewe ook al tussen de lakens had gelegen. Daarna liep ze naar de assistente en gaf haar twee dikke kussen. 'Hoi Bibi. Fijn dat jullie zo snel konden komen,' zei ze.

Ze keek in mijn richting. Ik had me maar wat op de achtergrond gehouden. 'Mag ik jullie Puck Scheltinga van Beuningen voorstellen. Zij beheert de boedel van haar oom.'

Bannink scharrelde in zijn tuin en deed of hij druk bezig was met onkruid wieden. Toen hij ons naar binnen zag lopen leunde hij even op zijn schoffel. Nee, Bannink ontging niets.

Ik vroeg of ze koffie met broodjes wilden, of dat ze liever eerst de werken wilden bekijken.

'Eerst koffie,' zei Bibi stellig.

'Is uw oom overleden?' vroeg Diewe, toen we aan de grote tafel zaten.

Ik zei dat mijn oom opgenomen was in een psychiatrische inrichting.

Diewe keek mij aan alsof hij had willen zeggen: 'Dat verbaast me niets als ik jou zo bekijk.' Toen keek hij verder de kamer rond.

'Mijn oom heeft honderdzesennegentig schilderijen, niet allemaal olieverf hoor,' zei ik om maar iets te zeggen... Dat deed ik meestal, zomaar iets zeggen, omdat ik voelde dat ik anders ging blozen. Dat kwam omdat er vaak van die vreemde gedachtes bij me kwamen opborrelen. Ik stelde me opeens voor hoe Diewe en Bibi, die toch een zekere distinctie hadden, als beesten met elkaar tekeergingen.

Dat soort fantasieën had ik ook altijd bij onze minster-president als hij bij de koningin op bezoek was geweest. Je wist het maar nooit. Misschien hadden ze wel een onwijs geile wip gemaakt. Vele minister-presidenten stonden tenslotte als billenknijper bekend. Dat moest haast wel een voorwaarde zijn om voor het ambt in aanmerking te komen.

Toen hij uitgekeken was knikte Diewe bedachtzaam.

Nadat we onze broodjes en de koffie op hadden, zei hij: 'Zullen we dan maar?'

We hadden de schilderijen in de salon van het oude woonhuis tegen het buffet gezet. Daar had je het beste daglicht volgens Charlotte.

Diewe en Bibi drukten hun neus zowat in het doek en speurden ieder vezeltje af met een minuscuul loepje. Zelfs de achterkant werd bekeken. Daar stonden ook de titels. Op het ene schilderij: "Piramide auf Weiss" en op het andere: "Turm in Gelb-Rot-Blau". Beide werken waren in negentienzesentwintig vervaardigd.

Diewe deed een paar stappen achteruit, mompelde wat tegen Bibi. Samen bogen ze weer met hun loepjes naar voren. Bibi vertoonde een gelukzalige grijns toen ze overeind kwam. Volgens mij was ze volledig aan haar gerief gekomen.

Diewe rechtte zijn rug, en zei met een geknepen stem: 'Het zou best eens kunnen dat je gelijk hebt, Charlotte. Het is in ieder geval het onderzoeken waard.'

Ik vermoedde dat als hij opgewonden raakte hij altijd ging praten alsof hem een wind dwarszat. Het kon natuurlijk ook zijn dat hij er een enorme paal van kreeg, en dat hij daarom zo raar sprak. Ik keek even vluchtig naar zijn kruis, maar ik kon niet zien of hij een stijve had.

We kregen ongevraagd een oratie van de inmiddels niet meer te stuiten Diewe, die zijn stem weer had herwonnen. Hij vertelde dat Kandinsky behoorde tot de kunstenaarskring van Expressionisten

Der Blaue Reiter, die in 1911 door hemzelf was opgericht... 'In die tijd ontstonden er allerlei groepen. Zo had je ook Die Brücke.'

'Ja-a ja,' reageerde ik belangstellend.

Nu kwam Diewe pas goed los... 'Die kring had tot doel om de arbeiders, het gewone volk dus, tot De Kunst, met hoofdletters, te brengen. Terwijl Der Blaue Reiter meer een club voor intellectuelen was.'

'Ach,' zei ik, om maar weer iets te laten horen.

Hij wees naar de twee Kandinsky's... 'Deze werken behoren tot de *non-objective-paintings*, de voorwerploze schilderkunst. Kandinsky was trouwens een van de meesters die de schilderkunst in een nieuwe uitdrukkingsvorm wist te gieten. Hij kon als geen ander het innerlijke gevoel vormgeven. In zijn boek "Über das Geistige in der Kunst" gaf hij een gefundeerde theorie over zijn werken. Hij kan ook als een van de weinigen zijn kunst uitleggen. Een onderstreping van zijn wiskundig brein.'

Ik kreeg het er eerlijk gezegd een beetje benauwd van, vooral omdat ik niets mocht zeggen van Charlotte, zelfs geen 'hm hm' of 'ach'. Iedere keer als ik dat deed, of wilde gaan doen, bedwong ze me met haar ogen. Kennelijk moest je je mond houden als de "grote meester" sprak.

Diewe ging onverstoorbaar verder met zijn college... 'Alexej von Jawlensky en Franz Marc behoorden onder anderen tot zijn kring, die trouwens zijn oorsprong vond in München...'

Bibi schraapte een paar keer nadrukkelijk haar keel.

Diewe hield meteen op. 'Ik heb voorlopig genoeg gezien,' zei hij. 'Laten we even teruglopen, dan zal ik jullie zeggen wat ik van plan ben.'

Opgelucht ging ik ze voor naar het nieuwe gedeelte.

Hij wilde nog een kop koffie en een broodje.

Charlotte en zelfs ik waren er helemaal stil van. We liepen als twee dienstertjes om de "grote" man heen om hem van zijn natje en zijn droogje te voorzien. Hij stak een corona-sigaar op. Ik haastte me om een asbak naast hem neer te zetten.

'Wat ik wil doen is het volgende,' zei hij, gehuld in een enorme wolk van rook, 'als je het ermee eens bent natuurlijk. Ik wil de werken in ieder geval laten ophalen door onze expediteur.'

Op zijn vraag of ik foto's van de werken had, antwoordde ik dat ik van alle schilderijen foto's had gemaakt en een catalogus had aangelegd.

Diewe glimlachte tevreden. 'Mooi. Ik wil de werken nog wat beter bekijken,' zei hij, 'en wat onderzoekjes doen, zonder ze te beschadigen uiteraard. Geef me een maand de tijd.' Hij dacht even na... 'Voorlopig hoeft je mij niet te betalen. Pas als de werken geveild gaan worden, vraag ik twee procent van de bruto-opbrengst. Als het om originele Kandinsky's gaat moet je rekenen op een opbrengst tussen de vijftien- en vijfentwintig miljoen euro. Daar gaat dan natuurlijk nog de provisie van Sothebey's vanaf, maar daar kan Charlotte je alles over vertellen. Nou... zeg het maar...'

Ik keek Charlotte aan. Ze knikte geruststellend.

'Oké, zet u de zaak maar in gang,' zei ik. 'We zien wel waar het schip strandt.'

Bibi moest lachen. 'Nou, dat is niet de bedoeling,' zei ze. 'Bij ons stranden de schepen niet zo gauw.'

Toen ze weg waren, maakten Charlotte en ik een rondedans om het huis. Bannink schudde zijn goedmoedige hoofd.

'Is dat de gluurder?' hijgde Charlotte toen we weer binnen waren.

'Hm hm. Ik verdenk hem er wel van.'

31

Oom zat wezenloos voor zich uit te staren…

In de gang stond ik naar hem te kijken. Ik stond er al een poosje en liet het op me inwerken. Zo zat hij daar de hele dag, dacht ik mistroostig. Iedere dag weer, weken achtereen, en dat kon nog maanden, misschien wel jaren zo doorgaan. Ze hadden niet eens de moeite genomen om hem in een lekkere stoel te zetten. Hij zat vastgesnoerd in zijn rolstoel, keek niet naar buiten, niet naar de andere bewoners en merkte niet eens dat ik in de gang stond. De pupillen in zijn staalblauwe ogen leken net kleine stipjes. Ook toen ik naar hem toe liep, merkte hij mij niet op… Pas toen ik voor hem neerhurkte trilden zijn lippen en vertrok zijn gezicht. Er liep een traan over zijn wang.

Ik greep zijn beide handen vast. We zeiden niets… Wat viel er nog te zeggen? We huilden samen, zomaar, zonder geluid.

Els kwam de zaal binnenlopen. Ze wilde me wegsturen, maar toen ze mijn betraande gezicht zag bond ze in.

'Zit hij hier nu de hele dag zo?' vroeg ik.

'Ja, meneer wil nooit wat. Hij wil het liefst met rust gelaten worden.' Het klonk als een verwijt. Ze hadden oom kleingekregen, hem getemd… 'Hij heeft er zelf weinig besef van hoor,' ging ze verder. 'Wij vinden het soms ook moeilijk om te doorgronden wat er in hem omgaat.'

Met een rukje draaide oom zijn hoofd. Hij zette grote ogen op.

Nu wist ik het zeker. Hij besefte het dondersgoed. Zijn zwijgen en zijn ogenschijnlijke afwezigheid waren een stil protest. Kon hij het maar gewoon zeggen, dacht ik. Als hij maar voor vijf minuutjes zijn spraak terugkreeg, zou hij in prachtige volzinnen ze onverbloemd het schaamrood op de kaken praten. Maar ja… oom zweeg, en dat zei mij genoeg.

'Oom, ik kom zo nog even bij u langs,' zei ik tegen hem. 'Ik heb nu een afspraak om over uw verblijf hier te praten.' Toen ik het mezelf hoorde zeggen, besefte ik hoe wreed dat moest klinken... Eerst lijkt het net of ik op bezoek kom, dan stap ik meteen weer op om over hém te gaan praten. Hoe kwetsend moest dat overkomen?

Hij klampte zich met beide handen aan mijn hand vast. Oom verstond als geen ander de kunst zich non-verbaal uit te drukken. 'Dat is goed, kind. Doe dat maar,' las ik in zijn ogen. Als hij had kunnen praten, zou hij dat gezegd hebben. Of misschien was dat wat ik graag wilde horen, omdat ik die blijk van liefde en vertrouwen zo ontzettend nodig had door mijn hunkering naar warmte en geborgenheid.

'Dag oom, tot straks.' Ik zwaaide naar hem terwijl ik de zaal verliet.

In het toilet op de gang keek ik of mijn mascara niet was doorgelopen, het viel mee.

Om vijf voor vijf meldde ik me bij het kantoor van Celine. "Hoofd Maatschappelijk Werk Mw. C.L.M. Foudraine" stond op het bordje dat op de deur zat geschroefd. Na een bescheiden klopje stapte ik meteen naar binnen.

Celine zat als een geniepige gnoom achter haar bureau. 'Mevrouw Scheltinga. U bent mooi op tijd,' zei ze afgemeten. 'Neemt u maar vast plaats bij het zitje.' Ze nam niet de moeite om op te kijken.

'Janneke Kamminga zou toch ook komen?' zei ik. Je moest tenslotte toch iets zeggen. Om daar nou zomaar, zonder iets te zeggen, te gaan zitten...

'Daar is het wachten op,' zei ze droogjes. 'Neemt u maar vast een kopje thee.' Weer keek ze niet op of om.

Gut gut, wat zijn we weer gastvrij, dacht ik.

Om vijf over vijf begon ik demonstratief op mijn stoel te draaien en schraapte luidruchtig mijn keel. Celine keek op haar horloge. Ze stond geërgerd op, opende de deur, keek de gang in, en zei: 'Als ze er over vijf minuten nog niet is, dan beginnen we zonder haar. Moet ze maar op tijd komen.'

Ik glimlachte. Voor het eerst was ik het grondig met haar eens.

Toen ze naar haar bureau terugliep gaf ze me een frikkerig lachje terug. Op het moment dat ze haar kont naar achter stak om te gaan zitten, kwam Janneke in haar witte jas binnenwapperen.

'U bent er al,' zei ze. 'Ja, het was even crisis.'

Volgens mij was het hier op ieder moment van de dag crisis.

Celine kwam bij ons zitten. 'We zijn compleet,' zei ze, terwijl ze Janneke vermanend aankeek. 'Laten we beginnen. Misschien is het handig dat we eerst even de medische status van uw oom doornemen.' Ze knikte richting Janneke.

Janneke zette meteen een geitenharen-sokken-gezicht op. 'Tja,' zei ze. 'Uw oom is zieker dan we aanvankelijk dachten. Zijn dementie verloopt zeer progressief. Daarbij komt nog dat hij de laatste tijd regelmatig absences heeft, daardoor gaat zijn geestelijke gesteldheid nog sneller achteruit. Op een gegeven moment zal hij ook bedlegerig worden. Als ik een inschatting moet maken dient u er rekening mee te houden dat het geen jaar meer duurt. Tot oktober, hooguit november van dit jaar. Veel langer geef ik hem niet.'

Ze sprak over oom alsof ze het over een oude auto had die op instorten stond en de volgende apk-keuring niet meer zou halen. Ik deed er waarschijnlijk het beste aan deze oom op de schroothoop te gooien en een zo goed als nieuwe oom aan te schaffen die nog jaren zonder problemen meekon.

'Maar hoe is dat nou mogelijk?' zei ik. 'Thuis was hij nog volkomen gezond. Hij liep als een kievit over het erf, knipte houtjes, ging soepel door de knieën... Goed, je moest hem bij sommige dingen helpen, maar hij droeg de boodschappentassen als we boodschappen gingen doen...'

Celine onderbrak me. 'We komen wel vaker tegen dat de familie het moeilijk vindt de feiten te accepteren. Wat we u duidelijk proberen te maken is dat uw oom terminaal is. Hem naar De Weegschaal laten verhuizen zou onverantwoord zijn. Daarom is het beter dat wij hem hier houden. Hier is alle kennis aanwezig om hem tot aan zijn eind te begeleiden. Als we hem nu zouden laten gaan, is hij binnen drie weken hier weer terug. Dat moeten we hem niet aan willen doen. Bovendien, hij beseft het nauwelijks.'

'Nou, ik heb hem anders net nog gezien,' zei ik. 'Volgens mij begrijpt hij meer dan u denkt. Ik zou het op prijs stellen als hij een kamer voor hem alleen krijgt, als hij hier dan toch moet blijven. Dan breng ik hem zijn eigen spullen. Kan hij lekker naar muziek luisteren. Misschien kan ik een paar schilderijen ophangen uit zijn collectie.'

'We zullen meneer op de wachtlijst plaatsen, maar wanneer er een kamer vrijkomt...' zei Celine onbewogen, alsof ze zich er toch niet aan hoefde te houden.

'En in de tussentijd?' vroeg ik.

'Blijft meneer gewoon waar hij is. Ik zie niet in waarom we daar nog verandering in moeten aanbrengen. Heeft u daar klachten over?'

Janneke voelde kennelijk de spanning tussen ons. 'Wat mevrouw Foudraine bedoelt, is dat we meneer niet op een slaapzaal bij andere bewoners zullen leggen. Het probleem is natuurlijk overdag. Tja, dan zal hij toch in de recreatiezaal moeten zitten. Maar misschien dat we kunnen regelen dat u hem 's ochtends mag bezoeken. Dan is hij namelijk op z'n best. 's Middags is hij vaak teneergeslagen en verdrietig, of boos, dan schreeuwt hij tegen de andere bewoners... Om nou de dosis van zijn medicatie te verhogen is ook weer zo wat. Het valt ons moeilijk om de juiste dosering te vinden, wat dat betreft zijn we nog een beetje zoekende. Het gedrag van uw oom verloopt namelijk pieksgewijs, ziet u. Wanneer we de medicatie afstemmen op de hoogste piek, dan ligt hij de hele dag te slapen, en stemmen we het af op de laagste piek, dan is hij agressief.'

'Wat krijgt hij eigenlijk voor medicijnen?' vroeg ik.

'We geven hem iets wat helpt zijn psychotische aanvallen te onderdrukken. Daardoor wordt hij ook wat suffig. En bij het avondeten geven we hem iets om te slapen. 's Nachts is hij nog weleens angstig.'

'Hmm.' Ik kreeg sterk de indruk dat ze me lang niet alles vertelden.

'Kunt u zich tot dusver een beetje vinden in onze behandelmethode?' vroeg Celine, kijkend op haar horloge.

'Tja... wat kan ik eraan doen,' zei ik. 'U kent mijn standpunt. Het liefst zou ik mijn oom mee naar huis nemen. Hij vindt het hier vreselijk.'

'Ha!' lachte Celine schamper. 'Dat kan nu eenmaal niet, daar zult u zich bij moeten neerleggen. Hier is meneer het beste af. Dus even resumerend, we hebben het volgende afgesproken: U komt bij voorkeur 's ochtends op bezoek. Wij plaatsen meneer op de wachtlijst voor een eigen kamer. We hebben u op de hoogte gebracht van ons behandelplan, en we hebben gesproken over de levensverwachting van meneer.'

Over straatjes schoonvegen gesproken. Daar konden ze bij de bank nog wat van leren. Als er nu iets met oom zou gebeuren, dan kon ik niet meer zeggen dat ik van niets wist. Ik was met stomheid geslagen. Het werd me gewoon opgelegd, medegedeeld als een soort dienstmededeling... Overleg was in mijn boek toch echt wat anders, maar wat kon ik doen? De kille manier waarop ze een inschatting maakten over wanneer oom eindelijk dood zou gaan, vond ik ronduit stuitend. Ze agendeerden het nog net niet, maar het scheelde niet veel. Misschien moest ik zelf de rechter maar eens bellen.

'Als u verder niets meer te vragen heeft dan hef ik de zitting op,' zei Celine. 'Gaat u nog op vakantie?' vroeg ze opeens.

Ik zei dat ik in IJsseldijk bleef.

'Krijgt u de klus een beetje rond?' vroeg ze verder. 'Meneer heeft behoorlijk wat bezittingen heb ik begrepen.'

'Dat lukt prima,' zei ik terughoudend. Nu ze me verpletterd had, kon ze zich de luxe veroorloven om zogenaamd aardig en belangstellend te doen. Ja duh!

Toen ik Janneke een hand gaf kreeg ik een schouderklopje. 'Ik vind dat u het heel goed doet,' zei ze, net als bij mijn vorige bezoek. Waarschijnlijk zei ze dat standaard na ieder gesprek steeds weer opnieuw tegen iedereen. Jaja, dacht ik. Pappen en nathouden! Ik reageerde er niet op.

'Ik heb oom beloofd nog even bij hem langs te gaan,' zei ik.

Celine keek op haar horloge en gaf te kennen dat ze nu zaten te eten. 'Gaat u nou maar lekker naar huis. Hij is waarschijnlijk allang vergeten dat u hier bent.'

'O ja, denkt u dat? Nou, ik ben daar helemaal nog niet zo zeker van,' pareerde ik haar dwingelandij dapper. Nu wilde ik zeker langsgaan, juist omdat ze me niet verwachtten. Ik nam vluchtig afscheid en snelde door de gang richting recreatiezaal.

Oom zat niet bij de anderen aan tafel. Hij at apart aan een kleine tafel. Niemand zat bij hem. Ik pakte een stoel en ging naast hem zitten. Ooms gezicht klaarde op. Ik schoof een stukje vlees op zijn vork en bracht het naar zijn mond. 'Ik zal u even helpen,' zei ik rustig.

Hij zat tevreden te kauwen, hap na hap… Na iedere hap veegde ik zijn mond schoon. 'Hoe is... toe toe-toestand?' vroeg hij na een poosje.

Ik begreep meteen wat hij bedoelde. 'O, maakt u zich daar maar niet ongerust over,' zei ik. 'Ik heb alles netjes opgeruimd en schoongemaakt. Ik zorg goed voor uw spullen, oom.' Ik durfde hem niet te zeggen dat we als dollemannen met de snoeischaar en de boomzaag in de weer waren geweest en dat ik tot overmaat van ramp, om de twee dagen met Roundup het onkruid wegspoot. Hij zou hier ter plekke een rolberoerte krijgen.

Toen ik de keuken binnenkwam, zei Charlotte: 'Ene Henk en ene Willem zijn met motorgevallen aan je heg bezig. Ze zeiden dat je dat vast wel goed vond.' Ze keek me vragend aan.

'O, te Gek!' riep ik uit. 'Zei je nou Willem?'

'Ja, en Henk.'

Ik vroeg of hij blauwe ogen en stekelhaar had, en nogal bruin was.

'Ik geloof van wel, ja,' zei Charlotte. 'Loop anders zelf even naar ze toe.'

'Nee, laat ze maar,' zei ik nonchalant, maar ondertussen kreeg ik overal nerveuze kriebels.

Charlotte ging er gelukkig niet op door. Ze had bami met een of ander pittig paddenstoelprutje klaargemaakt. Ze vertelde me dat ze het pad nog even met "dat pompgeval" had bespoten. Ik nam aan dat ze daarmee de Rounduppomp bedoelde. En aan de volle waslijn te zien had ze ook de was nog gedaan, daar was ik alsmaar niet aan toegekomen. Ik gaf haar een dikke kus.

Ze vroeg hoe het familiegesprek was verlopen. 'Einde oefening,' zei ik mistroostig. 'Hij komt daar nooit meer weg.'

Charlotte vond dat de zorg hier in Nederland maar vreemd in elkaar zat. Ik had geen puf om er lang op door te gaan, ze zou het toch niet begrijpen, en ik zou me er alleen maar beroerder door gaan voelen.

Opeens bemerkte ik dat Willem in de deuropening stond. 'Wullem!' riep ik en maakte een wijds gebaar. 'En dit is mijn vriendin Charlotte!' toeterde ik, alsof *zíj* de hoofdprijs was en ik niet om zijn aandacht verlegen zat.

Charlotte wenkte hem naar binnen. 'Jullie willen natuurlijk een pilsje?' zei ze rustig. Ze wilde al opstaan, maar Willem stak afwerend zijn hand op. 'Nee, dank je. Henk is al naar huis. Ik kwam alleen maar even zeggen dat ik het ook voor gezien houd.' Hij draaide zich meteen om.

Ik liep snel achter hem aan. Hij was al halverwege het pad. 'Hé. Wullempie,' riep ik hem na. Ik tuitte mijn lippen en gaf hem een vluchtige kus. Zijn lippen smaakten zout van het zweet. Hij rook naar werkman... 'Dank je,' zei ik hees. 'Ik ben hartstikke blij met de heg.'

Uit de manier waarop ze naar me keek toen ik weer binnenkwam, hoefde Charlotte niets te zeggen. Ik kon zo wel zien wat ze dacht... 'Leuke vent,' zei ze.

'Ik zal iedereen een keer uitnodigen voor een grote barbecue als de tuin op orde is,' zei ik, om de aandacht van Willem af te leiden. 'Dat noemen ze hier "buurt maken", wist je dat, Lotte?'

'Lijkt me een strak plan,' zei ze.

Toen we in bed lagen vroeg ik of ze niet nog een weekje kon blijven, maar dat ging niet zei ze. Ze wilde voor ze naar Australië vertrok voor haar volgende opdracht, thuis nog even orde op zaken stellen, en haar koffers opnieuw inpakken.

Op Charlottes laatste dag spijbelde ik. Ik hoopte maar dat oom niet op me zat te wachten. Ik wilde nog even van mijn vriendin genieten.

Dat was maar goed ook, want tegen elven kwam de expediteur om de Kandinsky's op te halen.

Onder het keurend oog van Charlotte werden de werken in noppenfolie verpakt en toen in grote houten, platte kisten geschoven. Na een half uur reed de kleine vrachtwagen voorzichtig onder de laaghangende bomen het pad af... 'Zo, en nu maar afwachten,' zei ik.

We liepen gearmd naar binnen. Ik zou mijn vriendin vreselijk missen, ondanks het feit dat ik haar soms haatte... Skypen was wel leuk, maar dan was het gesprek toch oppervlakkiger, terwijl 's avonds in bed, juist als het licht uit was, en zo nu en dan een late vrachtwagen voorbijdenderde, of het zomerse geluid van een brommer in te verte wegstierf, vertrouwden we elkaar onze diepste geheimen toe. Die sfeer kon je met Skype nooit evenaren.

32

Tussen de bedrijven door vond ik eindelijk de tijd Gerdiens auto te verkopen. Ik had een garage in Hummelo gevonden waar een heleboel occasions buiten stonden. Ik schatte de kans de Ford daar te slijten hoger in dan bij de officiële Forddealer in Zutphen. Er was maar duizend kilometer mee gereden, maar er zat ook veel blikschade aan.

De garagehouder liep met me mee naar buiten. Toen hij de Ford Ka zag, keek hij bedenkelijk. 'Anders had ik er zo fiefduzend voor gegeven,' zei hij.

Ik vroeg hem of daar niet iets op te bedenken viel. 'Ik bedoel met de verzekering,' hielp ik hem een eindje op weg, maar het slimme autoboertje liet niet meteen het achterste van zijn tong zien.

'U betaalt mij drieduizend,' stelde ik voor. 'En als u nou een schaderapport opstelt van nog eens drieduizend euro, dan zorg ik voor een ingevuld en ondertekend schadeformulier.' Ik gaf hem een ondeugende knipoog.

Hij gaf geen antwoord, nam een stevige trek aan zijn sigaar en kneep sluw zijn ogen samen. Vanuit zijn mondhoek pufte een rookpluim als een geiser de ruimte in.

'Ik zeg gewoon dat mijn tante bij het inrijden van de garage de pilaar heeft geraakt,' probeerde ik hem over de streep te trekken.

Toen hij merkte dat ik van wanten wist werd hij opeens spraakzamer. 'Ie bun'nen gewiekste tante. Woar hei'j dà geleerd? Moar dànn mo'je' m hier loat'n stoan veur de expert.'

Ik spuugde op mijn hand en hield hem op, dat had ik op de veemarkt gezien. Het leek me hier in deze streek de gepaste manier om een deal te bezegelen. Toen zijn hand op de mijne kletste, zei ik: 'Maar dan moet iemand mij wel even naar huis brengen.'

Dat vond hij geen probleem.

Na een week belde de garagehouder me op. De expert ging akkoord, ik kon de papieren voor de verzekering op komen halen. ''t Waar'nen goeie handel,' zei hij nog.

Om de schade te herstellen zou het hem slechts zevenhonderd euro kosten, en ik had zesduizend euro voor het karretje gevangen.

Diezelfde avond schreef ik een brief aan de verzekeringsmaatschappij waarin ik de schade claimde. Omdat in maart de jaarpremie was afgeschreven, vroeg ik ook meteen de teveel betaalde premie terug. Daardoor hield ik zelfs, na aftrek van het eigen risico, drieënzestighonderd euro over, dat was een wereldprijs.

Ik hoopte dat die kutverzekeringsmaatschappij behoorlijk de pest in had. Ik had het niet zo op verzekeringsmaatschappijen... Misschien kwam dat omdat ik een assurantietussenpersoon, ergens in Noord-Holland, kende die veel zaken deed met een van onze kantoordirecteuren. Een grotere lul bestond er niet, die tussenpersoon dan. Hij wilde me een keer neuken, liet hij onverbloemd weten, want hij had dat wijf van de Rabobank ook al geneukt, en dat had haar geen windeieren gelegd. Ik zei dat hij hem daar dan maar in moest hangen, omdat dat ik geen Raboplatjes op wilde lopen.

In de gang rende hoofdverpleegkundige Nicolette achter me aan. Ze vroeg of ik even mee naar het kantoortje wilde lopen. Het was niets ernstigs, zei ze. Ze wilde me alleen iets laten zien. Ik moest maar even plaatsnemen, dan zou zij mevrouw Foudraine even bellen. Ik vroeg me af wat er nou weer aan de hand was... 'Met uw oom gaat alles goed hoor, maakt u zich maar geen zorgen,' zei ze nogmaals.

Als mensen maar bleven herhalen dat alles goed ging, was ik juist extra op mijn hoede. Hoe vaak hadden directies van grote bedrijven mij niet gezegd dat het geweldig ging, meestal waren ze dan de volgende dag failliet.

Nicolette schonk een kop koffie voor me in. Al bij de eerste slok constateerde ik dat er sterk op de koffie voor het personeel bezuinigd werd, het was niet te drinken. Bij Celine kreeg ik tenminste een behoorlijke bak, dat was dan ook zo'n beetje het enige positieve aan haar, de koffie.

'Ah, daar bent u eindelijk,' zei Celine toen ze binnenkwam.

Die kon ik alvast weer in mijn zak steken. 'Ja, ik heb het druk,' zei ik stekelig.

'Begrijp ik, begrijp ik. Het is ook geen verwijt, maar slechts een constatering,' snierde ze terug.

De basis voor een goed gesprek was alweer gelegd.

Ze legde een A-vierje voor me neer waar iets op geschreven stond. 'Dit briefje troffen wij hier op tafel aan. Leest u het eerst maar even rustig.'

Het was ooms handschrift. '*Al mijn toestanden van bezit vermaak ik aan Puck, mijn enige toestandje,*' het stond er weliswaar wat bibberig, maar het waren onmiskenbaar ooms blokletters. Hij had het zowaar nog ondertekend ook. Ik kon mijn ogen niet geloven. 'Hoe is dit nou mogelijk?' vroeg ik stomverbaasd.

'Meneer loopt weleens het kantoortje binnen, dan wil hij een potlood en papier,' verklaarde Nicolette. 'Meestal staan er dan wat onsamenhangende krabbels op. Ach, we laten hem dan maar aanrommelen. Het schijnt hem rust te geven. Maar de laatste keer zat hij zeer ingespannen te schrijven. Waarschijnlijk waren eerdere pogingen steeds mislukt. Toen we hem vroegen of hij zijn testament wilde veranderen, knikte hij. Hij vouwde het papier op, duwde het in mijn handen en kneep ze dicht. Het was echt heel schattig.'

'Maar dat is toch ook schattig,' zei ik vertederd.

'We hebben hem hier ook eens aangetroffen met de telefoon aan zijn oor. Hij had zomaar een nummer gebeld. De mevrouw aan de andere kant begreep er natuurlijk niks van.'

Ik was diep getroffen door dit ontroerende verhaal.

Celine legde haar hand op de mijne. Voor het eerst zag ik iets van mededogen in het strenge gezicht. 'Wij zullen een afspraak met de rechter en een notaris maken,' zei ze. 'We kunnen het zo regelen dat hier een nieuw testament wordt opgemaakt.'

'Kan dat dan?' vroeg ik.

'Ja dat kan,' zei ze. 'Volgens de wet is zoiets alleen mogelijk als de rechter en een notaris, of twee onafhankelijke notarissen, zich er persoonlijk van komen overtuigen dat het ook werkelijk de eigen wilsbeschikking van uw oom is, en dat hij niet door iemand is gemanipuleerd. Welnu, wij zijn daar getuigen van, dus dat lijkt mij geen enkel probleem.'

Celine had nog steeds mijn hand vast. 'Zou u de erfenis aanvaarden?' vroeg ze. 'Want als dat niet zo is, dan doen we alle moeite voor niks. Ik heb begrepen dat er geen levende kinderen meer zijn?'

'Nee,' zei ik. 'Zijn broers zijn ook al dood. Hij heeft eigenlijk niemand meer.'

'Onzin. Hij heeft u,' zei Celine resoluut. 'Ik ga de zaak in gang zetten, en ik zet er vaart achter. Neem nog een lekker kopje koffie, laat het maar even op u inwerken. Uw oom zit in de recreatiezaal. Het is mooi weer, dus ik zou zeggen: gaat u lekker een eindje met hem wandelen.'

Zo kon ze dus ook zijn, dat verbaasde me.

'Hij is redelijk ter been vandaag,' zei Nicolette lachend.

Oom zat niet vast in zijn rolstoel, ook niet in de houten stoel die net op een elektrische stoel leek, en hij zat ook niet aan de grote tafel, maar stond alsof hij niets mankeerde voor de openslaande deuren naar buiten te turen. Als hij daar al lang stond, had hij mij achteruit zien inparkeren op de parkeerstrook pal voor Boslust nr. 4.

'Kijk eens, meneer Brandal. U gaat lekker met uw nicht wandelen.' Nicolette hield zijn "houtje touwtje" en zijn sjaal omhoog.

Oom draaide zich om. Zijn mond viel open. Hij schuifelde naar mij toe. In het midden van de zaal omhelsde ik hem. Zijn lippen trilden. Hij wilde wat zeggen, maar het kwam er niet uit. Hij werd wat huilerig. Dat had hij de laatste tijd aldoor als hij mij zag. Met mijn duim veegde ik de tranen van zijn broze wangen.

'Kom maar,' zei ik, 'dan gaan we lekker in de zon wandelen.'

We hesen hem in zijn jas, deden hem zijn sjaal om, wat op zich al een hele toer was, want oom dreigde bij iedere beweging om te vallen.

Ik haakte mijn arm stevig in de zijne, stapvoets schuifelden we naar de deur. Nicolette haalde hem van het slot af.

Opeens begon oom hevig tegen te stribbelen en zette zich schrap. Hij maakte angstige hijggeluiden: 'Ah ah ah ah'.

'O, ik begrijp het al.' riep Nicolette 'U moet weer plassen.' Ze hield haar gezicht vlak onder het zijne. 'Ja, zie je wel. Dat is het!'

Razendsnel duwden we oom richting toilet. Daar pelden we hem weer helemaal uit. Sjaal af, jas uit... Nicolette trok resoluut zijn broek naar beneden en stroopte zijn luier af. Oom wilde verder niet geholpen worden. Wij wendden ons discreet af, met als resultaat dat hij de hele vloer onderzeek, alsof hij het erom deed. Ik stond er met een hand voor m'n mond naar te kijken.

'We hadden hem net zo goed op de gang kunnen laten plassen,' zei ik, 'is misschien nog makkelijker opdweilen ook.'

'Geeft niet,' zei Nicolette. 'Ik maak de boel zo wel weer even schoon.'

Uit de gelatenheid waarmee ze het zei, bleek dat ze aan dit soort klussen wel gewend was. Zo'n baan zou mij niks lijken. Ben je net met de een klaar, kun je weer met de ander beginnen. Over zware beroepen gesproken...

We ondernamen een nieuwe poging om hem weer aan te kleden.

Na het nodige gesjor en geruk aan oom, die dan weer op het ene en dan weer op het andere been hinkte, en steeds weer dreigde om te vallen, haakte ik opnieuw mijn arm in de zijne.

'Hè hè, dat was me wat, oom,' zei ik.

Oom keek mij niet-begrijpend aan.

Ach ja, wat zou er ook kunnen zijn? In zijn beleving had hij alleen maar een plas gedaan, niet iets om zoveel ophef over te maken. Ik grinnikte vergenoegd.

We liepen naar onze speciale plek en gingen op het bankje zitten. Daar zaten we in stilte te genieten van de rust en de mooie omgeving. Het was nog een stuk ongerepte natuur, met grote, knoestige bomen en wilde struiken. De natuur kon hier vrij zijn gang gaan. Hier op deze mooie plek had de mens nog niet ingegrepen. We gingen op in het schilderachtige groen, waar alleen vrede heerste.

Oom zocht mijn hand. Hij vond het prettig als hij aan mijn hand kon voelen. Ik was er al aan gewend dat hij dat deed. Even hield ik zijn hand teder tegen mijn wang.

Hij keek mij met een donkere, ernstige blik aan. Zijn lip begon weer te trillen. Ik wachtte geduldig af wat er komen ging.

'Twee toe toe-toestanden,' zei hij moeizaam. Hij hield zijn vrije hand omhoog en knisperde met duim en wijsvinger, wat je normaal gesproken doet als je wilt weten wat iets kost.

'Geld geld geld. Altijd maar geld geld geld,' zei hij.

Ik kreeg een kleur. Ik vroeg me af of hij mij bedoelde.

Oom keek verstoord.

'Maar oom,' zei ik, 'ik zit echt niet achter uw geld aan hoor.'

'Nee, nee. Twee toestanden, mijn toestanden. Geld geld geld,' zei hij nu nadrukkelijk.

Opeens begreep ik wat hij mij wilde vertellen. 'Nicolaas en Louis bedoelt u?'

'Ja-a.' Hij knisperde weer met duim en wijsvinger. 'Nicolaas, waar is hij?' vroeg hij opeens.

Ik wist niet zo gauw wat ik moest antwoorden.

'Komt nooit... Nooit!' zei hij verdrietig. 'Alleen maar geld geld geld.'

'Ja, dat is heel naar,' zei ik. 'Daar heeft u veel verdriet van, dat begrijp ik best.'

'Ja-a,' zuchtte hij smartelijk.

Er hing een lange sliert doorzichtig snot aan zijn neus. Ik haalde een papieren zakdoekje uit mijn tas en hield het tegen zijn neus. Heel even deed hij een zwakke poging te snuiten, maar dat lukte niet erg. Zo goed en zo kwaad als het ging veegde ik zijn neus droog.

Na een tijdje begon oom te knikkebollen.

'Zullen we weer voorzichtig teruglopen?' vroeg ik.

Ik moest hem helpen met opstaan... Tergend langzaam liepen we stapje voor stapje terug naar Boslust nr. 4. Dat vond ik wel een beetje jammer. Ik had daar op die mooie plek nog uren met hem kunnen zitten, zomaar, zonder iets te zeggen. Voor het eerst in mijn leven hield ik van iemand. Geen banale, lichamelijke liefde, of dat wat men verliefd zijn noemt, maar een liefde waarbij je alles opoffert voor de ander en zijn lijden wil verzachten.

Els en Nicolette vingen ons op en namen oom van me over. Ze hielden hem tussen hen in. Oom werd weer afgevoerd. Hij keek angstig achterom.

'Ik ben er nog,' stelde ik hem gerust. 'Ik loop nog even met u mee naar binnen.'

In de recreatiezaal ontdeden we hem van zijn sjaal en zijn jas. Oom was doodop. Hij ging uit zichzelf in een rolstoel zitten die daar toevallig stond.

'Morgen kom ik uw baard en uw haar knippen,' zei ik.

Hij keek verschrikt op. Ik was weer een vreemde voor hem. Even had ik de ijdele hoop gehad dat hij mij blijmoedig zou uitzwaaien vandaag, in het vaste vertrouwen dat ik weer terug zou komen.

Stilletjes verliet ik de zaal. Ik voelde me mistroostig en vroeg me af of hij zich ons uitje van net nog wel kon herinneren.

33

De boerenhoeve zinderde in de hete zon. Dat zou straks allemaal van mij zijn. Ik wou dat oom heel even kon terugkomen, al was het maar voor een uur. En heel even in zijn bruine habijt, met zijn strohoed op, houtjes kon knippen op zijn plek achter de grote schuur.

Ik moest het onbestemde, triestmakende gevoel dat ik alles verkeerd had gedaan kwijt. Ik schoot in mijn fietspak en sprong op de nieuwe mountainbike die ik bij de fietswinkel in Hummelo had aangeschaft.

Op het smalle zandpad trapte ik me zwetend omhoog. Boven aan de heuvel rustte ik even uit op het houten bankje, nam een slok water uit de bidon, toen begon ik aan de steile afdaling.

Pas tegen zessen reed ik, staande op de trappers, de oprit op. Ik was gesloopt.

Onder de douche werd ik weer een beetje mens. Daarna warmde ik een diepvriesmaaltijd op en ging op het terras achter het huis zitten eten. Ik voelde me rusteloos. Waar was iedereen? Te pas en te onpas stonden ze altijd in mijn keuken. Voor het eerst had ik heimwee. Heimwee naar wat eigenlijk? vroeg ik me af. Naar het westen? Naar mijn werk? Mijn flat...? Nee, dat was het allemaal niet. Maar wat was het dan wel? Ik wilde aangeraakt worden, gestreeld en bemind worden, moest ik mezelf tot mijn grote schande toegeven. Ik wilde me vrouw voelen, ik wilde in bloei staan. Maar wie wilde mij nou? Niemand wist wie ik werkelijk was. Dat was mijn eigen schuld besefte ik. Om niet gekwetst te worden stopte ik mijn gevoel zo diep weg dat ik niemand toeliet, alleen oom prikte daar doorheen. Bij hem was ik veilig, kon ik het weerloze, kleine meisje zijn. Dat kon ik zelfs bij Charlotte niet. Zelfs bij haar liet ik niet alles van mezelf zien.

Eindelijk brak de huilbui door die me de hele dag al dwars had gezeten. Ik hoopte dat Bannink nu eens één keer zijn ronde over het terrein achterwege zou laten, en dat niet uitgerekend nú het witte busje van Harm het pad langs de schuur op kwam rijden. Of dat Sandra door de heg kwam piepen voor een praatje. Ze zouden het geen van allen begrijpen, en zeker niet waar ik nou zo om moest huilen... Het was om alles eigenlijk. Ooms ontroerende briefje, de dood van mijn ouders, het sluimerende besef dat ik nooit meer zou terugkeren naar de bank...

Ik voelde dat ik aan het veranderen was, dat ik bezig was afscheid te nemen van mijn vroegere leven, ook al wilde ik dat noch aan mezelf, noch aan anderen toegeven. De angst dat mijn leven zijn vaste omlijning en de kaders waarbinnen het zich voltrok verloor, en ik niet wist welke kant het op zou gaan, greep me naar de keel. Het maakte me onzeker. Leefde ik niet in een onwerkelijke wereld die de mijne niet was? Ik had geen antwoorden. Het enige wat ik kon, was huilen.

Om acht uur lag ik al in bed. Ik lag alsmaar te woelen en kreeg het steeds benauwder. Ik dacht dat ik stikte.

Na een uur gooide ik het laken van me af, vloog m'n bed uit, hees me in mijn capribroek, gooide een schoon, wit topje over m'n hoofd en trok mijn sneakers aan. In de badkamer plensde ik koud water in mijn gezicht. Daarna maakte ik mijn ogen op, niet te zwaar, want daar hield Willem vast niet van.

Met een fles wijn liep ik het graslandje op waar Willems zilverkleurige caravan stond. Ik klopte op de deur. Z'n Chevy pick-up stond er, dus hij moest thuis zijn. De deur bleef gesloten. Teleurgesteld draaide ik me om.

'Hé. Loop je nou alweer weg?' hoorde ik opeens achter me. Ik keek over mijn schouder, draaide om, liep verlegen lachend naar Willem toe en hield de fles wijn omhoog.

Toen ik voor hem stond, pakte hij met beide handen mijn gezicht beet en keek mij onderzoekend aan. Ik sloeg mijn ogen neer, voelde me weerloos.

'Ik zit achter,' zei hij, zijn stem klonk zacht. Hij sloeg een arm om me heen en voerde me mee tot onder de luifel die aan de caravan vastzat. Daaronder stond een bank met veel losse kussens erop.

'Ga lekker zitten, steek ik het vuur even aan.' Hij had een houtstapel aangelegd.

Het was meteen gezellig. Toen de vlammen het hout lieten knisperen, kwam hij naast me zitten. Hij keek me aan, gaf een aai over mijn wang, streek wat loszittend haar achter mijn oor en liet zijn hand langs mijn vlecht naar beneden glijden. Ik smolt... We zeiden niet veel, dat hoefde ook niet. Vanachter onze wijnglazen staarden we in het vuur.

Het begon al wat te schemeren. Ik kreeg het een beetje koud. Willem zag het. Hij liep naar binnen en haalde een dikke trui voor me. Hij was me veel te groot, maar ik vond het heerlijk. Hij rook naar Willem.

'Ben je een beetje triest?' vroeg hij zonder op te kijken.

'Beetje,' zei ik loom. Ik bleef in het vuur staren, trok m'n benen op en verstopte ze onder de trui.

'Hoe komt dat zo?'

'Ik weet het soms gewoon niet meer. Vroeger wist ik alles zo goed, wie ik was, althans wie ik dacht dat ik was. Nu is mijn leven overhoop gegooid en twijfel ik aan alles.'

'Je bedoelt dat je leven nu minder georganiseerd verloopt?'

'Ja. Ik leef nu veel meer vanuit mijn gevoel, minder vanuit mijn ratio. Wat dat betreft ben ik hartstikke jaloers op jou. Jij leeft gewoon van de ene dag in de andere. Je werkt om aan geld te komen, en als je genoeg hebt dan trek je eropuit.'

We zwegen even.

'Wanneer vertrek je eigenlijk weer?' vroeg ik.

Hij sloeg een arm om me heen. Ik nestelde me in het holletje van zijn oksel. 'Zou je dat erg vinden?' vroeg hij zacht.

'Wat?'

'Nou, als ik volgende week m'n biezen zou pakken.'

Ik gaf hem een por. 'Ik wil niet dat je weggaat. Niet nu. Niet nu we net...'

'Ja, nu we net wat...' Hij keek mij lachend aan.

'Nou ja,' zei ik, opeens onzeker wordend. 'Het is bij jou toch ook zo, of zie je mij niet zo zitten?'

'Ik zie jou heel erg zitten...' Hij lachte niet, keek zelfs ernstig. 'Maar wij zijn te verschillend. Ik ben een vrijbuiter. Bij jou moet alles volgens vaste patronen verlopen. Jij bent een control freak, terwijl ik het leven leef zoals het zich aandient. Jij zit over een paar maanden gewoon weer lekker achter je bureau je zakken te vullen. Deze periode was dan niet meer dan een aangenaam intermezzo om wat variatie in je dorre leventje van geld, list en bedrog te brengen. Dan zwerf ik allang weer ergens in Alaska rond, slaap in de open lucht, of in een zelfgemaakte hut. Jij ziet het leven hier al als een avontuur. Trouwens, als je het werkelijk zo geweldig vond, dan zou je al je schepen achter je verbranden en er helemaal voor gaan. Maar dat doet mevrouw de bankmanager niet. Jij gaat op zeker. Jij zou je geen raad weten zonder je vette maandsalaris. Zo kan ik ook op avontuur.'

Ik was met stomheid geslagen. Had mijn gevoel me dan zo in de steek gelaten? De sluier van romantiek die de hele avond onze harten had doen samensmelten, werd opeens ruw van me afgetrokken. Het is gewoon niet waar, dacht ik, zo ben ik helemaal niet. Ik ben wel degelijk veranderd.

Ik voelde me opeens niet meer op mijn gemak. Ik wilde weg. Langzaam borrelde de woede in me op. 'En jij dan?!' viel ik uit. 'Jij loopt hier toch ook maar een beetje rond als een machocowboy. Je haat Amerika, zeg je. Maar je kampeert hier wel in een Amerikaanse sleurhut op de prairie, en je rijdt wel in een Chevy pick-up. Volgens mij heb je gewoon bindingsangst. Achter die machofaçade zit gewoon een bang mannetje dat wegloopt voor zijn verantwoordelijkheden. En van vrouwen heb je al helemáál geen verstand.'

Ik zat verongelijkt heen en weer te wiegen. Willem probeerde een arm om me heen te slaan.

'Ga weg,' snauwde ik venijnig, trok de trui over m'n hoofd, smeet hem in Willems schoot en brieste: 'Zal ik jou eens wat zeggen, Buffalo Bill! Ik ga naar huis!'

Willem keek me lachend aan met opgetrokken wenkbrauwen. Toen ik opstond trok hij me tegen zich aan, en zei: 'Nu ben je lekker. Nu wil ik je nemen, hier op het gras.'

Met alle kracht die in me zat rukte ik me los. Mijn vlakke hand kwam keihard in zijn gezicht terecht. Als een aangeschoten tijger die probeert aan de jager te ontkomen, rende ik over het grasveld naar de weg. Gelukkig kwam hij me niet achterna.

Door de verlaten straat liep ik naar huis. In enkele huizen brandde nog licht. Ik gluurde naar binnen. Een man hing op de bank naar de tv te kijken. Hoe kon ik me zo in Willem vergist hebben? Toen ik de oprit van de donkere boerderij op wilde lopen, hoorde ik een bekende stem. 'Kunn ie de sloap neet vatt'n?'

Heb je hem ook weer, dacht ik. 'Goedenavond, meneer Bannink,' groette ik lusteloos terug.

Hij sprong van het hek af. 'Ik loop efkes met oe met om te kiek'n of alles veilig is.'

Bij de deur floepte het licht aan. 'Ik red het verder wel,' zei ik.

'Moar ik laat oe neet alleen noar binn'n goan,' zei hij bijna verongelijkt. Hij bedoelde het waarschijnlijk goed, maar wat moest ik zo laat nog met die man. Ik wilde naar bed.

'De vrouw is van hoes veur'n poar doagjes.'

Wat ik precies met die informatie moest liet zich wel raden door de wellustige grijns die over zijn gezicht gleed. 'O ja,' reageerde ik ongeïnteresseerd.

'Een jong borreltje geet d'r wèl in.'

Eenmaal binnen, scheen hij precies te weten waar de jenever stond. Ik haalde een borrelglas uit de keuken. Bannink schonk zichzelf in, hij sloeg het glas in één keer achterover. Daarna vulde hij het glas weer tot de rand en sloeg ook zijn tweede glas achterover. Dat herhaalde hij nog een paar keer.

Ik zat te broeden op een manier hem het huis uit te krijgen, want Bannink maakte geen aanstalten om op te stappen.

'Kiek moar uut veur die Willem. Die hèt'r al heel wat tuss'n de lakes gehad,' zei hij ineens.

Het leek me niet verstandig daarop in te gaan, maar misschien bedoelde hij het wel goed. 'Nou, meneer Bannink, ik duik denk mijn bed maar eens in,' zei ik na een tijdje.

Maar Bannink had heel andere plannen. 'Za'k gezellig bie oe komm'n ligg'n? Mien jonge heer weer nog wèl'n bitjen stief.' Hij keek even hoe ik reageerde en zei toen met een steelse blik: 'En dàt veur'n olden kerl van zeuvetig.'

Ik dacht: Een ouwe viespeuk zal je bedoelen. Bannink had zijn glaasjes misschien iets te schielijk naar binnen gegooid. 'Dat geloof ik graag,' zei ik. 'Maar dat moesten we maar niet doen, meneer Bannink.'

De boodschap was overgekomen, hij stond op en liep naar de deur. 'Ik zeg: weltrust'n. En handjes bov'n de dèkes, hi hi hi! Wie mott'nen bitjen op oe pass'n.'

'Dat waardeer ik ook heel erg, dag meneer Bannink.' Ik sloot de deur meteen af. Je wist het met Bannink maar nooit. Zo stond hij weer voor je neus.

In de badkamer durfde ik het licht niet aan te doen. Ik trok meteen het rolgordijn naar beneden, poetste in het donker mijn tanden en deed een plas. Daarna rende ik als door een spook op de hielen gezeten naar boven. Daar huilde ik mijn kussen nat tot ik eindelijk uitgeput in slaap viel.

34

Ik was al een paar keer naar buiten gelopen om te kijken of ik een auto zag die langzaam reed. Ik vroeg me af of hij onze afspraak misschien vergeten was. Ik belde de zaak, maar daar zeiden ze dat hij echt al vroeg was vertrokken.

We hadden om tien uur afgesproken. Pas om twaalf uur reed er een zwarte Mitsubishi het erf op. Zo te zien was hij al aardig op leeftijd.

De heer Trompetter van Veilinghuis De Ster was van het zelfvoldane type in blauwe, double breasted blazer met grijze broek, waardoor zijn lange gestalte iets aristocratisch kreeg, wat nog eens extra onderstreept werd door zijn magere gezicht, het grijze krulhaar, en de oude, vervallen Mitsubishi natuurlijk. Ieder detail van zijn verschijning moest de indruk wekken van de geslaagde zakenman die de uiterlijke schijn van nouveau riche niet nodig had. Zwierig om zich heen kijkend, nonchalant zwaaiend met zijn oude, bruinleren aktetas, liep hij me tegemoet.

'Mevrouw Scheltinga van Beuningen, Guus Trompetter, Veilinghuis De Ster. Sorry dat ik wat laat ben, maar ik had in de buurt nog een taxatie.'

Van veraf maakte hij een jongere indruk. Nu hij voor me stond, zag pas ik de groeven in zijn gezicht. Ik schatte hem eind veertig, begin vijftig. Eerlijk gezegd wel het type man waar ik op zou kunnen vallen. Zijn manier van doen en zijn vlotte voorkomen hadden iets weg van "oud geld".

Ik vroeg of hij koffie wilde.

'Graag, met niets erin,' zei hij achteloos, alsof hij het tegen de eerste de beste dienstmeid had.

Hij bleef staan voor het grote schilderij van Hans Heeren, haalde zijn mobiele telefoon uit zijn zak en maakte een foto. 'Leuk leuk,' zei hij en vroeg: 'Heeft u er hier nog meer van?'

Ik wees op het schilderij aan de muur ertegenover.

'Ah!' Hij hield weer zijn mobiele telefoon omhoog en klikte.

Toen hij zijn lange lichaam in het lage stoeltje liet vallen, haalde hij een schrijfblok uit zijn tas en keek de kamer rond. 'Dit moet allemaal weg?' vroeg hij.

'Uiteindelijk wel,' zei ik. 'Ja, behalve de meubels natuurlijk.'

'Die zouden we meteen afvoeren naar het grofvuil, brengt geen stuiver op.'

'Dat snap ik,' zei ik.

Hij ging verzitten en greep even naar zijn kruis. 'Maar u had het over antiquarische boeken en honderdzesennegentig schilderijen. Ik wil er straks wel even doorheen lopen, maar om de zaak goed te beoordelen zal ik toch eerst twee dames hier een weekje naartoe moeten sturen om alles te bekijken. Dus als u van mij nu een taxatie verwacht...?' Hij keek mij even aan en greep weer ongegeneerd naar zijn kruis voordat hij zijn vlotte babbel vervolgde... 'Laat ik u eerst uitleggen hoe wij werken. U wilt er natuurlijk zo gauw mogelijk vanaf. Wij bieden daarvoor een totaaloplossing. We sturen een verhuisauto langs. Na een dag is het hier leeg. De boeken en de schilderwerken kunnen ook bij ons op de zaak bekeken worden, in dat geval hoef ik de dames niet langs te sturen. Kan ik de werken even zien?'

'Ja hoor, loopt u maar mee,' zei ik.

In het voorportaal van de bibliotheek had ik veel van de werken rechtstandig in de houten schappen geplaatst. Hij pakte er een Eduard Karsen tussenuit. 'Dit noemen wij suikerzoete romantiek,' zei hij. 'Erg donker trouwens, moet nodig schoongemaakt worden.'

Hij bladerde verder door de werken, maar nam niet de moeite er nog een uit te pakken. 'Dit heb ik wel gezien,' zei hij weinig respectvol.

Ik kreeg eigenlijk een beetje de indruk dat ik hem voor niks had laten komen. Toen we tussen de boekenstellingen door liepen, had hij meer aandacht voor de briefjes die het opbergsysteem en het genre aangaven, dan voor de boeken zelf. Beleefdheidshalve trok hij hier en daar een boek van de plank, sloeg het vluchtig open en schoof het dan weer terug. 'Tja, noeste verzamelaars,' zuchtte hij. 'Veel werk, brengt niets op.'

Ik liet hem de oude Doré Bijbel zien. Ik wist dat die zeker tienduizend euro waard was. Er zaten nog meer in leer gebonden boeken bij. Van een had ik de aankoopnota uit 1985 gevonden. Oom en tante hadden er destijds al achtenveertighonderd gulden voor betaald... Hij vond ze 'wel leuk', in een kwartier had hij de boeken gezien.

Zo, dacht ik, dat heeft hij snel bekeken. Ik liep achter hem aan naar de woonkamer.

Hij liet zich weer in de stoel vallen, pakte het schrijfblok, maakte wat notities en keek op zijn horloge, vroeg toen of hij me mocht uitnodigen voor een lunch in De Gouden Karper. Daar kwam hij altijd als hij in de buurt was. Hij kende de oude baas persoonlijk. En ook de dochter die er nu de scepter zwaaide, snoefde hij.

Ik liet me verleiden. Eigenlijk was ik wel benieuwd waar dit avontuur op zou uitdraaien. Eén ding wist ik wel: deze man zou de opdracht zeker niet krijgen. Charlotte had gelijk. Hij deugde voor geen meter. Waarom wilde hij opeens met mij uit eten? vroeg ik me af. Dat hij het deed voorkomen of ooms verzamelingen uit louter rotzooi bestond, waar je zo gauw mogelijk vanaf moest zien te komen, beviel me allerminst. Het kwam op me over als heiligschennis.

Zijn Mitsubishi leek wel een rijdende asbak. Hij veegde de stoel voor me schoon. Tijdens het rijden lag zijn hand losjes op de versnellingspook. Voor de zekerheid hield ik mijn benen zo dicht mogelijk tegen het portier.

'Dit is onze company werkezel,' zei hij. 'Iedereen rijdt erin. Heeft drie ton gelopen. Niet stuk te krijgen. Privé rijd ik Jaguar, een XJR. Volledig gerestaureerd. In vier seconden op de honderd. Word je bloedgeil van.'

'Hm,' reageerde ik lauwtjes. Volgens mij werd hij heel ergens anders bloedgeil van. Misschien had ik beter een spijkerbroek aan kunnen trekken, in plaats van een kort rokje.

Toen we bij De Gouden Karper uitstapten blies hij zich op,

haalde zijn broek omhoog, en stevende voor mij uit naar de ingang. Het aristocratisch imago wat ik eerder van hem had verbleekte ietwat. Hij liet mij gewoon met mijn hoge pumps door het grind strompelen zonder een poot uit te steken.

Voordat hij naar binnen ging draaide hij zich om en keek hoe ik van het grind op de klinkers stapte. Toen pas liep hij naar me toe en stak zijn hand uit.

'Ja. Nu hoeft het niet meer,' zei ik. Uit nijd negeerde ik zijn uitgestoken hand.

'Sorry, mijn fout. Ik lette niet op,' verontschuldigde hij zich, stapte naar binnen en hield de deur voor me open. 'Goedemiddag!' riep hij op een manier die iedereen deed opkijken.

Ik schaamde me dood, wat een patjepeeër.

Er kwam een ober op ons af.

'We willen lunchen!' riep hij weer keihard.

De ober wees ons een tafel aan.

'Ik moet even mijn neus poederen,' zei ik.

Hij keek eerst alsof ik hem vroeg of ik hem onder tafel mocht pijpen, maar zei toen: 'O ja, dan bestel ik vast een kop koffie en een lunchuitsmijter, die is hier voortreffelijk.'

Gut gut, kan het eraf, dacht ik. Kennelijk mocht ik niet zelf iets uitkiezen. Het zou meneer eens geld kunnen gaan kosten.

Toen ik van het toilet terugkwam, zat hij niet meer op zijn plek. Hij liep in de serre driftig te ijsberen met zijn mobiele telefoon aan het oor... 'Interesseert me geen reet, zoeken ze het toch lekker fijn zelf uit,' hoorde ik hem zeggen.

Iedereen kon van het gesprek meegenieten. Sommige gasten keken mij meewarig aan.

De ober kwam met de uitsmijters. Hij keek geërgerd de serre in, waar Guus nog steeds driftig heen en weer liep.

'Meneer is nog even aan het telefoneren,' verontschuldigde ik me.

'Ja, dat zal niemand ontgaan zijn,' zei de ober met een uitgestreken glimlach. 'Laat in ieder geval úw uitsmijter niet koud worden.' Hij gaf mij een begripvol knikje.

Er restte mij niets anders dan maar in mijn eentje aan de uitsmijter te beginnen. Ik was al halverwege toen hij eindelijk tegenover me aan tafel ging zitten. Hij wenkte met een breed gebaar de ober, die zo te zien met ambivalente gevoelens naast hem kwam staan. 'M'neer wenst?'

'Zeg, nou ben ik je naam toch vergeten…' bralde Guus.

'Johan, m'neer.'

'Is de ouwe baas er niet?'

'Op jacht, m'neer.'

'En de jonge?'

'Op congres m'neer.'

'Ach, wat jammer. Wil je de groeten overbrengen? Guus Trompetter, maar dat weet je wel. Wil je dat doen?'

'Zeker m'neer. Verder nog iets van uw dienst?'

'Nee nee, dat was het.'

'Uitstekend, m'neer, dan wens ik u smakelijk eten.'

'Dank je, eh… Johan was het toch?'

De ober draaide zich waardig om en liep statig weg.

Nu moest ik natuurlijk onder de indruk zijn. Wereldberoemd in het metropool Hummelo, tjonge jonge. Peter R. de Vries zou erbij verbleken.

Guus begon breedvoerig uit de doeken te doen dat zijn familie van joodse oorsprong was, maar dat ze in de oorlog de dans waren ontsprongen omdat de Duitsers ze voor "gewone" Nederlanders aanzagen. Het interesseerde me geen snars. Al stamde hij af van de Surinaamse bosnegers.

Toen hij over zijn huwelijk begon, viel ik hem in de rede. 'Wat vindt u van de boedel?'

'Ja, wat vind ik ervan… Wat denkt u zelf?'

'Geen idee. Daarvoor heb ik u ingehuurd.'

'Puck, mag ik Puck zeggen?' Hij wachtte mijn antwoord niet af. 'Ik ben Guus, maar dat wist je al. Kijk, Puck. Die schilderijen brengen misschien nog wel wat op, maar voor de boeken moet je denken aan één euro.'

'Per boek?' vroeg ik.

Hij lachte op een manier waaruit bleek dat hij mij maar een dom gansje vond, en zei geringschattend: 'Nou, per strekkende meter komt meer in de richting. Als je vijfduizend euro voor het hele zootje krijgt ben je spekkoper.' Hij veegde zijn mond af.

'Hmm. En wat brengen de schilderijen dan op, en de andere kunstvoorwerpen?' vroeg ik.

'Voor de schilderijen denk ik zo tussen de tien- en twintigduizend. De snuisterijtjes pleur ik gelijk door naar de kringloop. Dat geldt ook voor de gravures trouwens. Allemaal centenwerk. Dan het transport nog vanuit Amsterdam heen en terug, zeg vijfduizend. En ik werk natuurlijk ook niet gratis. Voor deze grootschalige ontruimingen...,' - hij maakte aanhalingstekens in de lucht - '... reken ik vijftien procent. Als de opbrengst tegenvalt en het niet kostendekkend is, moet je geld meebrengen. Tenslotte haalt een opkoper de troep ook niet gratis weg.'

Hij keek even hoe zijn verhaal gevallen was, maar toen hij mijn gezicht zag, zei hij gauw: 'Maar... Zo'n vaart zal het niet lopen. Er zitten best aardige werkjes bij. Pak'm beet vijf- tot tienduizend euri houd je er wel aan over. Daar kun je heel wat leuke schoentjes voor kopen... Toch?'

Ik wilde naar huis. Dit was verspilde energie. Precies waar Charlotte me voor had gewaarschuwd. Had ik maar naar haar geluisterd, maar zoals altijd moest ik weer eens zo nodig mijn eigen zin doordrukken.

'Dat krijg ik dan zeker wel van u op papier?' zei ik toen we weer in de auto zaten. Ik liet hem in de waan dat hij de zaak rond had. Die strategie hanteerde ik meestal bij dit soort types, om ze in de waan te laten. Dan werden ze loslippig en kwam ik sneller achter hun ware motieven.

'Laatst was ik bij een wijf,' begon hij weer op te pijpen. 'Nee, dat wil je niet weten. Ze kleedde me met haar ogen he-le-maal uit. Ik dacht: Guus kijk uit jongen, want voor je het weet lig je hier een wip te maken.'

Hij had gelijk, dat wilde ik inderdaad niet weten, maar hij hoopte natuurlijk wel dat ik erop in zou gaan.

'Het was óók zo'n vrouwtje alleen. In een kast van een huis. Was met een ouwe kerel getrouwd. Kwam natuurlijk zwaar te kort.'

'Tja, als jij het zegt,' zei ik. Jammer genoeg had ik de handboeien thuisgelaten. God weet hoe graag ik dit zwijn een lesje in nederigheid wilde geven. Peter was nog heilig vergeleken bij deze klootzak.

'Zal ik de rest van de middag en de avond wat schilderijtjes noteren?' vroeg hij toen we weer voor de deur stonden. 'Dan kan ik je een exacter beeld geven.'

Volgens mij wilde hij van iets heel anders een exacter beeld geven. 'Nee hoor,' zei ik. 'Zet u eerst alles maar eens op papier, dan kan ik uw offerte vergelijken met de andere aanbiedingen. U hoort dan nog wel of ik met u in zee ga.'

Hij kreeg rode vlekken in zijn nek.

Straks spat hij nog uit elkaar, dacht ik, opende het portier, stapte uit, boog voorover en stak mijn hand uit. 'Nou, ik hoor wel van u,' zei ik.

Hij had zich enigszins hersteld. 'Dat wordt dan met een dag of tien, niet eerder.'

'Lijkt me prima,' zei ik. 'Dahaag meneer Trompetter, en nog bedankt voor de exquise lunch.'

Vrijwel meteen reed hij weg. Hij nam niet eens de moeite om te keren. Met jankende motor reed hij achteruit de oprit af, zo'n haast had hij om weg te komen. Toen ik binnen was rende ik meteen door naar het toilet, daar heb ik onbedaarlijk zitten lachen.

's Avonds in bed zat ik een uur lang te skypen met Charlotte. Ze vond het hilarisch. 'Heel goed, dat van die andere offertes,' zei ze. 'Let maar op: die laat niets meer van zich horen.'

35

Joke was oprecht verontwaardigd toen ik haar over mijn escapade met Guus vertelde. We stonden weer op onze vertrouwde praatplek op de ventweg.

Ze waren bij oom geweest, vertelde ze. 'O godogodogod. Dà geet neet goed doar met Gerhard. Ik herkend'n'nem hoast neet weer. Hie hield mien de heel'n tiet de hand vast. Och 't is toch wat. A' je zo an je end mot komm'n.'

Van de weeromstuit schudde ik ook mijn hoofd. 'Ja, het is vreselijk,' zei ik. 'Dat gun je je ergste vijand niet. Maar ja, wat doe je eraan? Ik sta machteloos.'

Toen ik rond het middaguur in shorts en ooms kaplaarzen, gewapend met de rounduppomp, het onkruid aan het bestrijden was, liep ik Harm tegen het lijf.

'Puck! kom's efkes,' zei hij, nadat hij mij een tijdje vermakelijk had staan bekijken.

Ik klonsterde naar hem toe en blies de haren uit mijn gezicht.

'Ik heurde van Joke, dà je op zoek bunn naar een veilinghoes?'

'Klopt helemaal,' zei ik.

'Mo'je contact opneem'n met Heerink uut Arnhem. Doar he'k voak wat gekocht. Steet goed bekend. Mo'j moar in het telefoonboek kiek'n.'

Hij liep weer naar zijn bestelbus. 'Heerink Arnhem!' riep hij lachend en stak zijn hand op.

'Hartstikke bedankt, Harm!'

Ik had niet de moeite genomen om mijn vieze hemd en shorts uit te trekken. Stinkend naar zweet en naar God mag weten wat nog meer, zat ik op het terras achter het huis mijn bakje sla met tomaten, mozzarella, uien en gebakken parmaham op te eten.

De kaplaarzen had ik uitgeschopt. Mijn tenen zaten onder de bagger. Ik zat een beetje in mezelf te grinniken over de metamorfose die ik in korte tijd had ondergaan. Van de welriekende carrièrevrouw, die zich in modieuze mantelpakjes in het mondaine uitgaansleven begaf, was niet veel meer over. Mijn nagels vertoonden rouwranden en ze waren overal gescheurd. Iedere dag werkte ik me in het zweet. Ik woonde zowat in mijn legergroene shorts en topje. Als ik mij onbespied waande trok ik alles uit om mijn lijf lekker te laten bijkleuren in de zon. Bannink deed nu alleen nog 's avonds in het donker zijn ronde, als niemand hem zag. Nog nooit ben ik zo bruin geweest.

Oom was vandaag niet in zijn hum. Wat ik ook probeerde, hij wilde mij weer eens niet kennen. Ik merkte dat zijn handen vreemd stonden, alsof hij kramp had. Hij had ook moeite met zijn kop koffie. Hij hield de mok tegen zijn mond, maar had niet het besef dat hij de onderkant schuin moest houden om te drinken. Toen ik het voor hem deed verslikte hij zich, hij bleef er zowat in. Kennelijk had hij problemen met slikken. Dat had hij nooit eerder gehad. Oom kwam ook niet meer uit zijn rolstoel. Het leek wel of hij zich helemaal liet gaan nadat het testament getekend was.

Ik had er niet bij aanwezig mogen zijn, maar na afloop had Celine mij nog gebeld om te zeggen dat alles goed was verlopen. Ze zei dat oom heel monter de twee notarissen duidelijk had gemaakt dat hij mij in zijn testament wilde hebben.

Dat was twee dagen geleden. Daarom verbaasde het mij des te meer dat hij nu zo slecht was. Ik kon net zo goed tegen een mummie praten, dus ging ik na een tijdje maar weer naar huis. Daar voelde ik me dan meteen weer schuldig over. Misschien was ik wel te passief geweest. Ik wilde wel ooms liefhebbende nichtje zijn, maar dan moest oom wel een beetje meewerken.

Ik parkeerde mijn BMW onder het afdak van de grote schuur en liep naar de brievenbus. Het was weer zo'n dag dat er van alles mis ging.

Er zat een brief van Plansierra bij. Het kwam erop neer dat ze vroegen waar de vijfentwintigduizend euro bleven. Met geen woord repten ze over mijn brief waarin ik ze had medegedeeld dat de factuur niet klopte.

Ik was al in een pestbui, en dit was de druppel. Ik sloeg met mijn vuist op tafel, sprong op en begon briesend, stampvoetend door de kamer te ijsberen. Niet dat mijn gestampvoet enig nut had, behalve dan misschien om iets van mijn overtollige adrenaline te verbranden.

Ik schonk mezelf een kop koffie in en vrat achterelkaar drie gevulde koeken op.

In de stoel bij het raam zat ik een tijd lang voor me uit te staren. Ik moest eerst rustig worden, maar mijn ongeduld won het. Ik greep mijn BlackBerry.

Terwijl ik eindeloos zat te wachten tot ik naar de juiste persoon werd doorverbonden, werd de verbinding verbroken. Driftig drukte ik de herhaaltoets in. Nu kreeg ik een andere "miep" aan de lijn, kon ik weer opnieuw mijn verhaal doen.

'Ogenblikje ik verbind u door,' zei de "miep" zonder op mijn verhaal in te gaan.

Na het "rustgevende" melodietje volgde wéér de boodschap: 'Bij Plansierra staat de mens centraal, voor meer informatie kijk op onze website: www.Plansierra.nl.'

'Debiteurenadministratie met Christiaan de Waard.'

'Met Puck Scheltinga van Beuningen.' Dat deed ik altijd als ik indruk wilde maken, mijn volledige naam noemen. 'Ik ben de curator van de heer G.C. Brandal,' zei ik met een air. 'Ik heb u een brief gestuurd naar aanleiding van uw factuur. Daarin deel ik u mede dat de factuur niet juist is, en nu krijg ik vanmorgen bij de post een aanmaning...'

'Heeft u een cliëntnummer?'

Mijn air noch mijn dubbele naam hadden indruk gemaakt. Ik dreunde het nummer op dat op de nota stond aangegeven.

Er klonk een moeizaam gekreun aan de andere kant. 'Eh... es effe kijken. Ja, inderdaad. Er staat nog een rekening open van vijfentwintigduizend zevenhondertachtig euro en dertig eurocent, om precies te zijn. En die kunt u niet betalen begrijp ik?'

Het was maar goed dat de man niet tegenover me zat, want ik had hem beslist een bal afgedraaid. 'Nee! Ik kán hem wel betalen, maar ik gá hem níét betalen!' riep ik nijdig. 'Omdat de rekening gewoon niet klopt. Heeft u mijn brief dan niet gelezen?'

'Moet ik even het dossier erbij halen,' klonk het aan de andere kant.

'Ja, doet u dat.'

'Kan ik u zo misschien even terugbellen?'

'Nee, dat kunt u niet. Ik wil dat de zaak nu meteen wordt opgelost.'

'Dan zult u even moeten wachten, ogenblik.'

'Zo. Bent u er nog?' klonk het na een minuut of tien.

'Ja, natuurlijk ben ik er nog.'

'Uw brief hebben we ontvangen. Ik heb het net even met het hoofd besproken, maar we kunnen er helaas niets anders van maken.'

'En de nota van mevrouw Woltink van tweeëntwintigduizend euro dan? Daar heb ik trouwens al vierduizend op betaald.'

'Dat zult u toch echt met mevrouw Woltink moeten afhandelen. Wij hebben vanaf mei de administratie van haar overgenomen. Vanaf die datum is de particuliere thuiszorg bij ons ingelijfd.'

'U gaat mij toch niet vertellen dat ik voor acht weken zorg zevenenveertigduizend euro moet betalen?'

'Wij hebben u het gangbare tarief in rekening gebracht, niet meer en niet minder,' zei hij zelfvoldaan.

'Maar ik heb toch al over die periode een factuur ontvangen van tweeëntwintigduizend euro. Waarom rekent u vijfentwintigduizend en mevrouw Woltink tweeëntwintigduizend voor dezelfde periode? En waar zijn de vierduizend euro die ik al betaald heb gebleven?'

'Hoe moet ik dat weten, mevrouw?'

'Het lijkt godverdomme wel of ik met een stelletje oplichters te maken heb,' brieste ik. 'Ik betaal geen cent meer, hoort u dat! U gaat mij eerst maar eens zwart op wit antwoord geven op mijn brief. En als het antwoord mij niet bevalt, dan stap ik naar de rechter. Ik ben jurist, dus u bent gewaarschuwd. Dag meneer De Waard.'

Ik was te opgewonden om meteen Loes Woltink te bellen. Dat kon ik beter morgen doen als ik weer wat rustiger was. Nu wilde ik mountainbiken. Die gore kutzorginstelling kon wat mij betreft de pest krijgen.

Toen ik in het gedempte zomerse licht het steile, door lover overdekte, zanderige crosspad nam, behendig tussen de boomwortels door manoeuvrerend, voelde ik dat ik gevolgd werd. Ik keek even over mijn schouder.

Willem deed verwoede pogingen mij in te halen.

De adrenaline schoot door mijn lijf. Ik zou hem weleens even laten zien wat ik kon. Met Willem in mijn kielzog vloog ik in razend tempo over de hobbels en de kuilen, ploegde zwetend en hijgend door het rulle zand de berg op, zeilde dan weer met een duizelingwekkende vaart tussen de bomen door naar beneden.

Willem kwam geen steek dichterbij.

Ik was allang weer op de volgende heuvel en stond met de handen op mijn knieën uit te hijgen, vergenoegd kijkend hoe de machospierbundel de laatste kracht uit zijn benen trapte.

Toen hij eindelijk boven was liet hij zich languit op de grond vallen. Zijn fiets klapte naast hem in het zand. Leunend op zijn ellebogen lag hij op zijn rug met gespreide benen naar adem te happen.

Nog steeds met mijn handen op mijn knieën, stond ik voorovergebogen, glunderend naar hem te kijken.

Hij gooide zijn hoofd in zijn nek. 'Godverdomme zeg. Wat kun jij fietsen,' hijgde hij.

Ik haalde diep adem en blies mijn longen leeg. Het brak me aan alle kanten uit. Mijn fietspak was drijfnat. Ik keek over mijn schouder naar beneden. Er liep een natte streep tussen mijn billen.

'Ik heb gewonnen,' pufte ik, toen ik eindelijk een beetje op adem gekomen was, viel naast hem neer en nam dezelfde houding als hij aan. Daar lagen we dan: volkomen uitgeteld, diep in het lommerrijke bos.

'Tjees, ik zweet me kapot,' zei Willem en trok zijn hemd uit.

'Ja lekker,' zei ik. Ik wreef over zijn glimmende torso en likte zijn tepel, het smaakte zout. Langzaam liet ik mijn hand in zijn korte sportbroek glippen. Ik smeerde het zweet in zijn kruis uit over het rubberachtig aanvoelende slurfje, dat meteen begon te groeien.

Willem wilde mij omhelzen, maar ik duwde hem ruw achterover in het zand. Met een ruk trok ik de sportbroek van z'n kont. Zijn inmiddels keiharde piemel klapte als een springveer tegen zijn buik. Ik bevochtigde mijn handen nogmaals aan zijn zweet en liet ze over zijn paal glijden. Al gauw trok hij zijn buik in, kantelde zijn bekken en begon te grommen als een wild dier. Ik zag de spieren in zijn dijen aantrekken en zijn tenen krommen.

'Oh, te gek!' riep ik, gebiologeerd toekijkend terwijl hij zijn kwak in etappes over zijn buik spoot. Toen ik het laatste restje uit zijn pik geknepen had, veegde ik mijn hand af aan zijn sportbroek.

'Hé, die moet ik nog aan,' riep hij verontwaardigd.

'Nou. Het is anders je eigen kwakkie hoor,' zei ik. 'Vond je het een beetje lekker?'

'Moet je dat nog vragen?'

'Je had trouwens wel hoge nood, 't was zo gepiept.' Ik keek naar zijn lul die nog steeds stijf stond. Toen stond ik op en pakte mijn fiets.

'Wat ga je doen?' vroeg hij verbaasd.

'Fietsen. Wat dacht jij dan?'

Zittend op mijn fiets, keek ik triomfantelijk op hem neer. Ik had zin om hem nog even verder te pesten en zei met een lach: 'Nu weet ik hoe jij bent als je klaarkomt. Je hebt trouwens niet eens zo'n grote.'

Hij greep meteen naar zijn sportbroek en trok hem zo snel mogelijk omhoog.

Ik rolde ondertussen langzaam richting de steile afdaling. Voordat ik naar beneden stoof draaide ik me om. 'Doei Wullempie. Pak me dan!' riep ik uitdagend. Toen kachelde ik de heuvel af.

Beneden keek ik over mijn schouder, maar Willem zag ik nog niet. Ik zette meteen de vaart er weer in, hij mocht me niet inhalen. Ik sjeesde rakelings langs Bannink de oprit op. 'Hoi, meneer

Bannink!' Hij stak verbouwereerd zijn hand omhoog.

Ik kwakte mijn fiets in de schuur neer en rende naar binnen. Willem kwam nu pas voorbij op het fietspad achter de haag. Ik vergrendelde meteen de keukendeur, bang dat hij verhaal zou komen halen en mij nu terug zou pakken. Of ik dat in deze gemoedstoestand wel wilde wist ik niet… Even later gluurde ik voorzichtig in de woonkamer door de vitrage.

Willem stond te praten bij Bannink. Ze keken in mijn richting. Bannink lachte voluit. Ik kon me niet voorstellen dat Willem aan Bannink verteld had wat ik met hem had uitgevreten. Misschien had hij wel een heel ander verhaal opgehangen. Stond hij daar op te scheppen over hoe hij míj gepakt had.

Onder de douche piekerde ik door over wat Willem nou over mij gezegd zou kunnen hebben. Het liet me toch niet los. Waarschijnlijk dat ik een gefrustreerde trut was. Ik had spijt als haren op m'n hoofd van mijn overmoedige daad.

Met weer twee flessen wijn onder mijn arm en een camembertje in een plastic zak, piepte ik na het eten door het gat in de heg. Sandra en Henk zaten op hun terras. Ik vroeg of ik niet stoorde.

'Ben je gek, meid. Kom zitten.' Sandra stond meteen op om stokbrood in de oven te doen.

Hun terras was heerlijk intiem. Je kon er tot laat nog van de zomeravondzon genieten.

Sandra vertelde dat oom en tante toen ze er pas woonden buurt hadden gemaakt, en dat het toen zo gezellig was geweest. Gerdien had een toespraakje gehouden waarin ze de buurtbewoners wat over henzelf vertelde.

'Nou, en midden in Gerdiens toespraakje zegt Gerhard ineens: "Voordat er nog meer onzin uitgekraamd wordt moesten we eerst maar het glas heffen." Dat zeg je toch niet!' riep Sandra uit. ''t Is tenslotte wel zijn vrouw! Ik vond het echt zielig voor Gerdien. Ze heeft de hele avond niks meer gezegd en zat er maar een beetje sneu bij.'

Sandra had er opgewonden blosjes van gekregen.

Henk grijnsde gelaten. Hij bleef altijd rustig, dat moest ook wel als je met zo'n opgewonden standje als Sandra getrouwd was.

Ik mocht ze allebei. Ze hielden van elkaar, dat merkte je aan alles. Henk kreeg altijd van die glimogen wanneer Sandra weer eens uit de boot viel en heftig haar mening verkondigde. Zij maakte van haar hart geen moordkuil, dat sprak mij juist wel aan. Ik hield niet van stiekemerds met een dubbele bodem.

'En toch hielden ze van elkaar,' zei ik.

We zwegen alle drie even.

'Maar dat geloof ik ook best wel,' zei Sandra uiteindelijk. 'Anders houd je het toch niet zo lang met zo'n man uit?'

Ik glimlachte. Ze had waarschijnlijk niet door dat ze zojuist oom negatief gekwalificeerd had, maar ik begreep wel wat ze bedoelde.

36

Zijn dikke opgeblazen gezicht, met de rossige, grote knevel onder de spitse neus, had iets weg van een hamster. Het brede, gedrongen mannetje, gehuld in rode pullover en grijze broek, zeulde zijn koffertje waar wel twee ordners in pasten met zich mee, toen ik hem buiten voor de deur stond op te wachten.

Andries Heerink had slechts één ding gemeen met Guus Trompetter. Ze runden alle twee een veilinghuis. Voor de rest verschilden ze in alles van elkaar, de nieuwe zwarte Chrysler 300 was daar het eerste bewijs van.

Zijn sluwe kraalogen achter het kleine brilletje, dat voor op zijn neus stond, namen mij vluchtig op.

'Wilt u koffie?' vroeg ik, omdat dat nu eenmaal zo hoort. 'Vooruit lui varken, loop eens een beetje door met je volgevreten, vette lijf, ik heb geen uren de tijd,' dat zei je natuurlijk niet. Het was weer zo'n gedachteflits die in mij opkwam. Ik beet op mijn lip om een giechel te onderdrukken. Waarschijnlijk dacht Heerink dat ik hem vriendelijk toelachte.

'Nee nee. Eerst maar even de zaak bekijken,' zei hij. Hij haalde een dikke catalogus uit zijn koffertje. 'Deze is voor u, dan krijgt u een beetje een indruk wie wij zijn.'

Het was een schitterend boekwerk. 'Mag ik dit houden?' vroeg ik voor de zekerheid.

'Jaja. Ik heb er zat,' zei hij trots. 'We maken ze zelf op de computer. We mailen het pdf-bestand naar de drukker. Daar heb ik een deal mee.'

'Aha.' Ik knikte en beet op mijn onderlip. Normaal gesproken wil ik altijd alles weten over deals, maar ik had al spoedig door dat je deze man niet hoefde aan te sporen, want hij zou mij zeker tot in de kleinste finesses hebben ingewijd over zijn deal met de drukker. En omdat ik dan weer alles wilde weten, hadden we hier uren gezeten voordat we eindelijk waren toegekomen aan de werkelijke reden van zijn bezoek.

Ik ging hem voor naar de schappen waarin nog een paar schilderijen stonden. Voorzichtig haalde hij er een paar werken uit. Toen hij ze terugzette zei hij dat ze met de ruggen tegen elkaar gezet moesten worden en je altijd moest zorgen dat het doek vrijstond.

De meeste werken had ik van de bibliotheek naar de oude woonkamer gesleept, vanwege het daglicht.

Hij nam de tijd om ze allemaal rustig te bekijken. 'Zo, da's heel wat,' zei hij.

Het was mij niet meteen duidelijk of hij de kwantiteit of de kwaliteit bedoelde.

'Voornamelijk oosterse kunst, is het niet?'

'Klopt. Vindt u het wat?' vroeg ik.

'Jazeker!'

In de bibliotheek raakte hij helemaal euforisch. Terwijl hij door de smalle paden liep te snuffelen, begon van opwinding zijn knevel te trillen en blies hij zijn wangen op alsof hij er voedsel in wilde wegstoppen.

Het kon niet missen, mijn eerste indruk was juist. Hij moest in zijn vorige leven een hamster geweest zijn. In gedachten zag ik hem al in een reuzenrad rondrennen. Dat vond ik wel zo'n beetje het enige nadeel aan hem, want hamsters vond ik net zo vies als muizen.

'Kijk,' zei hij, en trok een groot boek uit de stelling, 'dit is veel geld waard. Is een complete serie. Krijg je zo twee- tot drieduizend voor.'

Het viel me op dat hij de boeken niet aan de rug van de kaft naar voren trok, maar eerst zijn vinger op bovenkant van de bladzijden legde en het boek dan pas voorzichtig tussen duim en wijsvinger naar achter trok. 'De rug kan zo nooit uitscheuren,' legde hij uit, en deed meteen een nieuwe greep. 'En deze atlas: met de ogen dicht duizend,' riep hij. Toen trok hij een enorm platenboek uit de stelling. 'Echte gravures…!' De stoom kwam zowat uit z'n oren. 'Kijk, dat kun je voelen.' Hij streek met een vlakke hand over het papier. 'Brengt vijfduizend op.'

Hij snuffelde verder, gaf hele verhandelingen waarom dit, waarvan ik dacht dat het veel waard was, juist niets opleverde, en dat, wat ik nooit gedacht had, juist veel.

Zijn enthousiasme sloeg op mij over. Iedere keer dat hij weer iets ontdekte, beet hij op zijn tandjes, die ook telkens als hij dat deed bloot kwamen. Je kon het zelfs horen. Ook dat moest hij hebben overgehouden uit zijn vorige leven.

Van de boeddhabeelden bleek hij eveneens verstand te hebben. Zelfs ooms skelettenverzameling wilde hij wel veilen. Dat gold ook voor de dekenkisten. Hij vond het allemaal zeer de moeite waard en zei dat hij voor alles een behoorlijke prijs kon maken.

Toen we weer aan de grote tafel zaten wilde hij wel een kop koffie. Hij vroeg me het hemd van het lijf over oom, en over hoe ik in deze situatie verzeild was geraakt.

Als ik akkoord ging, kon hij binnen veertien dagen de spullen al komen ophalen, dan zou alles nog met de septemberveiling meekunnen. Dat gold niet voor de boeken. Die wilde hij laten veilen door zijn compagnon, ene Tjerk Geertsema, die van antiquarische boeken nóg meer verstand had dan hij.

Heerink bleef maar doorpraten. Je kon er geen speld tussen krijgen… Hoe we erop kwamen weet ik tot op de dag van vandaag nog steeds niet, maar ik kreeg een hele verhandeling over Maximiliaan de eerste die een zoon van Keizer Frederik de derde was, en trouwde met Maria van Bourgondië die weer een dochter was van Karel de Stoute, en dat daarom Bourgondië uiteindelijk in handen van Maximiliaan de eerste gevallen was.

Ik trok een gezicht alsof ik me al jaren had afgevraagd hoe die Maximiliaan dat toch had geflikt.

'Kijk, mevrouw. Dat zijn dingen in ons vak, die moet je gewoon weten.'

'Ja,' zei ik. 'Anders ben je nergens.'

'Precies mevrouw. Kunst is emotie… Pure emotie.'

Dat was ik volledig met hem eens, zeker op de manier zoals hij "de kunst" verwoordde. Daar hield je de ogen niet droog bij.

Hij vertelde ook nog dat het hele gezin meewerkte in de zaak. Ja, niet dat zijn zoon al net zoveel wist als hij natuurlijk, maar dat kwam wel met de jaren.

Ik had nou al medelijden met die knaap, want hij zou waarschijnlijk de hele geschiedenis van de Batavieren tot aan de Tachtigjarige Oorlog, of wat voor oorlog dan ook, uit zijn hoofd moeten leren voordat hij ook maar in de schaduw van zijn dominante vader kon staan.

Nadat hij mij volledig had sufgeluld, schreef hij een opdrachtbon uit waarop hij mijn naam, adresgegevens, telefoonnummer, en ooms bankrekeningnummer noteerde.

'Heeft u een lijst van de zaken die we mee moeten nemen?' vroeg hij. 'Dan kan ik die aan het formulier hechten, ziet u.'

Ik gaf hem de lijst die ik al klaar had liggen. 'En hoe is nou de verzekering geregeld?' vroeg ik, omdat dat het enige was wat me nog te binnen schoot na zijn oratorisch orgasme.

Hij lachte sluw en zei: 'Dat komt helemaal goed, mevrouw. Als u zegt anderhalve ton, dan is het voor drie ton verzekerd, zit allemaal in de twaalf procent die ik beur.'

Dat wist ik dan ook weer. Ik tekende de opdrachtbon waaraan hij netjes mijn lijst had gehecht. Bij deze man kreeg ik een goed gevoel, maar hij moest niet al te vaak langskomen, want ik wist niet zeker of mijn simpele geest wel bestand was tegen zoveel pure emotie.

'Neem nou die Doré Bijbel,' begon hij weer. 'Die is zeker tienduizend waard.'

'Ja,' zei ik. 'En dan die ene Holy Bible, die is helemaal veel waard.'

'Nee, mevrouw, die brengt niks op.'

'Nou, toch wel iets.'

'Misschien tien euro. Dat heeft te maken met de echte gravures en de compleetheid ervan.'

'Aha.'

'In de negentiende eeuw gebeurde het nogal eens dat er gravures uitgescheurd werden, ziet u. Dat deden ze om ze in te lijsten. Als u het hebt over De reizen over Moskovie verrijkt met driehonderd kunstplaten, dan ben ik weer uw man.'

Ik was blij dat ik de Eduard Karsens en de Zandlevens niet had laten zien. Anders zou ik nooit van hem af komen. Charlotte had ik moeten beloven dat zij ze mocht veilen via Sotheby's.

Toen hij eindelijk na twee en een half uur vertrok liep ik, welis- waar volledig uitgewoond, met een tevreden gevoel naar binnen. Al die tijd had ik mijn plas opgehouden en het had niet veel gescheeld of alle emotie was in mijn broek terechtgekomen.

Eindelijk kwam er schot in de zaak! Ik moest mijn verhaal kwijt. Charlotte lag waarschijnlijk nog op één oor, rekende ik gauw uit, dus besloot ik tante Agaath te bellen om haar op de hoogte te brengen van de laatste ontwikkelingen.

'Kind, ik vind dat je het allemaal keurig doet,' zei ze. 'En maak je nou maar niet te druk over die nota van Plansierra. Ze zullen vroeg of laat hun fout echt wel inzien. Hoe gaat het met Gerhard?'

'Ach, dat wisselt,' zei ik. 'Soms krijg ik de indruk dat hij mij niet eens herkent. Hij komt zijn rolstoel niet meer uit en zijn handen zijn helemaal verkrampt.'

'Kind! Dan geven ze hem haldol, dan krijg je dat. Je moet gewoon vragen of ze hem niet iets anders kunnen geven.'

Na het telefoongesprek stapte ik meteen in de auto. Tante kon best weleens gelijk hebben. Ze was tenslotte apothekersassistente geweest. Wat was ik voor een doos? Dat ik daar niet eerder aan gedacht had.

In Boslust nr. 4 stormde ik meteen de verpleegpost binnen. 'Ik wil nú weten wat jullie mijn oom voor troep geven!' ging ik meteen tot de aanval over.

Els en Simon zaten net in hun theepauze. Simon deed of hij zich verslikte. 'Ook goeiemiddag, Puck. Ga lekker zitten, meid.' Hij schoof de stoel die naast hem stond achteruit.

'Nee, ik gá niet zitten. Ik wil weten wat jullie met mijn oom uitspoken. Jullie zijn bezig hem te vermoorden.'

'Ho ho,' riep Simon. 'Dat is nogal een boute uitspraak.'

Ik voelde dat ik te ver was gegaan. 'Sorry, zo bedoel ik het niet. Maar, maar...' Ik beet op mijn onderlip, ik wilde hier niet gaan zitten janken.

Els schonk een kop thee voor me in. Simon klapte nogmaals met zijn hand op de stoel naast hem. Ik ging toch maar even zitten.

Ze zaten me glazig aan te kijken, zonder iets te zeggen. Doordat ik zo nerveus zat te beven rinkelde het lepeltje tegen mijn theekop. Toen ik een slok wilde nemen werd het nog erger, waardoor ik een enorme lachstuip kreeg.

Simon wreef over mijn rug, dat vond hij blijkbaar nodig. 'Zo-o, zo-o,' mompelde hij alsmaar. Toen ik weer wat op adem gekomen was, zei hij: 'Nah, vertel eens. Hoe kom je zo op die gedachte?'

'Nou, ja. 'k Weet niet. Oom is de laatste tijd zo passief. Hij kon laatst niet eens zijn kopje naar zijn mond brengen. En hij zit zo raar met zijn handen naar binnen gevouwen.'

'Ja,' zei Els, 'dat hebben wij ook gemerkt. Je moet niet vergeten dat zijn dementie steeds erger wordt. Misschien moet je je erbij neerleggen dat hij steeds minder kan. Hij zal soms nog weleens een opleving hebben, maar die worden steeds schaarser. En ja, hij krijgt medicijnen, dat moet wel om hem rustig te houden. Dat doen we om hem zo min mogelijk te laten lijden. Het is een keuze uit twee kwaaien.'

'Maar laatst was hij nog zo bij de pinken,' zei ik, 'toen met zijn testament.'

'Ja hallo, maar toen hebben wij hem helder gehouden door de medicatie aan te passen. Het heeft ons dan ook heel wat moeite gekost om hem 's middags weer rustig te krijgen.'

'Maar kunnen jullie de medicatie dan niet iets verminderen? Nu zit hij er als een zombie bij. Jullie geven hem toch geen haldol, hè?'

Els en Simon keken elkaar even aan, alsof ik iets ontdekt had wat ze verborgen hadden willen houden.

'Weet je, Puck,' zei Simon. 'We hebben soms gewoon geen andere keus. Maar ik zal Janneke Kamminga even halen. Zij is tenslotte de behandelend psychiater. Wij mogen en kunnen je niet alle informatie geven.'

Na een kwartier en nog een kop thee kwam Janneke het kantoortje binnenstappen. 'Hai, u bent nogal overstuur heb ik van Simon gehoord?' Ze keek me recht aan en probeerde in te schatten hoe ernstig het was.

'Nou ja, overstuur...' antwoordde ik om de kwestie te relativeren. Maar daar tuinde Janneke niet in.

'Ik kan me heel goed voorstellen dat het u soms te kwaad wordt. Dat mag ook best.' Ze laste even een kleine adempauze in en nam weer ieder detail van mijn gezicht in zich op. Ik wist niet of dat nou beroepsdeformatie was of dat ze lesbisch was, en daarom steeds zo zoetsappig naar me keek.

'Ik heb begrepen dat u zich zorgen maakt over de medicatie?' Janneke trok gedecideerd haar kin in. 'U weet dat uw oom vasculaire dementie heeft. Bij deze vorm van dementie kunnen de hersenen de informatie van het lichaam niet meer op de juiste manier verwerken. Het gevolg is dat er spontaan pijnprikkels ontstaan vanuit het zenuwstelsel, terwijl het lichaam daar geen aanleiding toe geeft. Uw oom heeft regelmatig cva's, dat zijn kleine herseninfarcten. Dan raakt hij even weg. Meestal houden wij hem dan een dag in bed. Maar bij ieder klein infarct raakt hij weer wat achterop. Uw oom heeft de meest ongelukkige combinatie die je je kunt indenken. Hij lijdt aan psychoses waardoor hij geagiteerd raakt en soms zelfs agressief, vooral omdat hij zich door zijn dementie niet meer kan uitdrukken. En daar komen dus nu ook nog eens die akelige pijnprikkels bij. Als we niets doen dan lijdt hij vreselijk. Soms proberen we hem rustig te houden met aspirine. Sommige patiënten reageren daar goed op, maar bij meneer werkt dat onvoldoende. Laatst hebben we hem geen haldol toegediend omdat hij zo helder mogelijk moest zijn voor het testament.'

'Dus het is eigenlijk maar te hopen dat hij niet al te lang meer leeft?' zei ik.

In Jannekes ogen las ik het antwoord.

Ze legde haar hand op mijn dijbeen. 'Ik heb het met Celine besproken.' Ze keek alsof ze me een geheim ging verklappen. 'Ze vindt het goed dat u mag komen wanneer u maar wilt.'

'Krijgt hij eigenlijk veel bezoek?' vroeg ik.

'Heel weinig,' zei Els. 'Laatst waren z'n buren hier, maar die waren zo weer weg. En ook een keer een oudere, deftige, grijze heer met een jongere vrouw. Die hebben hem toen mee naar buiten genomen in zijn rolstoel. Dat vond meneer trouwens erg fijn. Die mensen gingen zo lief met hem om. Toen ze weer weggingen kwamen ze nog even langs. Ze wilden alles over je oom weten.'

Dat moesten Oom Rolf en Rebecca geweest zijn. Bannink was kennelijk nog niet geweest.

'Verder ben jij eigenlijk de enige die regelmatig komt,' ging Els verder.

Het viel me nu pas op dat Els en Simon me tutoyeerden. Nu hoor ik er zeker helemaal bij, dacht ik, maar het gaf me toch een goed gevoel.

'Kom,' zei Janneke. 'Dan gaan we samen even kijken hoe het met meneer is.'

Oom hing wezenloos in zijn rolstoel. Zijn mond hing open en hij kwijlde op zijn trui. De rijzige vrouw met het grijze, opgestoken haar zat er ook, maar niet in een rolstoel.

'Komt u voor mij?' Dat vroeg ze elke keer als ik kwam.

'Nee, ik kom voor mijn oom,' zei ik.

'O, is die zoutzak je oom? Je zou'm zo uitschijten. Hij doet nooit een bek open. Hij is het doodschoppen nog niet waard.'

Haar messcherpe tong had me diep geraakt.

'Hier is Puck, meneer Brandal,' zei Janneke.

'Maar kunt u mij dan misschien zeggen wat ik hier doe?' begon de dame met het opgestoken haar weer.

'U zit hier omdat u een beetje in de war bent, mevrouw Kruisinga,' zei Janneke rustig.

'Ach, sodemieter toch op,' mopperde mevrouw Kruisinga met een misprijzend gebaar. 'Je bent zelf in de war.'

Oom keek met een wazige blik in mijn richting. Langzaam groeide de herkenning in zijn ogen. Ik ging door de knieën en pakte zijn handen die hij al bevend ophield. Ik hoopte maar dat hij niet gehoord had wat mevrouw Kruisinga over hem gezegd had. 'U bent mijn lieve oom,' zei ik ontroerd.

Janneke trok een beroepsmatig vertederd gezicht. Dat moest ze vast tijdens haar studie bij het vak communicatieve vaardigheden hebben geleerd.

'Nou, ik laat jullie alleen,' zei ze. Ik wilde opstaan om haar te bedanken, maar ze kneep haar ogen toe, tuitte haar mond en schudde haar hoofd.

Ik nam oom mee naar de gang, waar het wat rustiger was. Hij wilde wat gaan zeggen, dat zag ik aan zijn versnelde ademhaling en z'n tong die over zijn onderlip uit zijn mond hing. Het moest van ver komen. Oom fronste zijn voorhoofd. Hij keek alsof er een golf maagzuur naar boven kwam. 'Wie... is... is. Dat dat dat... van laatst.'

'Ik hoorde dat u bezoek heeft gehad van Rolf en Rebecca,' zei ik.

Oom ontspande, ik had in de roos geschoten. Zijn gezicht liet alle spanning varen. Het viel me op dat zijn handen iets minder verkrampt waren dan laatst.

Er begon zich weer iets in oom te roeren. Zijn ogen werden groter en fixeerden zich op mijn hals. Kennelijk trok daar iets zijn aandacht. Ik boog naar hem toe. Hij pakte het gouden kruisje aan het kettinkje om mijn nek. Hij bekeek het aandachtig.

'Vindt u dat zo mooi? Ik ben ook katholiek, net als u,' verklaarde ik. Tevreden met het antwoord, stopte hij het terug in het kuiltje van mijn hals. Hij aaide over mijn sleutelbeen.

'U vindt mij zeker een beetje te mager?' zei ik vertederd.

Zijn gezicht vertoonde een hemels glimlachje.

'Kom, ik ga u weer eens terugbrengen,' zei ik.

Oom leunde met de ellebogen op de armsteunen van zijn rolstoel. Hij wreef in zijn handen alsof hij ze waste.

'U bent een deugniet,' fluisterde ik in zijn oor.

Oom veerde met een rukje omhoog in zijn stoel en trok zijn wenkbrauwen op alsof hij ineens iets hoorde.

Toen ik in de recreatiezaal de rolstoel op de rem zette en afscheid van hem nam, kwam er een vrouwtje op me af gesneld. Met een ondeugend smoelwerk greep ze zich vast aan mijn rode jurk. Ik was even bang dat ze hem omhoog zou trekken, maar dat deed ze gelukkig niet. Voorzichtig probeerde ik naar de deur te lopen, maar ze bleef mijn jurk vasthouden en liep zo achter me aan. Of ik wilde of niet, ik had een aanhangster gekregen.

'Laat maar los,' zei ik. Voorzichtig pakte ik haar hand beet om hem los te krijgen, maar ik kreeg hem niet los. Ze had inmiddels mijn jurk zo hoog opgetrokken dat het niet veel scheelde of ik liep in mijn slipje. De knokkels van haar hand zagen wit van het knijpen.

'Nu is het mooi geweest,' zei ik iets strenger.

'Die is ook niet helemaal lekker,' schamperde mevrouw Kruisinga. 'Die moet je gewoon een rotschop verkopen.'

Ik boog mijn hoofd om het vrouwtje aan te kunnen kijken. Ze had de ogen van een uitgelaten kind dat vol kattenkwaad zat. Ze maakte een klein sprongetje, alsof ze me vroeg: 'Ga je mee buiten spelen...?'

'Ik loop gewoon door hoor,' zei ik, maar dat hielp geen zier.

In de gang hobbelde ze nog steeds achter me aan. Ik liep naar de verpleegpost om te vragen wat ik daar nou mee aan moest. Simon stond op. 'O, je hebt gezelschap, zie ik,' zei hij geamuseerd. Hij vond het vermakelijker dan ik.

'Ja, ik kan haar niet loskrijgen.'

'Mevrouw Scheringa...! Dat mag niet! Laat die mevrouw eens even los,' zei Simon met luide stem, maar mevrouw Scheringa liet niet los. Aan de verbeten trek op haar gezicht kon je zien dat ze niet van plan was haar prooi zomaar op te geven. Simon gaf een venijnige tik op haar hand.

'Ah nee, niet slaan!' riep ik verontwaardigd.

Maar ze gaf geen krimp. 'Wat zit er in je tas?' vroeg ze. Ze kon dus wel praten.

'Make-up spulletjes,' zei ik. 'Kijk maar.' Ik hield mijn tas open. Ze wilde haar vrije hand erin steken, maar ik was haar net een slag voor. Ik hield mijn lipstick voor haar omhoog. 'Kijk eens...!'

Ze liet mijn jurk meteen los en graaide de lipstick uit m'n hand. Als een kind zo blij, draaide ze zich om en liep terug naar de recreatieruimte. Af en toe maakte ze een sprongetje. Ze leek net een dartel veulentje.

Ik trok met een snel gebaar mijn jurk glad.

Simon stond ongeduldig bij de deur om me eruit te laten. 'Hé Puck,' zei hij. 'Ik ga er gauw achteraan, anders smeert ze zich helemaal onder.'

'Nou, succes dan maar.' Met een plagerige glimlach liep ik voor hem langs.

'Dahaag, meneer,' begroette ik het vriendelijke mannetje dat vandaag weer eens op zijn bankje bij de ingang zat.

'Kankerrr-zooi!'

'Zit u weer lekker in het zonnetje?' vroeg ik vriendelijk.

'Kankerrr...!'

Voordat hij verder kon gaan stak ik mijn vinger op. 'Uh uh, dat mag u niet zeggen.'

'Zzzooi, hi hi hi,'

Het klonk alsof zijn batterij leegliep. Ik had hem bijna zover, maar dan zou hij waarschijnlijk nooit meer wat zeggen, want zijn woordenschat bestond maar uit één woord. Ik vond hem een schatje.

37

Ik kon mijn auto niet kwijt onder het afdak van de grote schuur. De Chevy van Willem stond op het pad, met daarachter een gigantisch apparaat dat een enorm lawaai maakte.

Henk en Willem waren druk bezig de stapel takken een voor een in de grote bek van het apparaat te duwen. Aan de zijkant spuugde de helse machine met luid geraas een berg houtsnippers uit.

Ze waren zo geconcentreerd bezig dat ze me niet eens zagen staan. Ik voelde me net een freule die met verholen verlangens haar personeel stond te begluren. Ik moest toegeven dat ze niet veel voor elkaar onderdeden. Ze hadden grote handschoenen aan, hun ontblote bovenlijven glommen van inspanning. Met ontzag voor het razende monster liep ik behoedzaam naar de mannen toe.

Willem zag me het eerst. Hij drukte op een rode knop. Het geluid van het monster zakte fluitend weg. 'Hoi. Een verhakselmachine!' riep hij trots. 'Van een vriend geleend.' Hij keek achterom. 'Dan is eindelijk die berg takken een keer opgeruimd. Daar zul je vast geen bezwaar tegen hebben.'

'Te gek, jongens. Jullie zijn kanjers!' riep ik terug. Ik keek naar de berg houtsnippers, de damp sloeg ervanaf. 'Kan dat geen kwaad?' vroeg ik.

Henk zei dat het kwam omdat het hout nog vochtig was, maar dat het niet erg was. Hij begon breedvoerig uit te leggen dat hij met behulp van de keien die achter de schuur lagen opgeslagen tuinpaden kon uitzetten, en de houtsnippers tussen de keien kon verwerken. Ik deed maar of ik het snapte. Het zou vast wel goedkomen.

'Het wordt echt heel mooi. Je zult het zien,' zei Willem.

Ik zei dat ik me even ging omkleden en ze dan kwam helpen. Uit de manier waarop ze elkaar aankeken, maakte ik op dat mijn verhakselkunde niet erg hoog ingeschat werd. Ze hoefden al niets meer te zeggen. 'Zal ik dan maar het eten gaan klaarmaken?' zei ik, omdat ik toch iets terug wilde doen.

'Voor mij niet,' zei Henk. 'Maar ik denk dat Willem geen nee zegt.'

Na een uur verstomde het geraas. De nasi stond op het vuur. Ik was aan het aanrecht bezig om de sla aan te maken toen ik opeens twee grote, plakkerige handen om mijn schouders voelde. Ik draaide me om.

'Sorry, ik wilde je niet laten schrikken,' zei Willem.

'Nee, dat is het niet, maar je bent zo vie-ies,' gilde ik met een uithaal. 'Ga je eerst maar even wassen. Ik zal een handdoek voor je pakken. Je weet waar het is.'

Willem droop af naar de badkamer.

Ondanks het feit dat Willem niet echt tot de categorie praters behoorde, genoot ik van zijn gezelschap. We deden samen de afwas. Hij vroeg wel naar het bezoek van de beide veilingmeesters. Heerink kende hij wel. Dat was een goeie vond hij, maar je moest hem wel in de gaten houden, want er raakte weleens wat tussen de wal en het schip, als ik begreep wat hij bedoelde... 'Zorg dat je overal foto's van hebt en een goeie beschrijving,' drukte hij me op het hart.

Dat vond ik zo schattig, dat ik hem bijna had gekust, maar ik durfde niet, alhoewel ik niets liever wilde dan hem kussen, sterker nog: ik was er helemaal klaar voor om me aan hem over te geven. 'Wacht,' zei ik op het moment dat hij in de woonkamer wilde gaan zitten. 'Ik schuif even de stoelen tegen elkaar. Dan laat ik je de foto's op mijn laptop zien.'

Willem leek me nou niet bepaald het subtiele romantische type. Bij hem is het eerder van dik hout zaagt men planken of helemaal niet, schatte ik in. Iets ertussenin waardoor je op stoom kwam, leek me niet zijn ding.

Met de dampende koffie voor ons op de salontafel kroop ik naast hem. Ik plantte de laptop gedeeltelijk op zijn knie en op de mijne. Mijn vinger gleed over het mousepad en scrolde door de foto's. Het had best iets sensueels, vond ik. Af en toe keek ik naar hem op. Uit niets bleek dat Willem enig ander tijdverdrijf in gedachten had dan dat stomme foto's-kijken.

'Zal ik een flesje opentrekken?' vroeg ik, overschakelend op plan B. Mogelijk dat alcohol hem wat losser maakte. Bij mij werkte dat altijd uitstekend, alhoewel ik nu geen alcohol nodig had om direct uit de kleren te gaan.

'Nee, doe maar niet,' zei hij. 'Ik ga ervandoor. Het is morgen weer vroeg dag.' Hij stond meteen op en liep naar de deur.

'Jammer,' zei ik. 'Ik had vanavond eigenlijk op meer gehoopt.' Door een verleidelijke blik op te zetten, waarvan ik wist dat geen enkele man die kon weerstaan, probeerde ik hem duidelijk te maken waar ik dan precies zo op gehoopt had. Dat was trouwens ook wel aan mijn harde tepels te zien.

Hij leunde even tegen de deurpost, liet zijn ogen over mijn lichaam glijden. 'Jaja,' zei hij smalend. 'Zeker net als laatst in het bos. Daar trap ik niet meer in dame.'

'O. Had je klachten dan?' gaf ik snedig terug.

'Dag Puck.'

Shit! dacht ik. En in dit geval was dat de enig juiste gedachte die een afgewezen vrouw kon hebben. Meteen daarop dacht ik weer shit, en daarna zeker nog drie keer. Dat kwam omdat ik nog nooit zó was afgewezen. Ik kon mij niet voorstellen dat er nog een vrouw op deze wereld rondliep die zo was afgewezen als ik vanavond was afgewezen. Deze ervaring was geheel nieuw voor me, want als er iets af te wijzen viel dan deed ik dat altijd. Hij had het op zijn minst op een charmantere manier kunnen doen, door te zeggen dat hij hoofdpijn had, of voor mijn part herpes en mij niet wilde besmetten. In ieder geval iets wat aan hém lag...

Teleurgesteld deed ik de lichten uit en ging naar boven. Ik begreep zelf eigenlijk niet waarom ik nou zo kwaad was dat Willem mij deze avond weer niet gepakt had.

Misschien was macht wel het sleutelwoord om tot een symbiose te komen tussen mijn lichaam en mijn gecompliceerde geest. Misschien was ik wel net zo getikt als oom.

Ik wilde veroverd worden, maar wanneer het dan zover was wilde ik overheersen. Dan moest het gaan zoals ik dat wilde, zonder iets van mijzelf prijs te hoeven geven. Zo ging het bij mij altijd met mannen, alleen bij Willem lag dat anders. Hij mocht alles met me doen, maar de kans dat hij me ooit nog zou aanraken had ik verprutst op de heuvel in het bos.

Ik trok het dekbed over me heen, want ik kreeg het behoorlijk koud in m'n nakie. Ik deed het licht uit en omhelsde mijn kussen. Met een hartgrondig 'klootzak' aan Willems adres, maar vooral aan mijn eigen adres, ging ik eenzaam de nacht in en lag nog lang naar de geluiden van het huis te luisteren.

38

'Maakt u zich nou maar geen zorgen. Uw oom heeft het waarschijnlijk niet eens in de gaten dat u een paar dagen overslaat,' probeerde Nicolette, die me nog steeds niet tutoyeerde, gerust te stellen. Ik had haar net verteld dat ik voor een week naar huis moest om wat zaken af te handelen.

Ondanks haar geruststellende woorden, vond ik het toch naar om oom achter te laten. Ik zag hem al iedere dag voor het raam zitten wachten en hoopvol naar de deur kijken, telkens als er iemand binnenkwam. Hij zou zich afvragen waar dat toestandje met de vlecht nou toch bleef. Maar ik moest echt even weg. Ik moest langs Sotheby's. Diewe Folkers was tot de eindbeoordeling van de Kandinsky's gekomen. Hij wilde met mij bespreken hoe het nu verder moest. Dat deed hij liever niet door de telefoon.

Bovendien begon ik heimwee te krijgen. Ik voelde me een beetje weggestopt in het Achterhoekse gat waar het leven stil leek te staan, ondanks het feit dat ik me het leplazarus werkte, maar het was niet míjn leven. Ik leefde het leven van een ander, in het huis van een ander, met de spullen van een ander, en in een cultuur die niet de mijne was. Ook al was iedereen nog zo aardig voor me. Willem had gelijk. Ik hoorde hier niet. Ik had het gevoel dat ik niet meer meedeed, helemaal nergens meer bij hoorde. Zelfs mijn verjaardag was als alle andere dagen voorbijgegaan.

Toen ik over de Gaasperdammerweg reed en de grote letters van mijn bank op de gebouwen zag staan, ging er een rilling door me heen. Zouden ze eigenlijk nog wel weten wie ik ben? dacht ik benauwd. Ik vroeg me af wat er allemaal in de tussentijd veranderd zou zijn. Die wereld dreef steeds verder van mij af en leek op te gaan in een ongrijpbare dimensie.

De werkster had de reclamefolders keurig op een stapel gelegd. Ik had haar gezegd dat ze die gewoon kon weggooien, maar kennelijk had ze dat niet gedurfd.

Ik schoof meteen de schuifpui open, liep daarna wat onwennig door mijn flat. De lege luxe staarde mij als een dood monster aan. Voor de grote spiegel bekeek ik mezelf uitgebreid. Nu viel het me eigenlijk pas op hoe bruin ik was.

Er was niets in huis, dus boodschappen halen was het eerste wat moest gebeuren. Bij Albert Heijn liep ik als een kuddedier achter de boodschappenkar. De gehaaste mensenmassa kwam onwezenlijk op me over. Ik was het niet meer gewend. Het meisje aan de kassa behandelde me als ieder ander, onpersoonlijk.

Ik reed snel terug naar huis en ruimde de boodschappen in. Er was nog wel even tijd voor een cappuccino. Per slot van rekening hoefde ik pas om twee uur bij Sotheby's te zijn. Ik schoof een kopje onder het kraantje van mijn ingebouwde koffiemachine en drukte de juiste toets in. Deze machine was waarschijnlijk de enige machine die ik gemist had. Hij had vijfentwintighonderd euro gekost, maar dan had je ook wat.

Wat doelloos rondlopend over het grote, vierkante balkon, genietend van mijn cappuccino, keek ik naar de badgasten die op het IJburger strand in de zon lagen te bakken. De jonge vrouwen topless, op een enkele uitgezonderd. Dat kon hier. Al lag je er spiernaakt, men zou er geen aanstoot aan nemen.

Ik had er ook vaak gelegen, lol gemaakt bij het strandpaviljoen waar veel yuppen hun decadente vertier zochten. Je werd automatisch in de groep opgenomen. Je lachte mee om de spitsvondige grappen. Je maakte snedige opmerkingen terug. Iedereen kende je, maar niemand wist wie je was, wat je meemaakte, wat je voelde. Je deed er niet toe. Je was inwisselbaar.

Met tegenstrijdige gevoelens over de kille confrontatie met mijn oorspronkelijke biotoop, reed ik naar de De Boelelaan, waar Veilinghuis Sotheby's gevestigd was. Ik meldde me bij de receptie.

'Neemt u maar alvast even plaats,' zei de receptioniste. Ze vroeg of ik alvast een kopje koffie wilde.

Ik zei dat ik thee wilde. Ik had een behoorlijk recalcitrante bui. Als ze gevraagd had of ik "alvast" thee wilde, had ik waarschijnlijk gezegd dat ik "alvast" koffie wilde.

Na een kwartier zat ik er nog steeds, en de thee was ook al op. Ik zei dat als het nog lang duurde, ik "alvast" naar huis zou gaan. Het arme schaap werd helemaal nerveus. Dat was ook precies mijn bedoeling, want dan kon ik "alvast" mijn onbestemde gevoel op haar afreageren. Had het stomme wicht maar een ander baantje moeten nemen. Je moest behoorlijk masochistisch zijn om je door trutten zoals ik te laten afzeiken. Ze belde weer naar boven.

'Ja, Marcella van de receptie weer. Mevrouw zit hier nog steeds,' zei ze met een benepen stemmetje. Ze luisterde aandachtig terwijl ze in mijn richting keek.

Toen ze had neergelegd vroeg ik, om ook iets aardigs te zeggen: 'Werk je hier al lang?'

'Vandaag is mijn eerste dag,' verklaarde ze schuchter. Ze keek me aan alsof ik haar alleen daarom al zou laten ontslaan.

'Nee meid, je bent gek!' muilde ik.

Ze giechelde nerveus. Toen zwegen we. Ik, omdat ik van alle oerbitches mezelf wel de grootste oerbitch vond. En zij, omdat ze waarschijnlijk haar mond niet meer open durfde te doen. Ze keek alle kanten uit alsof ze haar nieuwe werkomgeving nu pas voor het eerst zag, maar naar mij keek ze niet meer.

Na een minuut of vijf kwam Bibi over de trap naar beneden gedraafd. 'Hai Puck. Sorry dat je even moest wachten.'

'O, dat geeft niets,' zei ik.

Als de ogen van de receptioniste mitrailleurtjes zouden zijn geweest, zou ik nu dood in de hal liggen met bloedende gaten in mijn rug.

Ik volgde Bibi naar boven. Ze hield de deur voor me open.

Diewe kwam achter zijn bureau vandaan. 'Hoi Puck. Fijn dat je zo snel kon komen.' We namen plaats in het zitje bij het raam. 'Nou, daar zitten we dan,' zei hij, vergenoegd in zijn handen wrijvend. 'Je oom is in één klap multimiljonair. Ik heb de werken voor de zekerheid ook nog door een paar collega's laten bekijken. En we hebben wat onderzoekjes gedaan. Het zijn originele Kandinsky's, dat is zeker. Dus niet "toegeschreven aan" zoals dat in vaktermen heet, maar levensechte Kandinsky's. Nu wil jij natuurlijk weten hoe we verder gaan, en hoe we ze in de markt zetten? We hebben al een paar bekende collectioneurs benaderd. Er is zeker interesse. Ik stel voor om ze via ons veilinghuis in Londen te veilen.'

'Als jij dat het beste vindt,' zei ik. 'Maar... ik wil dat de naam van de eigenaar geheim blijft. Ik heb geen zin om een vermogen aan erfbelasting te betalen. Ik ben namelijk de enige erfgenaam van mijn oom. De opbrengst wil ik graag rechtstreeks op de rekening van een limited op Guernsey.'

'Zo zo,' zei Diewe. 'Mevrouw heeft er al over nagedacht.'

'Fijn zo, dat is dan afgesproken,' zei ik afgemeten.

Diewe barstte uit in een daverende lach. Toen hij uitgelachen was, zei hij dat ik de opdracht natuurlijk wel namens mijn oom moest ondertekenen.

'Ik teken helemaal niets namens mijn oom,' zei ik. 'Deze zaak houd ik buiten de boedel. Ik mag dan blond zijn, maar helemaal van de ratten besnuffeld ben ik nou ook weer niet.'

'Ik begrijp het, ik begrijp het,' zei Diewe, die opeens op zijn hoede leek. 'Er is ook helemaal geen haast bij. Ik hoor het wel als je zover bent. Ondertussen bereiden wij de zaak vast voor. Normaal gesproken doen wij dat nooit, maar Charlotte heeft ons ervan overtuigd dat je je niet opeens zult terugtrekken.' Hij wreef weer in zijn handen. 'Dan wil ik het nu even met je over de prijs hebben. Mijn voorstel is om een ondergrens van negen miljoen per schilderij te hanteren. Ik verwacht dat ze per stuk zo'n tien- tot vijftien miljoen zullen opbrengen. Misschien zelfs meer. Vooral uit Arabië is veel belangstelling. Mijn honorarium bedraagt zoals gezegd twee procent... En dat van Sotheby's vier procent.'

Toen ik goedkeurend knikte, vroeg hij: 'Kan ik trouwens mijn honorarium via een aparte nota aan die limited van jou sturen?'

Ik kneep mijn ogen toe. 'Aha, meneer heeft er dus ook over nagedacht. Laat me raden. Een Zwitserse bankrekening?'

'Jij mag nooit meer raden.'

'Ik zal maar niet vragen of de directie in de States daarvan op de hoogte is.'

'O, maar ik ben niet in loondienst van Sotheby's,' zei Diewe. 'Ik werk freelance. Ik ben eigen ondernemer. Jazeker!'

'Hm, jaja.' Ik deed er het zwijgen toe. Volgens mij was Diewe een heel sluw mannetje dat het zakkenvullen goed beheerste, vooral als het om zijn eigen zakken ging. Ik keek even vluchtig naar Bibi.

'Ja. Ik bemoei me nergens mee,' zei ze gauw. Ze trok een gezicht alsof ze met dat soort zaken niets te maken wilde hebben. 'Je hoeft mij niet aan te kijken.' Ze stond meteen op en zei dat ze ervandoor moest.

Toen Diewe en ik alleen waren, vroeg hij: 'Borreltje halen en daarna misschien een hapje eten?'

'Gezellig!' zei ik geamuseerd.

'Klein Paardenburg in Ouderkerk aan de Amstel, lijkt dat je wat?'

Ik zei dat me dat prima leek, maar dat ik wel met mijn eigen auto wilde en achter hem aan zou rijden.

Onder het eten legde Diewe me uit dat Sotheby's een grote reorganisatie achter de rug had en dat het kantoor in Amsterdam teruggebracht was naar vijftien man. 'Het veilingwezen heeft zwaar geleden onder de crisis. Alleen in het hogere segment valt nog wat te verdienen. Stukken onder de tienduizend euro nemen ze niet eens meer aan. De Karsens zijn ook eigenlijk meer iets voor veilinghuizen als Glerum, die doen dat nog wel.'

Zelfs dat we in een crisis zaten was volledig aan mij voorbijgegaan. Na de koffie stapten we op.

39

De rest van de week besteedde ik aan het regelen van mijn limiteds op Guernsey. Ik moest daarvoor op donderdag naar Londen, waar ik een afspraak had met ene Neil Buchanan. We hadden in het centrum van Londen afgesproken in een bistro.

Neil Buchanan was een gladakker van het zuiverste water, maar dan overgoten met een sausje van Engelse distinctie waar je je als nuchtere Nederlander makkelijk door liet misleiden.

Ik kwam voor één limited, maar toen ik buiten afscheid van hem nam, had ik er twee. Een was de werkmaatschappij waarmee ik naar buiten trad, de andere was de holding waarin de aandelen van de werkmaatschappij zaten.

Zijn trustmaatschappij, die mijn limiteds zou gaan beheren, was ook bereid om mijn kapitaal te beleggen. Toen hij mij vertelde wat dat vermogensbeheer moest kosten heb ik daar maar van afgezien. Ik kon mijn eigen vermogen zelf wel beheren. Tenslotte kende ik genoeg mensen binnen de bank die mij daarbij vast wel wilden helpen.

Om vijf uur ging mijn vliegtuig pas. Ik had nog alle tijd om te winkelen in New Bond Street. Onze PC Hooft viel daarbij in het niet. Ik trakteerde mezelf op peperdure nieuwe pumps. Het fijne van Londen vond ik dat je overal op ieder gewenst tijdstip een taxi kon aanhouden. Je hoefde er ook niet bang te zijn dat ze je door half Londen reden, en je zonder geld en zonder kleren verkracht op een verlaten parkeerplaats achterlieten.

In het vliegtuig zat ik naast een moddervette kerel, die eigenlijk gewoon twee stoelen nodig had. Hij zat aldoor te zweten en veegde om de vijf minuten zijn gezicht droog met een tissue. Zijn overhemd was drijfnat. Hij zei dat hij vliegangst had.

Dat had hij echt niet hoeven zeggen, want dat zag ik zo ook wel.

'U had ook met de hovercraft kunnen gaan,' zei ik.

De stewardess vroeg of alles naar wens was. Ik had haar willen vragen of ze misschien een andere plek voor me had, maar ik zei dat alles naar wens was. Toen keek ze quasi-bezorgd naar de man naast mij en vroeg hem of hij het zo warm had, waarop hij antwoordde dat het wel meeviel.

'Vliegangst,' zei ik.

'Dat kan, ja,' zei de stewardess.

Zo, dat raadsel is dan ook weer opgelost, dacht ik, ga nou maar weer op je stoeltje bij de pantry mooi zitten wezen.

Om acht uur rolde ik mijn flat binnen. Deze dag had mij bijna nog meer uitgeput dan een dag werken in de tuin. Ik gooide al mijn kleren uit. Met alleen een slipje aan, ging ik languit op de stretcher liggen in de avondzon.

Hier kwam nooit iemand langs. Ik luisterde naar de geluiden die opstegen van het strand. Soms een schreeuw, af en toe een hoge gil. Deze stad had altijd als een jas om me heen gezeten, maar ik was eruit gegroeid. Ondanks het geluid om mij heen was het zo verschrikkelijk stil.

In gedachten reisde ik naar de vredige rust. De boerenhoeve lag daar nu eenzaam en verlaten. Bannink kon er nu ongestoord zijn ronde doen. Willem zou waarschijnlijk op zijn mountainbike door het bos crossen. Misschien stond het busje van Harm wel op het erf en was hij alvast materiaal aan het inladen voor de volgende dag. Henk en Sandra zaten zeker op hun terras.

Ik keek op mijn horloge.

Joke liep nu op de ventweg met de honden. Het meisje met het lange, zwarte haar zou waarschijnlijk op dit moment langs de haag joggen. En oom... Oom zat waarschijnlijk verdrietig in zijn stoel, zich af te vragen waar nou toch dat meisje bleef dat zo op zijn Gerdien leek. Hoe heette ze nou toch ook alweer? Ik hoopte maar dat Nicolette dienst had, daar kon hij zo goed mee overweg.

Na een uitgebreide douche zat ik met een handdoek om op de rand van mijn bed. De skypeverbinding kwam al gauw tot stand deze keer.

Wat Charlotte ook probeerde, ze kon me niet echt opvrolijken.

'Lotte, ik heb alles, maar ik ben gewoon niet blij,' zei ik. 'Jij hebt tenminste je werk nog. Ik ben of verdrietig of opstandig.'

'Niet zo zielig doen, Puck. Je hebt alles wat je hartje begeert. Je krijgt straks een dijk van een erfenis. En jij hebt toch ook je werk, kom op nou.'

'Ja, dat weet ik ook heus wel, maar ik ben gewoon bang dat ik er niet meer bij hoor. Ik zweef tussen twee werelden in die alle twee de mijne niet zijn, ook mijn oude wereld niet. Snap je dat een beetje? Of doe ik moeilijk?'

'Ja, je doet moeilijk,' zei ze snibbig. 'Ga lekker achter die Willem aan. Ik heb toch gezien hoe jullie naar elkaar keken. Jij bent altijd zo terughoudend als het om je gevoel gaat. Als je voor je gevoel blijft weglopen, dan wordt het nooit wat met jou. Ben je eindelijk een vent tegengekomen die om je geeft…'

'O, ja! Nou ik heb me anders laatst zowat aan hem opgedrongen, Lotte, maar dat was nou ook niet bepaald een succes. Jezus!'

'Vind je het gek?! Je had ook niet van die rare machtsspelletjes met hem moeten uithalen. Ik kan me best voorstellen dat hij zich wel drie keer bedenkt om bij jou iets te proberen. Wanneer leer je je nou eens open te stellen, Puck?'

'Maar ik stel me toch open. Voor mijn oom bijvoorbeeld,' zei ik timide.

'Voor je oom, ja. Dat ligt wel wat anders.'

'Nou, dat is toch ook goed, dat heeft toch ook met gevoel te maken, of niet soms?'

'Ja, dat is ook heel goed. Maar dat is ook voor het eerst dat je jezelf voor een ander inspant. Voor die tijd was het bij jou ook alleen maar leve de lol. En gut o gut, als Puck haar gevoel komt bovendrijven… Weet je wat jouw probleem is? Je moet niet altijd de baas willen spelen en overal controle over willen hebben.'

'Je doet nou net of ik een of ander gevoelloos monster ben. Ben ik dan echt zo erg?'

'Soms wel, ja. Maar je kunt ook heel lief zijn. Nou, kom op... niet langer zeiken. Jij gaat straks lekker terug naar IJsseldijk, en dan ga je weer fijn naar je oom. En als die Willem werk van je maakt, stel je dan eens kwetsbaar op en laat je een keer flink neuken. Moet jij eens kijken hoe je dáár van opknapt.'

'Ja, zo kan-ie wel weer, Lotte. Ik ga maffen, ik ben bekaf, doe doei.'

Lotte had makkelijk praten, zolang het maar niet over haarzelf ging. Alsof zij zo makkelijk was.

Ik knoopte mijn handdoek los en keek langs mijn lichaam naar beneden. Het schreeuwde om liefde. Ik zette de kussens rechtop en ging er wijdbeens, met opgetrokken knieën tegenaan liggen. Mijn hand zocht mijn clitoris. Ik sloot m'n ogen en probeerde me eraan over te geven. Maar wat ik ook deed, het wilde niet komen. Na een kwartier was ik zo uitgeput en bezweet dat ik er maar mee ophield. Ik voelde me minderwaardig. Ik kon mezelf nog niet eens klaarmaken, bang de controle over mezelf te verliezen. Laat staan dat ik me ooit zou kunnen geven aan een man. Met een triest gevoel van eenzaamheid trok ik het laken over mijn naakte lichaam.

Ik dacht aan mijn vader. Hem miste ik nog het meest. Mijn moeder niet zo, omdat ze het niet kon laten om op me te fitten. Mijn broer Jan Willem was altijd al haar apengatje geweest, terwijl hij alleen maar jointjes zat te roken op zijn kamer; dat heeft ze waarschijnlijk nooit geweten. Hij voerde ook nooit een steek uit. Zelfs de mavo had hij niet eens afgemaakt, tot grote ergernis van mijn vader. Op Jan Willems achttiende verjaardag kreeg híj van mijn moeder wél geld voor zijn rijbewijs en ík niet. Ik studeerde, woonde op kamers, en dat was al duur genoeg kreeg ik te horen. 'Dat vind ik nog steeds behoorlijk kut, mam,' riep ik hardop.

Daar lag ik in mijn luxeappartement. Miljonaire in spee. Charlotte had makkelijk praten met haar "je hebt alles wat je hartje begeert".

Ik voelde me ook kut, omdat ik besefte dat alles wat ik had bereikt, eigenlijk helemaal niets was. Maar ja, ik leefde, en dan deed je al die dingen die eigenlijk niets betekenden. Je kon net zo goed niets doen, dan was het resultaat hetzelfde. Soms wou ik dat ik een huiskat was. Dan werd ik vertroeteld en hoefde ik alleen maar kopjes te geven en te luieren.

40

Ik besloot regelrecht naar Boslust nr. 4 te rijden. Ik wilde oom zien. Het was maar een week geleden dat ik hem voor het laatst gezien had, maar misschien was dat wel te lang voor hem, herkende hij mij niet meer.

'Nou, hij heeft u gemist hoor,' zei Nicolette, toen ik haar in de gang tegenkwam. Ze liep meteen met me mee. 'Kijk eens wie daar is, meneer Brandal!' riep ze zangerig.

Oom had een rode trui aan, en een trainingsbroek die niet de zijne was. Hij keek alsof er een engel voor hem verscheen, stak bevend zijn handen naar me uit en begon meteen te huilen.

'Ach, kijk nou. Hij is zo blij,' zei Nicolette geroerd. Ze vertelde dat ze iedere dag wel een paar keer tegen hem gezegd hadden dat ik voor een week weg was, maar dat ik zeker terug zou komen. Ze hurkte even naast hem neer. 'Maar nu is Puck weer bij u,' zei ze heel lief.

Met een doekje dat daar toevallig op tafel lag, veegde ik eerst het kwijl van zijn trui en maakte zijn mond en zijn baard schoon, daarna haalde ik de rolstoel van de rem. 'Gaat u mee naar buiten,' zei ik. 'Het is prachtig weer.'

Oom zweeg, maar in zijn gezicht was de rust weergekeerd. Buiten wees hij naar de boom met de vele vogeltjes. We zaten weer op ons bankje. Hij aaide mijn vlecht en liet daarna zijn hand in mijn beide handen op mijn knie rusten. Als hij mijn vlecht aaide kreeg ik altijd vochtige ogen.

Ondanks het feit dat oom niets meer kon, gaf hij mij alles. En ik kon zo veel en gaf maar zo weinig. Het enige wat ik kon geven was mezelf, zonder façade, zonder franje, maar gewoon mijn naakte ik. Oom was de enige bij wie ik dat durfde. Hij was ook de enige die mij werkelijk kende. Hij woonde als het ware in mijn ziel.

'Vindt u het hier ook zo fijn, oom?' Ik keek hem liefdevol aan.

Hier speelde tijd geen rol. Hier was je etherisch en voelde je de pijn niet, de pijn die "het leven" heette.

Ooms mond begon alweer te beven. In zijn betraande ogen las ik zijn peilloos verdriet en de innige wens om te sterven. 'U wilt niet meer, hè?' zei ik zacht.

Hij zuchtte diep, sloot even zijn ogen.

We bleven nog lang zitten. Tegen lunchtijd liepen we langzaam weer terug naar Boslust nr. 4, waar oom de rest van de dag moest uitzitten. Gelukkig sliep hij steeds vaker, en langer. Ik hoopte maar dat hij in zo'n slaapje, zomaar, zonder te lijden, zou wegzakken. Dat gunde ik hem van harte. Ik zou hem vreselijk missen, maar voor hem zou dat het beste zijn... Dit leven in ballingschap, waar hij als een zombie in zijn stoel zat weg te kwijnen, was geen leven.

Ik voelde me machteloos. Ik deed wat ik kon, maar ook ik kon deze lijdensweg niet verzachten. Als God echt bestond, dan moest het wel een wreedaard zijn. Ieder krijgt wat hem toekomt, ja ja... Deze mensonterende onttakeling gun je je ergste vijand niet. En oom maakte het bewust mee, dat was nog het ergste van alles. Ook al deden ze hier nog zo hun best mij ervan te overtuigen dat het niet zo was, ik zag in zijn ogen dat het wel zo was.

Oom was niet meer lastig. De haldol had zijn werk gedaan. Alle verzet was stelselmatig in hem gedood door de welzijnswerkers van de gesloten afdeling Boslust nr. 4. De long stay voor ouderen waarvoor in de reguliere verpleegtehuizen geen plaats was. Waar je privacy je werd ontnomen en je persoonlijkheid werd weggespoten. Waar je in onmacht zat te wachten tot het hart eindelijk ophield met kloppen. Dan was je blij met een hartkwaal. Gewoon een kwestie van je pillen niet meer slikken, alleen dan kon je ontsnappen. Oom had van alles, maar geen hartkwaal.

God is barmhartig en vol goedertierenheid. Zijn wegen zijn ondoorgrondelijk, en als wij hier op aarde hebben geboet voor onze zonden, dan zullen wij in zijn licht aan zijn voeten liggen, en ons laven aan zijn oneindige liefde, tot in eeuwigheid. Maar dan moest je wel eerst creperen in Boslust nr. 4. Je zou er acuut agnost van worden.

Dat creperen mocht ook weer niet te lang duren, want daar werd de zorg onbetaalbaar van, dus voerde men de dosis "medicatie", zoals men dat gif noemde, langzaam op zodat het net geen moord leek.

Daar konden ze de familie niet goed bij gebruiken, dat was me allang duidelijk. Maar... wij wonen in een beschaafd land, waar normen en waarden hoog in het vaandel staan. Ja ja! Het ontbreekt er nog maar aan dat we onze ouderen gaan ruimen, net als bij de MKZ-crisis. Ze vormen immers toch niet langer een bruikbaar element in het economisch bestel.

Nadat ik oom had afgeleverd liep ik even bij Celine naar binnen om te vragen hoe het met ooms eigen kamer zat. Ze zei me dat het nog lang niet zover was, en dat het nog maar zeer de vraag was of er op tijd een kamer vrij zou komen.

'Op tijd?' vroeg ik.

'Inderdaad. Meneer gaat de laatste tijd hard achteruit. Hij zou zijn eigen spullen waarschijnlijk niet eens meer herkennen. Op een gegeven moment wordt hij bedlegerig, dan komt hij er sowieso niet meer voor in aanmerking.'

Ik begon hoe langer hoe meer begrip te krijgen voor iemand die een ander wilde vermoorden, en dat ook deed. 'Toch zou ik het op prijs stellen als hij op de urgentielijst kwam,' zei ik verbeten.

Celine gaf me weer een van haar minzame glimlachjes, en keek me aan alsof ze kon zien waar ik aan stond te denken. 'We zullen zien, we doen ons best, daar moet u van uitgaan,' zei ze. 'Maar als u het niet erg vindt...?' Ze keek me zowat de kamer uit door die borrelglazen van haar, waardoor haar ogen bijna even groot leken als haar brillenglazen.

Ik vroeg me af hoe ze uit elkaar zouden spatten als ik er met een speld in zou prikken. De boodschap was helder, ik kon ophoepelen. 'Nou, dan ga ik maar,' zei ik, 'en nog hartelijk bedankt voor uw moeite.'

'Geen enkele moeite. Dag mevrouw Scheltinga.' Zonder op te kijken tuurde ze naar haar beeldscherm en klikte met haar muis.

Op de gang gromde ik hartgrondig, stampvoette zo hard op de granieten vloer op weg naar de uitgang, dat ik vlak voor de deur languit onderuitging. Met de benen in de lucht gleed ik op mijn billen tegen de glazen deur aan. Simon stond in het halletje aan de andere kant en had riant uitzicht op mijn kruis.

'Puck! Wat doe jij nou?!' riep hij, maar schoot wel meteen te hulp. Eerst keek hij bezorgd, maar toen hij merkte dat ik niet meer bijkwam moest hij ook lachen. Hij hielp me omhoog. Ik streek mijn rokje glad, en keek Simon aan op een manier dat hij maar liever zweeg.

Toen ik het erf op kwam rijden werd ik aangenaam getroffen door de keurige aanblik van de tuin. Het gras was pas gemaaid, in de zijtuin waren van de houtsnippers en de keien slingerachtige tuinpaden aangelegd. Het zag er heel idyllisch uit. Ook het pad naast de schuur was geveegd, zelfs het steeds weer opkomende onkruid was tussen de klinkers verwijderd.

Toen ik binnenkwam lag de post in de hal op de grond. Kennelijk had Joke de postbus regelmatig geleegd.

Dit was pas thuiskomen!

Hier was ik niet anoniem. Niemand prees je hier openlijk om wie je was of wat je deed, maar door de manier waarop ze voor je klaarstonden, lieten ze hun waardering merken.

Ik liep meteen weer naar buiten om de paadjes te bewonderen.

Bannink stond als een rechercheur die zijn prooi in de gaten hield op zijn bezem geleund. Zodra hij mij zag kwam hij triomfantelijk het erf op. 'Ik hèt't gres moar efkes gemoaid en 't pad geveegd.' Hij kwam even zijn pluim in ontvangst nemen. In al z'n lompe onbeholpenheid, had hij maar een heel klein hartje.

'Meneer Bannink u bent een schat,' zei ik en keek hem lachend aan.

'Hoh, moar da's...da's, hoh,' schutterde hij, veegde verlegen zijn handen aan zijn broek af, draaide zich om, en maakte zich gauw uit de voeten. 'Ik zeg: Moj!'

'Ja hoor, meneer Bannink, en nogmaals hartelijk dank. Komt u maar weer eens gauw een borreltje halen.' Hij stak zijn hand op.

Het kon niet missen: of Henk, of Willem, of beiden, moesten de tuinpaden hebben aangelegd. Ik liep de straat in, maar Willem was er niet. Henk en Sandra waren ook nog niet thuis.

Net toen ik de post wilde gaan doornemen, stond Joke opeens in de keuken. 'Ik hèt de post moar uut de postbus gehoald en deur de brievenbus gegooid,' zei ze.

Ik vroeg of ze koffie wilde.

'Eén bakske dànn, dà geet nog wèl.' Ze maande de honden tot rust in de keuken. De dieren gingen morrend liggen. Ze lagen ons verwijtend aan te staren. Het was tenslotte hún uitje. Joke vertelde dat Henk en Willem zowat iedere avond bezig geweest waren aan de tuin.

Twee dagen geleden had ze een vreemde kerel van het erf gestuurd, zei ze. 'Hie zeit dat-ie van een incassobureau waar. Ik zeit dà kann best wèze, moar mevrouw is neet thuus. Ie hèt hier niks te zuuk'n. Dus vortwèz'n. Ik heb-em nog een tietje in de goaten gehold'n. Hie hèt wat in de bus gegooid. 't Waar ene grote envelop.' Ze keek naar de stapel die naast me op tafel lag.

'Ik ben nog niet aan de post toegekomen,' zei ik. Maar ik begreep dat Joke nu van mij verwachtte dat ik toch even in die envelop keek. Dat maakte me ook niet uit, want ze was toch al op de hoogte van mijn geschil met Plansierra. Het was een brief met een acceptgiro eraan vast. Ze schreven dat ik vijfentwintigduizend zevenhonderdtachtig euro en dertig eurocent moest overmaken, plus vijfendertighonderd euro incassokosten. En wanneer ik niet binnen een week zou betalen, zouden ze rechtsmaatregelen nemen. De kosten van het geding kwamen daar dan nog bovenop. Ze schreven er ook nog bij dat ik daar goed van doordrongen moest zijn.

Ik liet de brief aan Joke lezen. 'Ogodogodogod. 't Is toch een schande, zuks. Ogodogod.' Joke schudde meewarig haar hoofd.

'Nou, maar dat ga ik dus écht niet betalen,' zei ik. 'Ik stap naar de rechter!' Ik wilde er met Joke niet verder op doorgaan. Ter afleiding bood ik haar nog een bak koffie aan.

'Dà je doar zo rustig onder blief. Ik zou d'r ga geen oog meer van dicht doen, dà kann'k oe wèl zegg'n.'

'Ach,' zei ik, ik haalde mijn schouders op. 'Ik heb dat in mijn werk zo vaak bij de hand gehad.'

Dat was een wereld die zij niet kende, ze zweeg en dronk gauw haar koffie op. 'Ik goat de hond'n uutloat'n. Tot ziens moar weer!'

'Ja, dag Joke. En bedankt nog voor je goeie zorgen.'

Ik vroeg me af of Henk en Willem vanavond ook nog zouden langskomen. Ik vond het nogal vermakelijk. Het waren allemaal schatten, maar ze kwamen wel even een bedankje en een complimentje halen, zodat niemand anders met de eer kon gaan strijken.

Dat Joke geen moment aan mij getwijfeld had, vond ik nog wel het meest aandoenlijk. Ze had zich niet eens afgevraagd of het incassobureau misschien terecht een vordering op mij had. 'Nee, vortwèz'n!'

De brief was ondertekend door ene Roelien van den Akker. In dit soort gevallen heeft telefonisch contact geen enkele zin, dat wist ik ook wel. Waarschijnlijk zou ik mijn zelfbeheersing verliezen vanwege de botte, onbeschofte manier waarop incassobureaus hun slachtoffers, bijna zonder uitzondering, plachten te woord te staan.

Helaas hadden we bij de bank ook dit soort pathetische machtswellustelingen in dienst. Niet bepaald mijn bloedgroep. Ik noemde de incassoafdeling vaak de Gestapo. Het waren ook altijd van die botterikken, fantasieloze types waar geen zinnig gesprek mee te voeren viel... Dus ik stuurde Roelien van Incassobureau Van Den Akker & Partners een mail op poten. Zo te zien was zij eigenaar van het bureau.

Amice,

Naar aanleiding van uw brief van 21 juli jl. deel ik u mede dat de vermeende vordering van uw cliënt is gebaseerd op oneigenlijke gronden, omdat ik nimmer een zorgovereenkomst van uw cliënt heb ondertekend. Ik zal dan ook niet schromen bij de rechtbank een eis tot nietigverklaring

in te dienen en subsidiair de eis tot verhaal van alle schade en kosten inclusief de kosten van het geding en de griffierechten.
Het heeft geen zin om hierover met mij in discussie te treden, dan wanneer u mij schriftelijk laat weten dat uw cliënt afziet van de vordering en de kosten.

Mr. P. Scheltinga van Beuningen.

Nadat ik het mailtje had verzonden, greep ik mijn BlackBerry en belde Irene van Gennep, de advocaat die ook de curatele geregeld had. Ze vroeg me of ik het verhaal even op de mail kon zetten. Ze adviseerde me om wel de nota van Loes Woltink, waar nog achttienduizend euro op openstond, meteen te betalen. Dan zou zij de zaak aanhangig maken bij de rechtbank in Arnhem.

Sandra liep met een bedremmeld gezicht de achtertuin in. Ik had net afgewassen en zat aan de koffie op het terras. De warme dag liet een zwoele zomeravond na.

'Hoi San,' riep ik, blij haar weer te zien.

'Hai.' Het kwam er nogal pover uit. Helemaal niet de uitgelaten Sandra die ik kende.

'Meid. Is er iets?' vroeg ik geschrokken.

Ze had een envelop in haar hand. 'Ik vind het moeilijk om het tegen je te zeggen, maar Willem heeft me gevraagd je deze brief te geven. Hij is gistermorgen naar Alaska vertrokken.'

Ik schrok. Hoe was dat nou mogelijk? Waarom heeft hij mij daar niets van gezegd? Ik pakte de envelop aan en legde hem binnen op de tafel. Niet omdat het me niet interesseerde, maar omdat ik bang was voor wat erin stond.

'Wil je wat drinken?' vroeg ik. Ik hoorde zelf de schrille klank in mijn stem.

Sandra ging schuchter aan de tafel zitten. Toen ik een glas fris had ingeschonken en ik tegenover haar zat, begonnen we tegelijk te praten, wat uitmondde in een nerveus gegiechel.

'Nee nee, jij eerst,' zei ik. 'Wat wou je zeggen?'
'Nou ja. Moet je hem niet openmaken? Of heb je liever dat ik...?' Ze wilde al opstaan.
'Nee, ben je gek. Blijf!'
Het moest er maar van komen. Ik scheurde resoluut de envelop open. Sandra zat gespannen naar me te kijken terwijl ik mijn ogen, die door de tranen steeds waziger werden, over de letters liet gaan.

Lieve, gekke Puck,
Misschien dat wij elkaar ooit in een ander leven weer ontmoeten.
In dit leven zijn we van te verschillende achtergrond.
Het zou nooit wat kunnen worden tussen ons.
Als ik bij je ben voel ik dat we bij elkaar horen, maar ook een enorme afstand. Ik kan niet langer in je omgeving zijn, dat is voor mij een te grote kwelling. Daarom heb ik mijn reis vervroegd. Misschien ben ik wel een lafaard.
Dag lieve Puck. Het ga je goed. En misschien denk je nog eens aan me.

Wullem. (zoals jij mij altijd noemt)

Ik legde de brief op tafel neer en schoof hem in Sandra's richting. Nadat zij de brief had gelezen greep ze m'n hand. Ze had ook tranen in haar ogen. We zaten een tijdje in stilte tegenover elkaar.
'Verdomme,' snifte ik na een poosje.
'We hebben nog geprobeerd hem tegen te houden,' zei Sandra, 'maar er viel niet tegen te praten. "Als ik wacht tot ze terug is, dan ga ik niet meer", zei hij maar steeds. Hij zat er even helemaal doorheen. De tuinaanleg moest per se klaar zijn voordat je terugkwam. Nou, toen heeft die sukkel van mij hem maar geholpen.'
'Typisch Willem. Had ik nou maar doorgezet,' zei ik spijtig. Ik veerde op en keek Sandra aan. 'Hé. Weet je waar hij zit, heb je een adres bedoel ik?'
'Nee joh, hij trekt daar rond in de bush bush. Je mag al blij zijn als hij überhaupt iets van zich laat horen. De vorige reis heeft twee jaar

geduurd, toen heeft ook niemand ooit iets van hem vernomen. Op een gegeven moment dachten we zelfs dat hij dood was.'

Sandra hield me tot laat in de avond gezelschap. Samen hebben we drie flessen wijn soldaat gemaakt. Onze gierende lach moet in het hele dorp te horen zijn geweest. Vooral toen Sandra op het moment dat ze door het gat in de heg haar tuin in wilde stappen, voorover kukelde. Ik was zo dronken dat ik van de weeromstuit midden op het pad ging zitten plassen, terwijl Sandra aan de andere kant van de heg stond te gillen: 'Denk om de egeltjes, niet op de egeltjes.'

41

Om half zeven werd ik wakker met een enorme kater. Niet zozeer van de wijn, maar van het feit dat Willem me verlaten had. Dat was wel een beetje belachelijk natuurlijk, want we woonden niet eens samen. Maar ik besefte dat er iets moois in de kiem gesmoord was. Het was mijn eigen schuld, dat wist ik heel goed.

Ik moest ongetwijfeld vele vijanden hebben, dat kon haast niet anders in mijn functie, maar ik was zelf wel mijn allergrootste vijand.

Ik hees me ongewassen in mijn joggingpak. Eerst wilde ik mijn houten kop wegjoggen. Ik vond het altijd heerlijk zo 's morgens vroeg. Het had iets sinisters.

De boerderijen lagen schimmig verscholen achter de dikke nevel die boven de velden hing. Alle geluiden werden erdoor gedempt. In deze magische wereld leek het of je pas gestorven was, in onwetendheid rondwaarde in een nieuwe stilte, met aan de horizon het bleke ochtendzonnetje, wetend dat je daarheen moest maar de weg ernaartoe nog moest ontdekken.

Ik rende langs de berg. Daar, op die berg, had ik Willem waarschijnlijk voorgoed van me vervreemd door m'n idiote gedoe. Daardoor was hij in zijn schulp gekropen. Het was me opeens glashelder, ik had hem vernederd. Ik probeerde die gedachte van me af te schudden.

Het bosven lag als een dikke mysterieuze wolk tussen de hoge bomen. In euforie over deze wonderschone natuur rende ik verder.

Om half negen zat ik fris en fruitig aan het ontbijt. Het werd al behoorlijk warm buiten. Vandaag wilde ik de uitnodigingen de deur uit doen voor volgende week zaterdag. Dat de tuin behoorlijk was opgeknapt was niemand ontgaan. De buurtbewoners waarmee ik nog geen kennis had gemaakt hadden al goedkeurend, vriendelijk naar me geknikt. Waarschijnlijk om aan te geven dat het nu wel eens tijd werd om “buurt” te maken. Ik verbaasde me telkens weer over de non-verbale communicatie waarmee ze je in dit dorp iets duidelijk konden maken.

Ik had nog even tijd om een leuke tekst voor de uitnodiging te bedenken voordat ik naar oom ging. Vanavond als het donker was zou ik ze pas in de brievenbussen gooien, dan wist ik zeker dat ik niemand tegenkwam.

Oom had vanmorgen een absence gehad, hij lag half bewusteloos in bed. Saskia vertelde me dat hij ze de hele nacht bezig had gehouden, en dat hij erg angstig was geweest. Hij had niet eens gemerkt dat ik wel een uur lang naast hem had gezeten. Ook niet toen ik hem door zijn haar streelde.

Thuis lagen de papieren van de limiteds voor me op tafel. Neil Buchanan had alles keurig geregeld. Ik was nu eigenaar van Freemond Holding Ltd. en de bijbehorende werkmaatschappij Freemond Trading Ltd.

Ik belde Diewe om hem door te geven dat hij de opdracht kon uitschrijven aan Freemond Trading Ltd. en vroeg hem of hij al wist wanneer de zaak geveild zou worden. Ik zei hem dat ik dan zeker naar Londen zou komen. Hij gaf te kennen dat hij aan de novemberveiling dacht en mij de exacte datum nog zou laten weten.

Om drie uur belde ik Boslust om te vragen of oom al wakker was.

Hij was wakker, zei Els. ‘Maar kom maar niet. Hij is erg opstandig. We denken erover om hem toch maar een kalmerende spuit te geven.’

‘Ik kom eraan,’ zei ik. ‘Dan wordt hij vast wel weer rustig.’ Ik wachtte het antwoord niet af en sprong meteen in de auto.

Blijkbaar had Els de alarmklokken geluid, want ik werd meteen afgevoerd naar de verpleegpost. Simon plantte me meteen op een stoel.

‘Haal jij Janneke even,’ zei hij tegen Els. ‘Dan blijf ik bij Puck.’

Door de blik die hij met Els uitwisselde wist ik genoeg. Ik kon op mijn kop gaan staan, schelden en vloeken, maar oom zou ik niet te zien krijgen.

Na nog geen vijf minuten kwam Janneke binnenzeilen. 'Ja, dat is nou toch ook wat,' viel ze met de deur in huis. 'Wie had dat nou gedacht? En het ging juist zo goed met meneer de laatste tijd.'

'Waar is hij nu, kan ik hem zien?' onderbrak ik haar.

'Um eh, eerlijk gezegd lijkt me dat niet zo'n goed idee.'

'Waarom niet?'

'U kunt waarschijnlijk toch niets voor hem doen. U zou er alleen maar zelf overstuur door raken. Hij zit in de prikkelarme ruimte om tot rust te komen. En we hebben hem vastgezet in de onrustbanden om hem tegen zichzelf te beschermen.'

'Kan me niet schelen. Ik wil naar hem toe,' hield ik vol.

Janneke haalde moedeloos haar schouders op. 'Nou, loopt u dan maar even met mij mee.'

Ik volgde haar door de gang. Voor een blauwgrijze, extra verzwaarde deur bleef ze staan. 'Kijkt u zelf maar,' zei ze. Het klonk een beetje hulpeloos. Ze wees naar het raampje in de deur.

Ik keek naar binnen. Oom zat naakt, vastgebonden op een postoel 'Gerrrrdien! Loeder!' te schreeuwen. Hij probeerde zijn polsen los te wurmen en onder de band om zijn lendenen uit te komen.

Ik stond er onthutst naar te kijken. Waarom ze hem nu niet konden platspuiten was me niet duidelijk. 'Kunt u hem niets geven?' vroeg ik.

'Niet vlak na een absence, dat zou te riskant zijn. Het nadeel is dat hij daardoor wel uit zijn permanente roes komt. Vanavond beginnen we weer met de medicatie, als u daarmee akkoord gaat.'

'Ik zou er nu maar mee beginnen,' zei ik. 'Dit is onmenselijk.'

'Loopt u maar even mee,' zei Janneke resoluut, 'want daar hebben we uw toestemming voor nodig.'

We liepen naar het kantoor van Celine. Janneke klopte aan en opende meteen de deur. 'Celine, mevrouw Scheltinga is hier.'

'O, ja? Nou, laat haar dan binnenkomen.' Het klonk als een bevel.

Ik sloop achter Janneke aan. Nog diep onder de indruk, voelde ik me timide.

'Tsja,' zei Celine. 'Meneer wil maar niet rustig worden.' Ze zei het op een manier alsof ze mij daar de schuld van gaf. Janneke legde uit dat ik erop aandrong dat oom nu een kalmerende spuit kreeg.

'U beseft dat als we hem nu weer een spuit geven, hij erin kan blijven?' zei Celine streng.

Ik knikte. 'Heeft hij dan ook pijn?' vroeg ik, vechtend tegen mijn tranen.

'Dan niet meer, nee. Nu waarschijnlijk wel, maar dat kunnen we niet goed inschatten. Meneer valt niet te benaderen.'

'Doe maar,' zei ik. 'Dit kan ik niet langer laten voortduren. Doe wat u moet doen om hem weer rustig te krijgen. Als dat zijn einde betekent, dan is het helaas niet anders.'

'Zoals u wilt.' Ze schoof een formulier naar me toe en begon de strekking van wat ik precies ondertekende uit te leggen. 'Hiermee verklaart u op de hoogte te zijn van de risico's die met het medisch ingrijpen gepaard gaan en mogelijk tot de dood van meneer kunnen leiden. Als u onderaan het formulier even uw handtekening zet…'

Het kwam op me over alsof ik een huurovereenkomst van een vakantiehuisje moest ondertekenen. Ik aarzelde even. In mijn carrière had ik vele letters of comfort ondertekend, maar deze "letter of comfort" kon de dood tot gevolg hebben. Ik mocht oom nu niet in de steek laten. Met een nerveuze, slappe pols die mijn hand stuurloos leek te maken, zette ik de krabbel onder het formulier.

'Mag ik erbij zijn?' vroeg ik.

Janneke knikte. 'Komt u maar, dan gaan we de eerste haldolinjectie klaarmaken. Over drie uur krijgt hij een morfineprik om de verstijving van de spieren tegen te gaan.'

Simon en Els liepen ook mee. Het voelde of we iets heel ergs gingen doen, iets wat het daglicht niet kon verdragen.

Oom zat hevig zwetend, als een wild dier, grommend op zijn postoel. Het stonk verschrikkelijk omdat hij zijn ontlasting had laten lopen. Toen hij mij zag raakte hij opnieuw overstuur. 'Gerrrrdien. De toe toe-toestand... Godverdomme! Loeder! Klootzakken!'

'Ik ben het, Puck,' zei ik. Het drong niet tot hem door. Zo goed en zo kwaad als het ging probeerde ik zijn hand te strelen toen Simon de haldolinjectie toediende. Als een dier wat afgeslacht werd, tolden ooms ogen in het rond op zoek naar redding om aan zijn beulen te ontkomen, maar ik kon hem niet redden. Al gauw werd hij rustiger.

'Hij is ook zo langzamerhand uitgeput,' zei Janneke.

De weerstand in ooms lichaam verslapte. Met een wezenloze blik staarde hij voor zich uit. Zijn pupillen waren groot en donker. Wij stonden er, althans ik, schuldbewust naar te kijken. Dit deden wij een mens dus aan. Dit gebeurde allemaal in het geniep achter dikke gesloten deuren. We martelden een oude, hulpeloze man, een man die niets meer van het leven te verwachten had.

Toen oom eindelijk slap in zijn onrustbanden hing, zei Els: 'Wij gaan hem even wassen. Misschien dat je nu beter naar huis kunt gaan. Hij weet nu toch niet meer dat je hier bent.'

Ik kreeg er zo ontzettend genoeg van dat ze me alsmaar weg wilden hebben. 'Ik blijf,' zei ik. 'Het is míjn oom! Ik wil erbij zijn als jullie met hem bezig zijn.'

Simon sloeg een arm om me heen. 'Hé Puck, rustig nou maar. Natuurlijk mag jij erbij zijn. Dat weet je toch. Wij willen alleen maar het beste voor je oom, maar we denken ook een beetje aan jou. Dit is tenslotte behoorlijk belastend voor je.'

'Sorry,' piepte ik, 'maar dit is misschien wel de laatste keer dat ik hem in leven zie.'

'Jullie redden het verder wel,' zei Janneke. Ze gaf me een hand en ging er snel vandoor.

Simon haalde een bed. Met z'n drietjes tilden we oom van de postoel. Hij protesteerde grommend. Hij leek dus wel bij bewustzijn. 'Maakt hij dit nou mee?' fluisterde ik tegen Els.

'Maar half. Het zijn flarden,' fluisterde ze terug.

We reden oom met bed en al naar de slaapkamer.

Simon zei: 'Ik neem aan dat jij Els wilt helpen bij het wassen?'

Ik knikte dankbaar.

'Dan laat ik jullie alleen.' Hij glimlachte naar me.

'Ga jij maar naast hem zitten,' zei Els, 'dan kun je zijn hand vasthouden. Dat geeft hem rust, dan was ik hem wel.'

Els voelde het goed aan. Ik had wel stoer gedaan, maar om hem nu eigenhandig te gaan wassen kon ik niet opbrengen. Ik pakte zijn hand, streelde met de andere door zijn haar. Ooms gezicht ontspande.

Els ging heel respectvol met ooms lichaam om. Ik zat er gebiologeerd naar te kijken. Ze keek even op, we glimlachten naar elkaar. Ik begreep haar blik. Zoals oom er nu bij lag, had hij iets vredigs, iets wat heel puur was… Ze deed oom een luier met klittenband om, daarna waste ze vlug zijn borst en zijn schouders. 'We zullen hem maar niet verder kwellen,' zei ze. 'De rug komt wel een andere keer.'

Gezamenlijk wurmden we oom, die even geïrriteerd protesteerde, in zijn pyjama. Ik schudde zijn kussens op, daarna lieten we hem zachtjes achterover zakken. Els trok het laken en de deken omhoog. Ik gaf oom een kus op zijn voorhoofd. 'Rust maar lekker uit,' fluisterde ik. 'Morgen ben ik weer bij u.'

Zonder geluid te maken verlieten we de kamer. Oom lag er vredig bij. Dat beeld wilde ik vasthouden. 'Als hij nu rustig heen zou gaan zou ik daar helemaal vrede mee hebben,' zei ik met vochtige ogen.

Els liet haar hand op mijn schouder rusten. 'Probeer het over te laten. Hij is hier echt in goede handen. We bellen als er wat is. Oké?'

Ik knikte zonder iets te zeggen.

Op een holletje rende ik huilend naar de auto. Die ogen, en het rukken aan de onrustbanden als een dier in doodsangst, stonden op mijn netvlies gebrand. Die beelden bleven maar overheersen.

Als curator besliste je over het welzijn van de curandus. Daar waren maar twee uitzonderingen op. Eén daarvan was als de rechter een rechterlijke machtiging had afgegeven voor een verplichte opname, en de tweede was dat ik niet over actieve euthanasie mocht beslissen. Zelfs als oom in het bezit geweest zou zijn van een euthanasieverklaring, en er sprake was van ondragelijk lijden, dan nog had hij bij zijn volle verstand moeten zijn om een arts te vragen er een eind aan te maken.

Ik had daar totaal geen zeggenschap over, terwijl ik zeker wist dat hij dit leven niet wilde. Nu brengen ze hem aan zijn eind zonder dat het uitgesproken werd, daar had ik het formulier voor ondertekend. Dat was niet met zoveel woorden tegen me gezegd, maar de achterliggende bedoeling had ik wel begrepen. Pijnbestrijding heette dat. Of die pijn nou geestelijk of lichamelijk was liet men in het midden. Al eerder had ik opdracht gegeven om bij een eventuele hartstilstand niet te reanimeren, of spoedeisende hulp toe te passen.

42

Henk stond bij de barbecue, hij zorgde voor het vlees. Samen met Sandra had ik de grote tafel onder de notenboom gezet voor de sausjes, de hapjes en de drank. Overal had ik stoelen, bankjes en krukjes vandaan gehaald, en langs de borders tuinfakkels in de grond gestoken.

Ik had nog getwijfeld of het wel gepast was om feest te vieren, omdat oom zo slecht was. Maar om iedereen af te zeggen vond ik ook niet gepast. Ik was behoorlijk nerveus en een beetje bang dat er niemand zou komen.

Joke en Harm waren de eersten. Toen Bannink ze het erf op zag lopen, riep hij ook gauw zijn Eva. Het leek wel of iedereen op elkaar had zitten wachten, want nu kwamen ze opeens achterelkaar het erf op.

Ik kende de overige buren alleen van gezicht. Alien en Dennis de Bont, een jong stel van mijn leeftijd, woonden schuin tegenover mij. Dennis was ambtenaar bij de gemeente Bronckhorst en Alien huisvrouw. Ze had haar baan opgegeven om voor haar twee dochtertjes te zorgen. Een moeder moest thuis zijn, vond ze.

Dan had je Carly en Johan Lindemeijer van het hoekhuis aan de andere kant van het blok. Carly, een pittig vrouwtje met blonde krullen, had felle donkere ogen. Johan, ook niet groot, had sluik halflang haar en al net zulke donkere ogen als zijn vrouw. Hij was wetenschapper in het academisch ziekenhuis.

Rob en Ingrid van Houten woonden pal naast Bannink. Rob was directeur van de zuivelfabriek. Ingrid herkende ik als het meisje met het zwarte haar dat ik altijd voor de haag langs zag joggen. Pas nu ik haar van dichtbij zag, bleek dat zij van mijn leeftijd was. Ik vond haar beeldschoon. Ze had immens grote, bruine ogen en prachtig lang haar. Net als ik droeg ze het in een lange, losse vlecht. Daar moesten we meteen hartelijk om lachen. Ze was ook even lang als ik. Met haar klikte het meteen.

Frits Siebelink en Frank Berkhouwer, de homo's van het dorp, liepen schuchter het erf op. Ze waren de laatste gasten. Ze hadden een kapperszaak in Zutphen. Frank had zijn ogen iets opgemaakt. Ik vond het een mooie, sierlijke man om naar te kijken. Echt zo een die naakt ook nog mooi bleef. Alle twee hadden ze een bruine teint. Ook hun kleding zag er verzorgd uit.

Iedereen ging zo'n beetje z'n eigen gang. Ik stond er tevreden naar te kijken.

Ingrid kwam naast me staan. 'Jij jogt ook regelmatig, hè,' zei ze. 'Ik zag je laatst.'

'Inderdaad, zullen we een keer samen gaan?'

Dat leek haar leuk. We stonden even zwijgzaam, verlegen naar elkaar te glimlachen, blij dat we elkaar ontdekt hadden.

'Zeg… Puck?' zei ze. 'Ik zou zo dolgraag eens een keer binnen kijken. Ik ben namelijk binnenhuisarchitecte. En van dit huis valt zo iets leuks te maken.'

'Kom maar mee,' zei ik.

'Nee joh. Niet nu. Maar als ik van de week een keertje op een avond bij je langs mag wippen?' Ze keek me vragend aan.

'Oké,' zei ik. 'Wanneer je maar wilt.'

Ze klapte opgewonden in haar handen. 'Maar dan kom ik al gauw hoor.' Haar ondeugende ogen glinsterden.

Sandra kwam op ons af. Ze zwaaide vermanend met haar vinger naar Ingrid, kneep haar ogen olijk toe en zei alsof ze een kind vermaande: 'Jij hebt Puck eindelijk gestrikt!' Ze gaf me een joviaal elleboogje. 'Ingrid en ik gaan altijd samen naar de sauna. Moet je ook doen, joh. Gaan we voortaan lekker met z'n drietjes.'

Ik kreeg er een blij gevoel van. Misschien was er toch een God, en had hij Sandra als reddende engel op mijn pad gestuurd. Was zij het, samen met al deze leuke mensen, die mij een heel andere kant van het leven toonde, een kant die ik nog niet had ontdekt?

Frank en Frits kwamen bij ons staan. Waarschijnlijk omdat ze zich bij ons het meest geaccepteerd voelden. Ze zeiden dat ik mooi, dik haar had en vonden dat ik voortaan maar bij hun mijn haar moest laten doen.

Sandra wist alles over hoe de verhoudingen in de buurt lagen. De Banninks en de Schildkamps kwamen regelmatig bij elkaar over de vloer 'Het zijn ook echte autochtonen,' zei ze, alsof het iets was waar je voor uit moest kijken.

Carly en Johan kwamen uit Noord-Holland. 'Echte stugge West-Friezen,' vond ze. 'Maar die kunnen het wel goed vinden met Alien en Dennis,' vulde ze ruiterlijk aan.

Rob en Ingrid waren hun vrienden. Ze vertelde dat Henk en Rob altijd samen naar de sportschool gingen. 'Om hun lijven strak te houden,' proestte ze uit.

Het viel me op dat Sandra, net als ik, ook vaak denigrerend over mannen sprak. Ze roerde met de punt van haar schoen over het gras, en zei toen zacht: 'En-eh, Willem komt ook vaak bij ons aanwaaien. Hij komt eigenlijk alleen bij ons en bij Rob en Ingrid. En de laatste tijd ook bij jou natuurlijk.'

'Tsja Willem,' zei ik. In gedachten zag ik ons samen, met een tevreden gevoel over het geslaagde feest, gearmd naar binnen lopen.

Sandra las mijn gedachten. 'Dit soort feestjes is niets voor Willem,' zei ze. 'Veel te veel mensen... Je mist hem, hè?'

Ik knikte.

'Hier...' Ingrid gaf me een glas wijn. Ze kneep begripvol haar ogen toe.

Met de handen onder mijn hoofd lag ik op bed tevreden na te genieten. Het "buurt maken" was goed verlopen. Met vlag en wimpel geslaagd voor mijn toelatingsexamen, zo voelde het. Nu had de kleine dorpsgemeenschap mij in haar armen gesloten. Van pure opwinding tintelde mijn hele lijf. Het was een aangenaam gevoel.

Frits en Frank hadden aan het eind van het feest gezegd dat ik niet moest schromen om gewoon bij ze aan te komen waaien. 'Dat is dan wel wederzijds, hè', had ik geantwoord.

Alleen Joke had de moeite genomen om te informeren hoe het met Gerhard ging. Verder had niemand met een woord over tante en oom gerept. Zo gaan die dingen, dacht ik...

Ik voelde me best wel schuldig. We hadden feest gevierd met de spullen van oom, met de wijn van oom, in de tuin van oom, met de buren van oom, terwijl hij wegkwijnde in Boslust nr. 4, en hem alles afgenomen was wat hem lief was.

Opkomst, bloei en verval. Ik vroeg me af in welke fase ik zat. Het was maar een relatief begrip, vond ik. Volgens mij zat ik in het verval van mijn oude leven, maar tegelijkertijd in de opkomst van mijn nieuwe. Aan het echte verval wilde ik nog niet denken. Bij oom was dat verval al lang geleden ingetreden, maar na de dood van Gerdien werd hij pas met de zure consequenties ervan geconfronteerd.

Het had dus niets te maken met of je nu wel of niet geestelijk aftakelde. Zolang er iemand was die voor je zorgde kabbelde je vredig naar je eind, dan merkte je er nauwelijks iets van. Het verval kon dus ook mild zijn.

Ik had gefaald, besefte ik. Ik had krachtiger moeten optreden. Daar kwam ik steeds weer op uit. Dan had oom hier nog gezeten. Maar ik realiseerde me tegelijkertijd dat ik dan geen eigen leven meer zou hebben gehad.

Dat vond ik het paradoxale van deze tijd. We leefden in de veronderstelling dat we alles geregeld hadden, maar dat bleek aan het eind van je leven een illusie, want we stopten onze ouderen weg in tehuizen, probleem opgelost. Feitelijk was het leven een soort woekerpolis. Je investeerde in een goeie toekomst. En aan het eind bleek je met lege handen te staan.

Ons eigen leven gaven we niet zo gauw op om voor een ander te zorgen, peinsde ik verder, want het individualisme vierde hoogtij, alsof het een verworven recht was waar we voor gestreden hadden.

Vroeger was het niet meer dan normaal dat je voor je ouders zorgde. Je nam ze gewoon in huis. En als je van boeren afkomst was, ging de boerderij over van vader op zoon. Je ouders bleven gewoon op de boerderij wonen en konden dan op de kinderen passen. Al werden ze zo dement als een deur. Dat donderde niks. Dat was juist een voordeel, dan leerden de kinderen tenminste met ouderen omgaan, en met alles wat daarbij hoorde. Als er al iemand moeite mee had, dan waren dat in ieder geval niet de kinderen.

Nu hielden we de ouderen bij ze weg zodra ze iets gingen mankeren. 'Opa is een beetje in de war. Opa woont nu in een huis, waar allemaal opa's wonen die in de war zijn. Daar wordt opa goed verzorgd.' Je kon moeilijk zeggen dat ze daar opa op een po-stoel vastbonden, en zittend in zijn eigen stront naar de andere wereld spoten.

Zelfs al zou je anders willen, dan waren er wel weer allerlei regels waar je op stukliep. Om je aan die regels te onttrekken moest je miljonair zijn. De ironie was wel dat oom, achteraf gezien, alle zorg van de wereld had kunnen betalen. Heel Boslust nr. 4 had kunnen opkopen, inclusief een leger mooie, jonge verpleegsters om hem te pamperen. Nu was het te laat. Daar had de rechterlijke macht een stokje voor gestoken. Zat je eenmaal gevangen, dan kwam je er niet meer uit. Zo werkte dat in onze beschaafde maatschappij, dacht ik opstandig. Ik kon gewoon niet meer ophouden met denken, het leek wel of mijn hersens op hol sloegen.

Jongeren van mijn generatie riepen het hardst van iedereen dat de vergrijzing in aantocht was. Ze deden net of dat voor hen het ergste was, maar dat begon ik me zo langzamerhand toch af te vragen. Volgens mij was het wel het allerergste voor de ouderen zelf... Je zou haast zelfmoordpillen gaan uitreiken. Ik wist zeker dat oom die genomen zou hebben.

Als je dood ging, kon je je tegenwoordig ook al laten oplossen. Ik had daar laatst op tv een reportage over gezien. Dat scheelde een hoop ellende, hoefde je ook nooit meer grafrechten te betalen, en kon je van de begraafplaatsen parkeerplaatsen maken. Was je ook meteen van de lijken die de vergrijzing opleverde af. Anders moesten ze nog Vinex-begraafplaatsen aanleggen om al die babyboomers op te ruimen. Onze generatie zou dan nóg langer moeten doorwerken om dat dan weer te kunnen betalen.

Ik kon er niets aan doen, maar ik kreeg een enorme lachstuip. Hij ging bijna niet meer over.

43

Om twee uur 's middags zat de vrachtwagen van Veilinghuis Heerink vol. Ik liep met Heerinks zoon, een leuke jongen van negentien, die met twee werklieden de opdracht had gekregen om de spullen bij mij op te halen, door de lege ruimtes.

'Ja, dat is het wel zo'n beetje,' zei ik.

Onder grote hilariteit hadden ze zelfs de embryonale gedrochtjes op sterk water meegenomen. Ook bij de skeletten waren de grappen niet van de lucht geweest. Ik moest toegeven dat de jongens een prettig gevoel voor humor hadden.

Toen ik 's middags bij oom langsging, was hij tot ieders stomme verbazing weer aardig opgekrabbeld. De storm in hem was uitgeraasd. Hij zat gemoedelijk naar mijn gekwebbel te luisteren, terwijl ik zijn rolstoel voortduwde.

Praten deed hij niet. Hij sprak door iets aan te wijzen of door zijn mimiek. Oom kon dat als geen ander, en ik begreep hem feilloos. We vormden als vanouds een symbiotisch geheel.

Oom vond het heerlijk als ik hem knuffelde. Soms boog hij helemaal voorover om aan mij te ruiken, dan kreeg zijn blik iets hemels.

Van mannen moest oom niets hebben, dat liet hij duidelijk merken ook. Ik vond dat juist wel grappig. Zo oud en gestoord als hij was, had hij zo zijn voorkeuren. Saskia vond hij te dik. Oom hield meer van lange, slanke types, zoals Gerdien geweest was.

In de fotoalbums had ik gezien dat ik inderdaad erg op haar leek.

Els kon ermee door, bij gebrek aan beter. Maar van Nicolette was hij erg gecharmeerd. En Janneke vond hij ook wel leuk, maar omdat ze altijd een witte jas droeg, benaderde hij haar toch anders, dan kreeg hij iets superieurs over zich, alsof hij zich wilde afzetten tegen haar bewind. Celine negeerde hij domweg. Hij voelde haarzuiver aan dat zij de kwaaie heks was die hem gevangen hield.

We hadden samen op onze idyllische plek aan de rand van het bos gezeten. Toen ik terug wilde lopen, raakte hij helemaal opgewonden. Hij wilde blijven, dat was wel duidelijk.

Ik was even bang dat hij uit zijn rolstoel wilde opstaan. 'Blijf maar rustig zitten,' zei ik. 'Ik rijd u terug naar ons bankje.'

'Ja, vlug, vlug,' zei hij.

Ik was stomverbaasd. Oom sprak opeens.

Toen we weer terug waren, zette ik de rolstoel op de rem, ging op het bankje naast hem zitten en hield zijn hand vast. De lage middagzon gaf nog een aangename warmte. We zaten in stilte van deze hemelse plek te genieten. Wij waren de enigen, verder was er niemand.

Na een tijdje werd oom wat onrustig. Ik hurkte voor hem neer. Zijn tong kwam uit zijn mond, hij probeerde te hoesten, maar had de kracht niet. Ik trok de plaid over zijn schouders. Oom voelde wat koud aan.

'Wilt u naar huis?' vroeg ik.

Met alles wat oom nog in zich had, maakte hij me duidelijk dat hij niet naar "huis" wilde. Hij greep mijn hand vast. In zijn ogen laaide een vreemde gloed op. Zo had hij mij nog nooit aangekeken. Ik schrok er een beetje van.

Opeens drong het tot me door. Hier zou het gebeuren. Hier in dat mooie stukje etherische natuur. Ik legde mijn hoofd in zijn schoot en begon geluidloos te huilen. Zijn bevende hand streelde even mijn vlecht en trachtte daarna een traan van mijn gezicht te vegen.

Ik keek op, en zag dat er ook een traan over ooms wang liep. Ooms lichaam maakte een klein schokje, zijn hoofd zakte opzij, en zijn mond viel open. Toen verstarde zijn blik... Dit was geen absence, dat wist ik zeker.

Oom had mij meegenomen naar de plek waar hij wilde sterven. In alle rust en vrijheid. Ik wilde het moment vasthouden, en bleef met mijn hoofd op zijn schoot liggen. In gedachten zag ik oom en tante hand in hand door de kampong lopen, als engelen in het tropenlicht…

Ik wilde hem niet terugbrengen naar de plek waar hij zo gekweld was. Maar wat moest ik?

De zon kleurde een rode hemel achter het silhouet van de bomen. Uren waren verstreken. Met tegenzin haalde ik de rolstoel van de rem en boog voorover. 'Ik breng u naar huis lieve oom,' fluisterde ik met een verkrampte snik in zijn hagelwitte oor.

Behoedzaam duwde ik de rolstoel voort over het smalle pad onder het dichte bladerdek van de grote bomen, die een erehaag leken te vormen voor de dode.

'We doen nog één keer ons rondje,' prevelde ik. Toen brak ik volledig. Mijn schouders schokten. Ik deed niet eens moeite om mijn tranen te drogen.

Ooms hoofd bungelde heen en weer bij ieder hobbeltje. Een meneer en een mevrouw gingen eerbiedig aan de kant. We liepen achter de kapel langs over het smalle pad dat uitkwam bij de ingang van Boslust nr. 4.

Celine opende de voordeur. 'Bent u daar ein…' Ze maakte haar zin niet af, sloeg een hand voor haar mond.

Met betraande ogen staarde ik haar hulpeloos aan. Ik kon geen woord uitbrengen.

'Kom maar,' zei ze. Ze hielp me de rolstoel naar binnen te duwen.

Nicolette kwam aangerend. Ze zag direct wat er aan de hand was.

'Ik wil dat hij thuis in zijn eigen huis wordt opgebaard,' snifte ik. Het was alsof het een vreemde was die het zei.

Celine wenkte me mee naar haar kantoor. 'Kom maar, kind,' zei ze vol mededogen. 'Dan bellen we daar Monuta. Nicolette zorgt voor je oom.'

Simon was inmiddels ook aan komen lopen, hij stond zwijgend toe te kijken.

Ik wilde de rolstoel met oom erin niet loslaten. Ze mochten hem niet meenemen. Mijn handen zaten om de handvatten gesnoerd. Simon ging achter me staan en probeerde ze met zachte dwang los te maken.

'Nee nee. Hij gaat met mij mee,' huilde ik.

'Kom maar. Laat maar los,' zei Simon zacht. 'We gaan je oom alleen maar even verzorgen, zodat hij er netjes bij ligt.'

Simon was sterker dan ik. Toen hij me los had sloeg hij zijn armen om me heen om te voorkomen dat ik me niet weer aan de rolstoel vastklampte. Nicolette maakte meteen van de gelegenheid gebruik om oom de gang in te rijden. Als een moeder die haar kind moest afstaan, uitte ik uit het diepst van mijn ziel een smartelijke kreet.

Simon stond nog steeds achter me. Hij hield mijn armen stevig tegen m'n borst geklemd. Ik kon geen kant op. 'Ssst, sst. Rustig maar.' Hij fluisterde het bijna. Hij duwde me langzaam in de richting van Celine's kantoor. Of ik wilde of niet, ik moest wel mee. Ik keek wanhopig over mijn schouder. Ooms hoofd hing helemaal scheef aan de rechterkant van Nicolette's heup.

'Ga nou eerst maar even rustig zitten,' zei Celine moederlijk. Ze reikte me een glas water aan. Simon bleef ook. Ik beefde over mijn hele lichaam, en zat verdoofd voor me uit te staren. Celine telefoneerde ondertussen met de begrafenisondernemer. Slechts enkele flarden drongen tot me door. 'Ja, vanavond nog. Nee, wij leggen hem hier af. Voorlopig naar IJsseldijk. Het adres is u bekend.'

Ik bleef maar snuiten, maakte een propje van iedere natte tissue, wierp het in de grijze prullenbak en hield opnieuw mijn hand op. Simon zat naast me met de doos tissues op zijn schoot. Hij gaf me telkens als ik mijn hand ophield weer een nieuwe. Hij leek wel mijn persoonlijke lakei.

'Zo,' zei Celine zorgzaam. 'Ik zal de keuken een bordje eten voor je laten maken. De begrafenisondernemer kan hier over anderhalf uur zijn. Ik heb ze gezegd dat je oom naar zijn eigen huis gaat.'

Misschien door het lichte aangedane trekje om haar mond, begon ik weer te huilen. De opgekropte spanning van de laatste maanden kwam eruit.

'Ach, ga jij even naar de keuken, wil je?' vroeg Celine aan Simon, die meteen opstond en de doos tissues resoluut op mijn schoot neerzette. Ze kwam naast me op het bankje zitten, sloeg een arm om me heen, en zei zacht: 'Laat het maar komen. Het is voorbij. Je oom hoeft nu niet meer te lijden.'

Ik lag willoos tegen haar aan te snotteren. M'n ogen voelden aan als spleetjes in dikke kussentjes.

'Is er iemand die we kunnen bellen?' vroeg Simon toen hij een bord met een biefstukje, doperwtjes en wat gebakken aardappels voor me neerzette.

'Ne-e-e.' Het kwam er wanhopiger uit dan de bedoeling was.

'Zal ik met je meegaan?' vroeg hij.

'Nee, dat wil ik niet,' snotterde ik.

Simon voelde mijn valse schaamte goed aan. 'Ik zal vragen of Els met je meegaat,' zei hij gedecideerd.

Ik nam een paar hapjes van mijn eten en keek hem dankbaar aan. Celine lachte naar me als een bezorgde moeder naar haar kind. 'Nou, zie je nou wel,' zei ze.

Ik voelde opeens de behoefte om haar te vertellen hoe oom gestorven was. 'Hij is zo rustig heengegaan, het was zo vredig. Op de plek waar we altijd kwamen. Hij wilde niet mee terug, alsof hij het voorvoelde. Ik ben zo dankbaar dat...' Ik schrok van wat ik had willen zeggen.

Celine knikte begripvol. Ze maakte mijn zin af. 'Dat hij niet in gevangenschap is gestorven maar in de vrije natuur, waar hij zo van hield.'

'Ja,' zei ik beschaamd. Ik schaamde mij niet zozeer voor mijn bijna-verspreking, maar meer omdat ik zo hard geoordeeld had over Celine. Het was eigenlijk een lief mens. Ze liet nu zien dat ze een hart had. Haar menselijke kant kwam opeens achter de strenge, frikkerige façade tevoorschijn. In een opwelling gaf ik haar spontaan een kus. 'O, sorry, maar ik, ik...'

'Ik beschouw dit als een mooi geschenk,' zei ze, terwijl ze geruststellend even in mijn hand kneep.

Simon was gaan kijken hoever Els en Nicolette waren met oom. Toen hij terugkwam, stak hij zijn hoofd om de hoek van de deur. 'We dachten hem zijn blauwe kiel met zijn spijkerbroek aan te doen. Is dat oké?'

'Ja, dat had hij ook aan toen ik hem voor het eerst zag.' Ik begon meteen opnieuw te huilen.

Simon beende weg.

Celine nam mijn hand in haar schoot. 'En jij Puck? Ik mag nou toch wel Puck zeggen?' - Ik knikte - 'Hoe ga jij nu verder?'

'Het zal eerst wel even vreemd zijn, ik was hier bijna iedere dag,' zei ik weemoedig. 'Ik zal hem vreselijk missen. Misschien terug naar Amsterdam. Ik ben er nog niet uit. Op dit moment is het een grote warboel in m'n hoofd.'

'Ik bewonder je om de kracht waarmee je je voor je oom hebt ingezet,' zei Celine. 'We hadden het weleens moeilijk met je, vooral de temperamentvolle manier waarop je soms binnen kwam stuiven. Maar wij zullen jou ook missen. Er zijn maar weinigen die de kracht kunnen opbrengen. In het begin komen ze nog wel, maar na verloop van tijd haken ze meestal af. Jij niet. Jij hebt je oom nooit in de steek gelaten. Je bent voor hem opgekomen. Dat wilde ik je toch graag meegeven. Laat je me weten wanneer de begrafenis is?'

We zaten daar een poosje in stilte: Zij, die ik zo gehaat had, met nog steeds mijn hand in haar schoot. Ik, als een verlegen meisje naast haar... Celine leek opeens zó wijs.

'Leven je ouders nog?' vroeg ze.

'Nee, die zijn twee jaar geleden omgekomen bij een auto-ongeluk.'

'Ach...' Ze zweeg even. Het leek alsof ze zich moest herpakken. Ze had weer die smartelijke trek om haar mond. 'Ja, dat zijn heel ingrijpende gebeurtenissen in een mensenleven. Daar ben je niet zomaar overheen.'

We zwegen weer.

Els kwam binnen en doorbrak de geladen stilte. 'Kom maar,' zei ze, 'dan kun je naar hem toe. Hij ligt er heel vredig bij.'

Ik liep achter haar aan. Bij de deur draaide ik me om. Celine zat nog op het bankje. Alle hardheid was uit haar gezicht verdwenen. In haar ogen lag een diepe glans. Ze gebaarde me dat het goed was, en zei: 'We spreken elkaar nog wel. Ga maar naar je oom, lief kind.'

In de gang glimlachte Els naar me. 'Best een lief mens, als je haar wat beter kent.'

Ik knikte heftig, mijn keel zat dichtgeschroefd.

Oom lag er inderdaad prachtig bij. Ze waren zelfs niet vergeten hem zijn schoenen aan te doen. Nu zag ik pas hoe mager hij was. Zijn neus stak puntig naar voren, maar om zijn lippen sprankelde een glimlach, alsof hij wilde zeggen: 'Het is goed zo...' In gedachten hoorde ik hem gniffelen: 'Jajajajaja jajajajaja.'

Ik streelde over zijn knokige handen die gevouwen op zijn buik lagen. Ze waren steenkoud.

Na een bescheiden klopje op de deur, kwam de mevrouw van Monuta binnen. Ik herkende haar nog van tantes begrafenis. 'Gecondoleerd met het verlies,' zei ze plechtig. 'We hebben een eco-kist bij ons, maar als u een andere kist wenst, kunnen we hem altijd later omwisselen.'

'Nee nee, dat is juist goed,' zei ik. 'Hij zou niet anders gewild hebben.'

Els trok me met haar mee de kamer uit. 'Laat ze maar even hun gang gaan.'

Ik liet me gewillig meevoeren. Het leek me geen prettig gezicht om te zien hoe ze oom in zijn kist tilden.

44

Els vroeg of ik wel in staat was om te rijden.

'Ja, dat gaat wel,' zei ik.

Celine stond in de deuropening toe te kijken. Ze had haar armen over elkaar geslagen en haar handen onder haar oksels verborgen, alsof ze het koud had. Ik liep naar haar toe en omhelsde haar. 'Bedankt,' zei ik bedremmeld.

'Is goed, meid. Ga nou maar.'

Oom lag met kist en al op zijn eigen bed. Toen ik hem daar zo zag liggen, greep ik Els haar hand en kneep hem zowat fijn. 'Hij is terug,' zei ik aangedaan.

Aan de grote tafel zaten de medewerkers van Monuta rustig af te wachten. 'Misschien dat u morgen bij ons langs kunt komen om de details te bespreken?' vroeg de vrouw.

Dat leek mij ook het beste. Nu stond mijn hoofd er niet naar. Nadat we voor morgenochtend om half elf hadden afgesproken, begeleidde ik ze naar de deur.

Els had haar weg in de keuken gevonden en koffiegezet.

'Ik vind het echt geweldig dat je me gezelschap houdt, maar als je liever naar huis gaat, begrijp ik dat best hoor,' zei ik toen ze de mok koffie voor me neerzette.

'Nee, joh. Ben je gek. Ik heb toch tot morgenochtend dienst. Nicolette neemt mijn dienst op Boslust over.'

Er werd zachtjes op de deur geklopt. Bannink had natuurlijk weer als eerste de lijkwagen op het erf zien staan. 'Is, is... den old'n baas overled'n?' stamelde hij.

'Ja,' zei ik. 'Komt u verder. Wilt u hem nog even zien?'

'O nee, nee. Ik kom alleen efkes kiek'n of 't goed met oe geet.'

De keukendeur ging opnieuw open. Joke en Harm kwamen met devote gezichten binnen. Nieuws verspreidt zich hier snel, dacht ik.

Joke en Harm wilden oom nog wel even zien. Toen ze uit de slaapkamer terugkwamen, zei Joke: 'Hie leit'r mooi bie.'

Bannink die toch ook maar meegelopen was, mompelde onafgebroken: ''t Is mien wat, 't is mien wat. O, God, 't is mien wat.'

Waarop Joke uitriep: 'Ogodogod! 't Is mien zeker wat.'

'Dà kunn'ie wèl zegg'n,' begon Bannink weer.

Joke schudde haar hoofd. 'Ogodogodogod. Dà kunn'ie zeker wèl zegg'n. Moar hie leit'r mooi bie.'

Harm had al die tijd gezwegen en zei resoluut: 'Wie goat op hoes an!'

Els voelde de situatie haarzuiver aan, ze hield de deur alvast voor het gezelschap open. Ik zat aan tafel met mijn hand voor m'n mond en kneep in mijn wangen. Toen Els met een jolige blik in haar ogen tegenover me ging zitten, barstten we allebei in lachen uit.

''t Is mien wat,' riep ik.

''t Is mien zeker wat,' gierde Els.

Toen we weer bedaard waren en ik de tranen uit mijn ogen pinkte, zei ik: 'Maar het zijn schatten van mensen.'

'Ja, dat weet ik,' zei Els. 'Zulke lui heb je bij ons ook in het dorp. Dat zijn nog de echte Achterhoekers.'

Ze vertelde me dat ze in het nabijgelegen dorpje Baak woonde. 'En Celine woont ook vlakbij,' zei ze. 'In Steenderen. In een mooi oud huis, met allemaal verschillende kleuren hortensia's in de tuin.'

'Zullen we gaan pitten?' zei ik 'Ik ben gesloopt.'

'Ik ga hier wel op de grond liggen,' zei Els bescheiden.

'Doe niet zo raar. Ik heb boven twee bedden.' Ik wees naar de badkamer. 'Als je je tanden wilt poetsen en je nog even wilt opfrissen...?'

Dat wilde ze wel. Ze deed zelfs de badkamerdeur op slot.

Ik maakte van de gelegenheid gebruik om nog even bij oom te kijken. Bijna kreeg ik de neiging om mijn matras van boven te halen en voor zijn bed te gaan liggen. Ik nam ieder groefje van zijn doorploegde gezicht in me op. Hij had een zwaar leven gehad, dat kon je zien. Nu had hij het kwellende juk afgeworpen. Ik had er vrede mee. Ik zou hem vreselijk missen, maar voor oom was het goed zo.

Het voelde heel anders dan toen bij mij vader. Die lag er zo ontchutst bij. De schrik van het ongeluk stond nog op zijn gezicht gebeiteld. Mijn moeder heb ik niet meer gezien. Aan haar kant was de auto onder de vrachtwagen geschoven. Mijn broer had haar nog wel gezien, dat was voordat het lijk naar Nederland vervoerd werd. Hij had haar niet herkend. De helft van haar gezicht was weggeslagen. De afgerukte arm hadden ze los bij haar in de kist gelegd. Ik heb er nachten angstdromen van gehad. Iedere keer zag ik haar verminkte lichaam tussen de wrakstukken. Ik wou dat hij het me nooit had verteld.

Boven kleedde ik me snel uit en trok een schoon slipje en een hemdje aan.

Ik lag al in bed toen Els schuchter de slaapkamer binnenkwam. Ze had haar bovenkleren onder haar arm. Ik wees haar bed aan. 'Het is schoon hoor,' zei ik.

Ze knikte verlegen en ging met de rug naar me toe op de rand van het bed zitten.

Ik keek hoe ze de behabandjes over haar schouders schoof en de sluiting losmaakte. Ze gooide haar beha over de stoel, met een schuchter lachje dook ze razendsnel onder het dekbed.

'Zal ik het licht uitdoen?' vroeg ik.

'Ja, doe maar. Ik ben ook best wel moe.'

'Nou, welterusten dan maar.'

'Hé, Puck,' zei ze. 'Je maakt me maar wakker als er iets is, oké.'

'Ja. Je bent een schat. Ik vind het hartstikke fijn dat je er bent.'

Ik was nog klaarwakker en wilde graag even praten. 'Liggen we hier dan met z'n tweetjes,' zei ik na een poosje. 'We weten eigenlijk niet eens wat van elkaar. Vind je dat niet gek?'

'Beetje wel, eerlijk gezegd.'

'Jullie vonden mij zeker wel een kreng?'

'Alleen in het begin... Toen we je wat beter leerden kennen en zagen hoeveel je om je oom gaf, konden we het wel begrijpen. Simon is helemaal kapot van je, wist je dat?'

'Nee, dat wist ik niet, nooit wat van gemerkt.'

Els grinnikte. 'Dat komt omdat wij hem steeds zeiden dat hij toch geen kans maakte, omdat je lesbisch bent. Dat was wel lachen.'

'Echt? Maar ik ben helemaal niet lesbisch.'

'Eerlijk niet? O, dat dachten wij. Je kwam altijd zo streng over.'

'Nou, ja-a zeg! Dat je dat nou van Celine denkt. Daar straalt het gewoon vanaf, dat zie je meteen, maar bij mij toch niet?'

'Maar Celine is ook niet lesbisch. Ze was heel gelukkig getrouwd. Ze had twee dochters. Dat ze zo geworden is heeft een reden.'

'Wat voor reden dan?' vroeg ik nieuwsgierig.

'Haar man en haar dochters zijn omgekomen toen hun boerderij afbrandde. Zij was niet thuis omdat ze dienst had.'

'Nee…!' Ik knipte het licht aan. 'Dat meen je niet! Zeg dat het niet waar is.'

Maar Els knikte.

Ik sloeg de handen voor m'n gezicht. 'Wat verschrikkelijk!' riep ik uit. 'En dan heb ik haar nog wel zo rot behandeld. O, wat erg! Ik kan mezelf wel voor m'n kop slaan.'

'Maar je hebt haar vanavond van een andere kant leren kennen,' zei Els. 'In haar werk is ze erg strikt. "Je mag nooit vanuit je gevoel handelen," zegt ze altijd, "want dan neem je niet de juiste beslissingen." Ja, ik ben het daar niet mee eens. Maar wie ben ik?'

Nu ze wist dat ik niet lesbisch was, ging ze gewoon rechtop in bed zitten. Ze had mooie stevige, ronde borsten, heel wat mooier dan die kleine tietjes van mij.

'Heb jij sigaretten bij je?' vroeg ik.

'Ik heb alleen shag bij me.'

'Oh, te gek, mag ik er eentje?'

'Ik dacht dat jij niet rookte,' zei ze verbaasd.

'Nee, doe ik ook niet, maar nu heb ik er zo'n trek in.'

Els haalde haar tas tevoorschijn. Ik kroop onder het dekbed vandaan. Met de benen kruiselings onder me ging ik voor haar zitten.

'Kun je zelf draaien,' vroeg ze, 'of moet ik het effe doen?'

'Nee, dat vind ik juist leuk,' zei ik gretig.

Na een tijdje prutsen had ik een bobbelig sigaretje gedraaid. Het rook heerlijk. Ik nam voorzichtig een paar trekjes, maar kreeg meteen een hoestbui. Ik klopte driftig op mijn borst.

'Jij bent eigenlijk best wel maf, weet je dat.' Els grinnikte alsof we twee schoolmeisjes waren die stiekem in het fietsenhok sigaretjes stonden te roken.

'Ja, dat ben ik ook,' zei ik.

'Heb jij geen vriend of zo?' vroeg ze.

Ik schudde mijn hoofd en beet op mijn onderlip. Eigenlijk schaamde ik me er een beetje voor dat ik nog steeds geen vriend had.

'Ik ook niet.'

Ik was opgelucht dat zij er ook geen had.

Ze zei dat haar ideale man gevoelig moest zijn. 'En dat zijn de meeste mannen niet. Hier kom je alleen maar boerenpummels tegen. Hij moet echt voor mij gáán en me op handen dragen. De meeste mannen willen maar één ding.'

Ik moest lachen om de manier hoe ze daar zo stellig haar mening zat te verkondigen. Even dacht ik aan Willem.

Ons shaggie was op. Ik kroop weer naar mijn eigen bed en knipte het licht uit. 'Nu ga ik echt maffen hoor,' zei ik. 'Truste!' Ik zat nog vol adrenaline.

'Wat een rare avond is dit eigenlijk,' kraamde ik na vijf minuten alweer uit.

'Hm hmm,' reageerde Els slaperig.

Ik lag te denken aan oom, en aan dat hij ons hier nu zou kunnen zien liggen. Dat had ik ook vlak na de dood van mijn ouders. Daarom deed ik ook bijna nooit aan zelfbevrediging, uit angst dat ze het zouden zien.

45

Els' gezelschap had me door het moeilijkste moment geholpen. Ik was in de eerste nacht niet alleen geweest. Na het ontbijt bracht ik haar naar huis. De rouwkaart moest ik maar naar Instituut Sparrenbos, afdeling Boslust nr. 4 sturen. Dan kwam het wel goed, zei ze. Ze beloofde dat zij in elk geval bij de begrafenis aanwezig zou zijn.

Voordat we weggingen wilde ze oom nog even zien. Ze ging heel lief bij hem op de rand van het bed zitten en keek in de kist. 'Nou meneer,' zei ze zacht. 'We hebben heel wat meegemaakt met mekaar. We zullen u nog missen. U bracht tenminste wat leven in de brouwerij.'

Toen we voor haar huis stilstonden, beloofden we plechtig dat we elkaar niet uit het oog zouden verliezen.

Nadat we afscheid genomen hadden, reed ik meteen door naar Monuta. Daar belde ik eerst tante Agaath. Die had ik nog niet op de hoogte gebracht van ooms overlijden.

'Ach. Nou ja. Voor hem is het misschien wel het beste wat hem kon overkomen,' zei ze laconiek. 'Wanneer is de begrafenis?' Tante leek in het geheel niet aangedaan. Ik had daar toch een vreemd gevoel bij.

'Dat laat ik u nog weten,' zei ik. 'Neemt u maar een taxi als u hierheen komt, dan betaal ik die wel.'

'Red je het allemaal een beetje, kind?'

'Ja hoor tante, gaat best.'

Tante begon een heel verhaal, dat voor het grootste gedeelte langs mij heen ging. Ik liep ondertussen naar de ingang van het uitvaartcentrum. 'Tante, ik ga u hangen,' onderbrak ik haar, 'want ik ben bij de begrafenisondernemer.'

'Wat zeg je, kind? Heb je last van je onderbenen? Dat verbaast me niks. Je rent jezelf nog eens voorbij.'

'Nee tante! Ik ga ophangen, want ik ben bij de begrafenisondernemer!' schreeuwde ik zo hard als ik kon.

'Je hoeft niet zo tegen me te schreeuwen. Ik ben niet doof. Je kunt ook gewoon duidelijker praten. Jullie jongelui staan tegenwoordig maar wat in zo'n mobiele telefoon te mompelen. Je hoort meer bijgeluiden dan dat je iets verstaat.'

Ik kon er maar beter niet op ingaan, want dan duurde het gesprek nog langer. Intussen haalde ik verontschuldigend m'n schouders op tegen de man in het donkergrijze pak, die geduldig stond te wachten. 'Ogenblikje,' fluisterde ik met de hand op mijn BlackBerry.

'Bent u daar nog tante?'

'Ja, natuurlijk ben ik er nog.' Het mensje klonk gepikeerd.

'Tante ik moet nu echt ophangen, er wordt op me gewacht. Ik bel u nog.' Ik articuleerde zo duidelijk mogelijk.

'Doe dat, kind. Bel jij je tante maar.'

'Pfff. M'n ouwe tante van tachtig,' zuchtte ik en stak mijn hand uit. 'Puck Scheltinga van Beuningen. Ik kom voor...'

'Jaja. Voor de heer Brandal. Komt u verder.'

We gingen in een grote zaal aan een ronde tafel zitten. De heer Peters, zoals hij zich had voorgesteld, had een laptop voor zich waarop hij alles intikte. Uit een fotoboek bestelde ik twee grote bloemstukken. Hij vroeg wat er op de linten moest komen te staan.

'Op die van mijn tante: "Rust in vrede lieve zwager, Agaath" en op die van mijzelf: "Bedankt voor alles liefste oom. Uw kleine nichtje Puck."'

Toen hij het teruglas, schoot ik even vol.

'Zal ik "uw kleine nichtje" maar weglaten?' zei hij vriendelijk.

Ik gaf een verlegen knikje. 'Ja, doet u maar, is misschien een beetje te...'

'En de muziek?'

'Die zet ik op een cd, dan breng ik die morgenochtend wel even langs,' zei ik.

Peters vond het prima. Hij vroeg of ze dan ook meteen de adressenlijst voor de rouwkaarten konden krijgen.

Toen alles geregeld was voelde ik een vreemd soort opluchting. Ik scheurde met een noodgang naar huis. Oom lag daar tenslotte helemaal onbeheerd. Dat vond ik maar een raar idee.

Ik had alsmaar onder druk gestaan sinds ik in het oosten bivakkeerde. Het idee gehad dat ik niet goed genoeg voor oom zorgde, hem had laten vallen. Dat idee zat nog in mijn systeem.

Maar toen ik op een stoel naast zijn kist zat, en hij daar zo rustig lag, met op ieder nachtkastje een brandende kaars, dacht ik aan de laatste warme blik in ooms ogen waarmee hij afscheid van mij had genomen. Daarmee had hij mij het gevoel gegeven dat het goed was. Die blik zou de rest van mijn leven bij me blijven...

Ik schrok wakker uit mijn overpeinzingen doordat ik mijn naam hoorde roepen. Sandra stond al een tijdje in de keuken met een grote bos bloemen. Ze putte zich uit in excuses.

'Sorry. Ik wil je helemaal niet storen. Maar wij komen niet op de begrafenis. Dat vinden wij niet gepast. Gerhard mocht ons tenslotte niet.' Terwijl ze me de bos in m'n handen duwde, zochten haar ogen steun.

Ik vond het een beetje raar om te zeggen: 'O, dat geeft niks, joh.' Wat ik dan wel moest zeggen wist ik zo gauw ook niet, dus pakte ik de bloemen aan, en zei: 'Dank je, ik zal ze bij hem neerleggen.'

Ze bleef me maar aankijken. 'Je bent boos,' zei ze timide.

'Ben je mal, natuurlijk niet. Niemand is verplicht om te komen. Dat moet ieder voor zichzelf uitmaken.'

'Ja, meen je dat? Dus je bent echt niet boos op ons?'

Ik sloeg een arm om haar schouder en wreef over haar blonde krullen. Ze bood aan om te helpen met de broodjes en de koffie na afloop van de begrafenis.

'Dat hoeft niet, want dat heb ik al met Monuta geregeld,' zei ik.

Ze keek beteuterd. Dat was kennelijk een tegenvaller.

Ik had er meteen spijt van dat ik haar aanbod zo bot had afgewezen. Ze bedoelde het goed. In haar beleving had het geen pas om op de begrafenis te verschijnen van iemand die altijd een hekel aan je gehad had. Dat was Sandra ten voeten uit. Altijd het hart op de tong en goudeerlijk. Dat waardeerde ik juist zo in haar. Schijnheiligheid was haar vreemd.

Tante was er al om half tien, terwijl de begrafenisauto pas om elf uur kwam om oom op te halen. 'Het wordt toch niet zo'n armetierige gebeurtenis als bij Gerdien mag ik hopen?' vroeg tante pinnig, toen ze naar oom stond te kijken.

'Nee hoor, tante. Ik heb alles keurig geregeld.' Haar laatdunkende gedrag irriteerde me een beetje.

'Wat is-ie trouwens mager,' begon tante weer. 'Ze hebben hem daar in dat tehuis ook niet veel te eten gegeven. Geen wonder dat hij nu al dood is.'

'Kom nou maar mee, tante. Dan schenk ik een lekker kopje koffie voor u in.'

'Komt die afschuwelijke professor ook weer?' vroeg ze.

'Nee tante, de professor heeft laten weten dat hij niet kan komen,' zei ik kortaangebonden. De professor had een congres waar hij niet onderuit kon, maar ik had geen zin om dat aan tante uit te leggen.

Gister belde er een meneer van de loge der Vrij Metselaars. Ook dat hield ik voor me, omdat tante daar waarschijnlijk ook wel weer commentaar op zou hebben... Hij vroeg of ik hem als spreker wilde aanmelden. Ik heb hem gezegd dat het goed was, maar dan wel na mij, en niet te lang. Ik wilde voorkomen dat hij het gras voor mijn voeten wegmaaide en dingen ging zeggen die ik had willen zeggen.

De buren reden, net als bij tante Gerdien, achter ons aan. Tante en ik reden pal achter de lijkwagen. Ik voelde me net de black widow met m'n hoogsluitend jurkje, de zwarte pumps en de grote zonnebril. De lange vlecht, die oom zo vaak gestreeld had, stak parmantig onder de grote hoed uit.

Na Haydns "Heiligste Nacht", liep ik naar het spreekgestoelte, legde de zonnebril voor me neer en overzag de zaal, die beduidend voller was dan bij tante Gerdien. Er zaten mensen tussen die ik helemaal niet kende, en waarvan ik zeker wist dat ze geen rouwkaart hadden gehad. Kennelijk allemaal leden van de loge.

Oom Rolf had me gebeld om te zeggen dat hij en Rebecca niet naar de begrafenis kwamen, uit piëteit voor Agaath. Ze hadden wel een grote krans laten bezorgen. Op het lint stond alleen hun naam, zo bescheiden waren ze.

Celine, Simon, Els en Nicolette waren er wel. Ik gaf ze een knipoogje, bijna ongemerkt.

Ingrid en het homostel Frank en Frits, hadden zich bij de andere buren gevoegd op de achterste rij.

Ik kuchte en vouwde mijn papiertje open.

Mijn speechje kwam er zonder haperen uit. Ik haalde ook ooms laatste dagen aan en keek daarbij naar de medewerkers van Boslust nr. 4. Ten slotte bedankte ik de aanwezigen voor hun komst, keek naar de kist en zei met gebroken stem: 'Vaarwel lieve oom.' Daarna rende ik geëmotioneerd terug naar mijn plaats.

Toen ik met een tissue mijn neus snoot en mijn ogen depte, liep de voorzittend meester van de loge naar voren. Hij prees oom, die hij 'broeder Gerhard' noemde, regelrecht de hemel in. Dat had hij wat mij betreft niet hoeven doen, want in mijn beleving vertoefde oom daar reeds. Daarna voerde hij samen met de andere broeders een heel ritueel uit bij de kist. Ik vond het maar een hypocriete zooi.

Nooit had een van de broeders ooit de moeite genomen oom te bezoeken. Ze hadden zelfs helemaal niets van zich laten horen, ook niet toen ik ze een briefje had gestuurd met ooms adres. Nee, als je het van de broeders van de loge moest hebben, dan kon je beter meteen je kop in de strop steken.

Na de vertoning van de broeders der Vrij Metselarij gingen de deuren open. Onder "O mio bambino caro" van Puccini liepen we achter de kist aan.

Tijdens de koffie met broodjes hadden de broeders het hoogste woord, want als er een feestje te vieren viel, dan waren de broeders er als de kippen bij. Maar van kippen had oom toch meer verstand.

De voorzittend meester vroeg me of ik ooms rituaal met de bijbehorende spullen gevonden had, want die had hij in bruikleen en het was usance bij de vrijmetselarij dat ze na de dood van een broeder teruggegeven werden.

Ik vroeg hem of het iets paarskleurigs in een fluweelbeklede doos was.

'Ja,' zei hij. 'Dat moet het zijn.'

Ik zei hem dat ik alle ouwe troep in de vuilcontainer had geflikkerd. Aan zijn gezicht zag ik dat hij dat helemaal niet leuk vond. Hij hield zich groot en zei dat het nou ook weer niet zó belangrijk was.

Ik had de logespullen helemaal niet weggegooid. Ze lagen keurig in het nachtkastje, waar oom ze ook altijd in had liggen, maar dat hoefde ik die opgeblazen lulhannes niet aan zijn neus te hangen.

Bijna iedereen was al vertrokken. Alleen tante, Celine en ik waren er nog. Ik vroeg of tante nog even meeging naar IJsseldijk, maar dat wilde ze niet. Ze had daar niks te zoeken, zei ze. Het kwam kennelijk niet in haar op dat ik het misschien prettig vond om niet in een leeg huis te komen. Ook al deed ik dat natuurlijk al maanden, maar nu oom overleden was leek het opeens leger dan ooit. Ik belde een taxi voor haar.

Toen de taxi arriveerde, tante zich geïnstalleerd had en bezorgd uit het portierraam keek, hoorde ik Celine tegen haar zeggen: 'Maakt u zich maar niet ongerust. Het is een flinke meid die heel goed voor zichzelf kan zorgen.'

De taxi zette zich langzaam in gang. Celine deed een stapje achteruit. Ze knikte geruststellend naar tante.

Met enige verbazing stond ik naar het stel te kijken. Het leken wel oude vriendinnen. Ik vroeg me af hoe ze dat zo gauw voor elkaar gekregen hadden. Ze hadden ook wel iets gemeen realiseerde ik me: allebei klein, mager, slechtziend, en wat dovig, maar vooral zeer kordaat, en overtuigd van hun eigen gelijk.

Celine en ik bleven staan zwaaien tot de taxi uit het zicht verdween.

'Zo. Ik ga er ook vandoor,' zei ze gedecideerd.

Ik moest helemaal vooroverbuigen om het kleine vrouwtje een kus te geven. Ik had haar altijd als mijn vijand gezien, maar hoe ze me had opgevangen toen ik als een verdrietig vogeltje met mijn dode oom aan kwam lopen, en sinds ik wist wat ze in haar leven had doorgemaakt, zag ik haar heel anders.

Ze zei dat ik maar eens langs moest komen om ooms spullen op te halen, maar alleen als ik daar aan toe was. Met een schutterig gebaar en een nerveuze zenuwtrek om haar mond, duwde ze haar visitekaartje in mijn hand. 'Als je eens een keer zin hebt 's avonds, want overdag werk ik,' zei ze.

Het overdonderde me zo, dat ik met mijn houding geen raad wist. Ik had natuurlijk moeten zeggen dat ik dat zeker zou doen, maar ik stond daar maar en zei niets, helemaal niets.

Pas toen ze al bijna bij haar auto was, riep ik: 'Da-haag, mevrouw Foudraine!' Ze keek om.

Ik wapperde demonstratief met het kaartje in de lucht en stond heftig te knikken.

46

De dagen na de begrafenis voelde ik me leeg en lamlendig. De skypesessies met Charlotte en de bezoekjes van de buren zorgden ervoor dat ik niet helemaal ten onder ging aan mijn depressieve gevoel.

Soms zat ik aan tafel te somberen. Ik was ook weer helemaal teruggevallen in mijn oude gewoonte. Zelfs als ik televisie zat te kijken masseerde ik mijn tepels tussen duim en wijsvinger. Mijn linker tepel was zo gevoelig geworden dat ik noodgedwongen overgestapt was op mijn rechter.

Alhoewel ik er niemand kwaad mee deed, vond ik toch wel dat ik van dit infantiele gedrag af moest, maar het was sterker dan ik. Ik kon het gewoon niet laten. Ik móest tepelen. Het waren periodes, en dit was zo'n periode. Het gaf me enig gevoel van geborgenheid. Als ik niet kon slapen deed ik het ook vaak, dan kwam de slaap vanzelf. Wanneer ik me er weer eens over schaamde, en me schuldig voelde, dan hield ik mezelf voor dat er mensen waren die nog veel gekkere dingen deden.

Een vriendin van mij werkte op de eerste hulp van het AMC. Ze had me ooit verteld dat er een keer een man binnen was gebracht die zijn pik onder stroom had gezet. Toen ze hem vroeg waarom hij dat gedaan had, had hij laconiek verklaard: 'Om lekker klaar te komen.'

Ze had hem vermanend toegesproken, en hem gevraagd of hij ervan genoten had, want dat het waarschijnlijk de laatste keer was geweest dat hij überhaupt klaar was gekomen.

'Nou, deze keer was het niet zo lekker,' had de man benepen geantwoord, 'want vlak voordat ik komen moest, brandde de weerstand in de trafo door. De volle twee-twintig kwam erop te staan.'

Toen ze in de behandelkamer zijn lid aan een nauwkeurig onderzoek onderworpen hadden, bleek dat zijn zwellichamen een behoorlijke klap hadden gehad. De arts-assistent had bedenkelijk gekeken, en gezegd: 'Het is nog maar zeer de vraag of u ooit nog een erectie kunt krijgen.' Waarop de man mijn vriendin, die bezig was met een pincetje de verbrande velletjes van zijn lid te trekken, wanhopig had aangekeken.

Nee, dan kon je beter tepelen, dacht ik opgelucht.

De notaris had de verklaring van erfrecht in orde gemaakt.

Ik kon nu geheel naar eigen goeddunken beschikken over ooms vermogen, maar ik kon er niet blij mee zijn. Het trieste gevoel dat ik nooit meer bij oom kon zijn overheerste.

Ik stond in tweestrijd of ik me nu definitief in IJsseldijk zou vestigen, of dat ik de draad van mijn oude leven weer moest oppakken. Dit warme dorpje verlaten, net nu ik ingeburgerd was, wilde ik niet. Maar het benauwde me ook om me er te begraven. Iedere dag was hetzelfde. Er viel niks te beleven. Om alles achter me te laten, weer terug te keren naar IJburg en mijn oude leven weer op te pakken, zou een vlucht betekenen. Opnieuw zou ik vluchten voor mezelf, en mijn gevoel wegstoppen. Dagenlang liep ik te peinzen. Ik kon maar niet tot een besluit komen.

Mijn advocaat liet weten dat ze de vordering van Plansierra waarschijnlijk in der minne zou kunnen schikken. Ze was in afwachting van de schriftelijke bevestiging van de Raad van Bestuur. In ieder geval zou ik niet meer worden lastiggevallen door het incassobureau. Dat was tenminste iets. Eerlijk gezegd interesseerde het geld me niet eens meer. Oom was dood, wat deed het er nog toe.

Toen ik weer enigszins was opgekrabbeld, nadat ik mezelf flink had aangepakt, kocht ik twee grote taarten en reed naar Boslust nr. 4. Eindelijk durfde ik de confrontatie aan.

Ze hadden ooms kleren netjes gewassen en in de koffer gedaan. Ik vroeg of zij er iets aan hadden. Ze zeiden dat ze de kleren goed konden gebruiken voor patiënten die geen familie meer hadden.

We zaten met z'n allen in het kantoortje van de verpleegpost. Even later kwamen Celine en Janneke ook nog even langs. Ik sneed een groot stuk taart voor ze af.

Simon sprong op, want we hoorden gegil uit de recreatieruimte komen. 'Hé, Puck. Ik moet ervandoor,' zei hij, 'voordat het daar uit de hand loopt.'

Het was een dag als alle andere, alleen dan zonder oom. Het deed pijn, en opeens besefte ik dat ik hier niets meer te zoeken had.

Zoals we hier zaten, waren we ieder van ons getuige hoe een erudiet man als mijn oom als een dinosaurus ten onder was gegaan, en hoe mijn pogingen om dat te voorkomen mislukt waren. Voor de medewerkers van Sparrenbos was dat dagelijkse kost, maar voor mij een ingrijpende gebeurtenis die me de rest van m'n leven zal bijblijven.

Na van iedereen afscheid te hebben genomen, vluchtte ik op een holletje naar mijn auto. Ik wilde niet dat ze zagen dat ik aangedaan was. Ze stonden in de deuropening te kijken hoe ik wegreed. Ik trapte hard op het gas en stoof het pad af alsof ik vluchtte... vluchtte van de mensen die ik eerst zo verafschuwd had, maar waarvoor ik nu warme gevoelens koesterde. Het waren toch eigenlijk pareltjes...

Luisterend naar het zachte gezoem van mijn zescilinder die zoevend in het zonnetje voortgleed, kwam in me op dat zij net zo goed te maken hadden met de smalle marges waarbinnen de speciale ouderenzorg in Nederland geregeld was, of misschien juist niet geregeld was. Ik had ze altijd beschouwd als de personificatie van alles wat daar fout aan was.

Om dit zware werk vol te kunnen houden móesten ze wel een pantser optrekken. Zeker voor mensen zoals ik, die daar maar tegenaan bleven trappen. Ik begreep ze veel beter, nu ik er enig afstand van had kunnen nemen.

Op de rotonde sloeg ik rechtsaf richting Baak en moest ineens grinniken, want mijn gedachten sloegen weer eens op hol.

Wie wilde er nog strontluiers van een heel leger gestoorde bejaarden verschonen? Dan moest je wel heel bijzonder zijn, of zelf een afwijking hebben. Nee, wij stonden erbij en keken er liever naar via

Netwerk of Nieuwsuur, hangend op de bank voor onze hd-televisies. Want ons overkwam dat niet. Wij bleven altijd jong en ons lichaam bleef altijd mooi en slank. Het werd me hoe langer hoe duidelijker.

Onze generatie wilde niet meer vechten voor een betere toekomst, want dat was maar lastig. Tegen de tijd dat wij oud waren, was de medische wetenschap zover dat we allang waren ingeënt tegen psychische stoornissen en dementie, of tegen God mag weten wat. Dan hadden we de zaak met stamceltherapie en nanodeeltjes volledig onder controle, dan verweekten onze hersenen niet meer. De slogan: "meer handen aan het bed" gold dan alleen nog voor de babyboomers. Een uitstervend ras van potverteerders die de oerknal gemist hadden en waar van alles mis mee was. Dat gold niet voor ons. Wij waren de generatie van het eeuwige leven.

Er kwam een machteloze woede in me op over alles wat er fout zat in de ouderenzorg. Tegelijkertijd werd ik er blij van, blij dat ik me überhaupt kon opwinden over het welzijn van de mens. Ik lachte naar de mooie, jonge vrouw in de achteruitkijkspiegel die niet langer een vreemde voor me was.

Thuis pakte ik mijn mountainbike. Op het bospad keek ik even om over mijn schouder. De boerenhoeve, die nu van mij was, lag daar als altijd, en dat zou nog eeuwen zo blijven.

Opeens wist ik het. Ik zou de boerderij grondig laten opknappen, de flat in Amsterdam nog een tijdje aanhouden als veilige vluchthaven en mijn baan opzeggen. Ik zou niet meer kunnen, zelfs niet meer wíllen aarden in de kille bankcultuur waar alles draaide om winst, meer winst, eigenbelang en bonussen. Waar niemand ook maar enig besef had van de maatschappelijke functie van een grote systeembank.

Ik kon er niet meer achter staan. Ik zou alle beslissingen vanuit mijn gevoel gaan nemen, wat me op den duur de kop zou kosten, omdat ze daar bij een bankinstelling gewoon geen boodschap aan hadden. Dat kon ik mezelf maar beter niet aandoen.

Ik moest er zien achter te komen waar Willem uithing, hem

achterna reizen, met hem het avontuur van het leven aangaan. In iedere vezel van mijn wezen voelde ik dat we bij elkaar hoorden.

De bevrijdende tranen van geluk rolden over mijn wangen. Staande op de trappers, zette ik de vaart erin. Heuvel op, heuvel af, behendig alle kuilen en hobbels ontwijkend.

Ik stroomde als een rivier met kolkend water en bruisende watervallen naar de oneindig grote oceaan, waar mij het onbekende wachtte. Ik was er niet langer bang voor en voelde me bevrijd, nu ik eindelijk vóélde wat ik wilde en niet langer bedácht wat ik moest willen. Het juk om te leven volgens vastomlijnde patronen had ik afgeworpen.

Oom had mij de weg gewezen. Hij zou voortaan mijn beschermengel zijn. In meerdere opzichten had hij mij een onverwachte erfenis nagelaten.

Meer lezen van Robert Thomson?

De zwarte spiegel

psychologische roman

verschenen bij

www.booklight.nl

13W38319/ T1/ 9789491472039